Confissões de um pregador

AUGUSTUS NICODEMUS

Copyright © 2023 por Augustus Nicodemus Lopes

Os textos bíblicos foram extraídos da *Nova Versão Transformadora* (NVT), da Tyndale House Foundation, salvo as seguintes indicações: *Almeida Revista e Corrigida* (ARC), *Almeida Revista e Atualizada*, 2ª edição (ARA), *Nova Tradução na Linguagem de Hoje* (NTLH), e *Nova Almeida Atualizada* (NAA), da Sociedade Bíblia do Brasil; e *Nova Versão Internacional* (NVI), da Bíblica Internacional.

Todos os direitos reservados e protegidos pela Lei 9.610, de 19/02/1998.

É expressamente proibida a reprodução total ou parcial deste livro, por quaisquer meios (eletrônicos, mecânicos, fotográficos, gravação e outros), sem prévia autorização, por escrito, da editora.

Edição
Daniel Faria
Silvia Justino

Revisão
Natália Custódio

Produção
Felipe Marques

Diagramação
Felipe Marques
Marina Timm

Colaboração
Ana Luiza Ferreira

Capa
Marina Timm

Foto de capa
Tiago Nunes

CIP-Brasil. Catalogação na publicação
Sindicato Nacional dos Editores de Livros, RJ

N537c

Nicodemus, Augustus
  Confissões de um pregador / Augustus Nicodemus. - 1. ed. - São Paulo : Mundo Cristão, 2023.
  368 p.

  ISBN 978-65-5988-209-0

  1. Bíblia - Uso homilético. 2. Pregação. I. Título.

23-82979
CDD: 251
CDU: 27-475

Meri Gleice Rodrigues de Souza - Bibliotecária - CRB-7/6439

Publicado no Brasil com todos os direitos reservados por:
Editora Mundo Cristão
Rua Antônio Carlos Tacconi, 69
São Paulo, SP, Brasil
CEP 04810-020
Telefone: (11) 2127-4147
www.mundocristao.com.br

Categoria: Igreja
1ª edição: maio de 2023

Para Samantha
filha
neta
bisneta de pregador

Sumário

Prefácio   13
Introdução   15

1. A prioridade da pregação   19
   O culto cristão   19
   Noé   21
   Os patriarcas   22
   Moisés   23
   Os sacerdotes   24
   Os sábios   26
   Os profetas   27
   As sinagogas   29
   Nos tempos do Senhor Jesus   29
   O trabalho missionário   30
   O culto da igreja apostólica   31
   Em nossos dias   33

2. A vida do pregador   35
   Oração   35
   Leitura da Bíblia   41
   Leitura de obras teológicas e gerais   47
   Jejum   51
   Meditação, silêncio e reclusão   52
   Santidade   55
   Confissão   59
   Preparo intelectual   62
   A soberania de Deus   65

3. A preparação do sermão   68
   Tipos de sermão   68

A preparação do sermão expositivo	72
A escolha da passagem bíblica	78
O esboço	84
Fontes e recursos para a preparação do sermão	86

4. Línguas originais — 88
O conhecimento da própria língua	88
A questão manuscritológica	89
O conhecimento das línguas originais	93

5. Modelos de interpretação — 96
O que é a Bíblia	96
O método histórico-gramatical	100
O método histórico-crítico	103
As novas hermenêuticas	105

6. Ilustrações no sermão — 108
O uso de ilustrações na Bíblia	108
Cuidados com o uso de ilustrações	110
Fontes para boas ilustrações	115

7. Intelecto e espiritualidade — 117
Relação entre intelecto e espiritualidade	117
O uso de citações de outros autores	124
Em busca de humildade	127
Em luta contra a vaidade	129
Evitar o profissionalismo	134
O emocionalismo no púlpito	138
Lidar com a tietagem	144

8. A importância da aplicação — 148
Como fazer a aplicação	150
O que evitar na aplicação	154

9. Quando Deus muda o sermão — 156
Sermões extemporâneos	158
Repetição de sermões	159
Pregar o sermão de outros	163

SUMÁRIO

10. Pregando Cristo — 166
- Cristo é o centro das Escrituras — 166
- A centralidade de Cristo na pregação reformada — 171
- Cuidados e precauções — 172

11. O apelo — 177
- Charles Finney — 178
- Apelos na Bíblia — 180
- Apelo aos crentes — 186
- O apelo do pastor local — 187
- Apelo por dinheiro — 188
- Outros tipos de apelo — 189
- O apelo que vem da igreja — 190

12. Apóstolo, profeta, evangelista, pastor e mestre — 193
- Apóstolo — 194
- Profeta — 196
- Evangelista — 199
- Pastor — 202
- Mestre — 205

13. O pregador e as crianças — 208
- "Culto infantil" — 208
- Crianças barulhentas — 209
- Pregar diretamente às crianças — 211
- Diferenças na pregação para adultos e crianças — 211
- Mesmo um menino pode crer — 213

14. As tentações do púlpito — 218
- De onde vêm as tentações — 218
- Diferença entre tentação e pecado — 219
- Fama — 220
- Bajulação — 223
- Investidas afetivo-sexuais — 227
- Política — 232

15. O perigo da rotina — 234
- Perda do entusiasmo — 234

Fechar-se para o extraordinário 236
Pregações monotemáticas 238
Para evitar os perigos da rotina 239

16. Conselhos ao pregador itinerante **242**
O sermão 242
O deslocamento 245
A bagagem 247
A hospedagem 248
A preparação 249
O púlpito 250
A oferta 251

17. Convites para pregar **253**
Convites na Bíblia 253
Quem decide? 254
Fatores que nunca deveriam ser levados em conta ... 261
Desmarcar compromissos assumidos 262

18. A questão denominacional, doutrinária e teológica ... **264**
Aproveitar as oportunidades 264
Evitar polêmicas 265
Passar vexame 266
Os outros 267
Unidade na diversidade 269
Ser tudo para com todos 271
Pregar Cristo, e não sua denominação 272

19. O acerto prévio **274**
O ensino bíblico 274
Quando fazer exigências é razoável 275
Levar alguém ao seu lado 276
Acertos sobre a programação 277
Quando o acerto sofre alterações 278
Passagem e acomodação 279
Trajes e aparência 279
A tradução usada na igreja 280
Canais digitais: YouTube e redes sociais 281

SUMÁRIO

20. O acerto financeiro	**283**
21. A esposa do pregador	**291**
A importância da família	291
A importância da esposa	292
Conselho ao pregador solteiro que deseja se casar	294
Conselhos ao pregador casado	295
A esposa e os compromissos	300
A briga antes do culto	302
A força dos detalhes	303
"Pastoras"	304
22. Os filhos do pregador	**306**
Sugestões para o pregador	308
Pregadores com filhos desviados	311
O pregador não é o Espírito Santo	315
Muitos regressam depois de um tempo	316
Um dia tudo passará	317
23. Pregadores divorciados	**320**
O conceito de casamento na Bíblia	320
Situações em que o divórcio é permitido	321
"Marido de uma só mulher"	323
O que fazer diante do divórcio	324
24. O pregador e a internet	**329**
Tecnologia	329
Não há substitutos	330
O comportamento nas redes sociais	331
Os riscos da notoriedade	334
Lidar com as críticas	336
Fazer críticas	340
Lutero, imprensa e redes sociais	341
25. O pregador e a velhice	**343**
Idoso, mas feliz	343
Conselho aos jovens	345
Súplicas de um ancião	347
Paulo, o velho	349

Frutificar na velhice 350
Os perigos da velhice 352
A expectativa da morte 355

Conclusão 357
Sobre o autor 361

Prefácio

Confissões de um sogro

Uma vez que, pelo título, este é um livro pessoal escrito por meu genro, vou prefaciá-lo também com uma nota pessoal, as "Confissões de um sogro".
 Em 1959, minha esposa e eu chegamos ao Brasil, vindos da Holanda como missionários, com três menininhas. Pela graça, podíamos servir aqui no Brasil por muito tempo, pois nosso contrato com a missão que nos enviou era vitalício. Anos depois, quando servíamos no Paraná, alguém me perguntou se não deveríamos voltar para a Holanda. "Mas por quê?", devolvi a pergunta. "Ora, por causa de suas filhas, que já são grandes!" Retruquei: "Será que no Brasil não há homens de Deus?". Mas os leitores podem imaginar o que de fato nos passou pela cabeça de vez em quando.
 No início dos anos 1970, estávamos servindo no oeste do Paraná quando a missão nos informou que a Igreja Presbiteriana do Brasil queria que nos mudássemos para Recife a fim de ajudar no Seminário Presbiteriano do Norte, e a missão apoiava a ideia. Inicialmente, eu não queria sair do Paraná para ir ao Nordeste porque amava o trabalho de campo e, além disso, não me achava qualificado para ser professor de seminário. Mas a missão insistia em nossa transferência. Uma vez minha esposa me perguntou: "Por que você tem dificuldade de aceitar essa mudança?". Eu não sabia. Depois de orarmos, ela perguntou: "Será que é por causa das meninas?". Eu precisava reconhecer que ela tinha razão. Já eram moças, bonitas, e para achar um companheiro para a vida seria mais fácil no Sul, onde tínhamos muitos amigos, inclusive nas colônias holandesas. O que fazer? Então o Senhor nos fez lembrar de Salmos 25.12 ("Ao homem que teme ao Senhor, ele o instruirá no caminho que deve escolher", ARA) e pensei: "Sim, Senhor, eu sei, mas as nossas filhas!?". E então era como se o Senhor nos lembrasse: "Não somente o versículo 12, mas também o 13!". E lá diz que "sua descendência herdará a terra". Era como se ele dissesse: "Pode deixá-las na minha mão, eu cuidarei".

Em fé colocamos nossa mão sobre aquela promessa e começamos a nos preparar para a mudança. A missão nos concedeu meio ano sabático na Holanda a fim de que eu pudesse me preparar melhor para a nova tarefa no Nordeste. Em dado momento, o secretário da missão nos telefonou dizendo que devíamos ir ao consulado em Haia, porque mostrariam um filme sobre o Brasil. Fomos, mas voltamos um pouco preocupados: tinha sido um filme sobre Lampião...

Chegando de navio ao porto do Recife, hospedamo-nos provisoriamente no seminário e tomamos as refeições no refeitório dos alunos internos. Toda vez que entrávamos no refeitório com nossos oito filhos ocorria certo alvoroço entre os estudantes. E foi ali, no Nordeste, que Deus providenciou maridos, homens de Deus, para as três filhas maiores. Como Deus cumpriu sua promessa! Um deles é o autor deste livro precioso. Muito obrigado, Senhor!

De fato, que livro precioso para pastores pregadores, itinerantes e fixos, "internetianos" e "pulpitonianos", solteiros e casados, pregadores tentados e rotinados, pais alegres de pequenos e pais preocupados de grandes, colegas que recebem convites e irmãos que fazem apelos, pregadores jovens e velhos. Com muitas sugestões valiosas. Todavia, como o autor é jovem ainda, creio que eu deveria fazer somente uma nota de rodapé no final do último capítulo sobre a velhice, pois, chegando ao fim, o pregador talvez se lembre como lhe faltavam dons e força para o trabalho ao longo dos anos, mas também como Deus sempre o encorajou lembrando-lhe que a única coisa que o Senhor requeria dele era que fizesse a obra fielmente. Obrigado, Senhor. E ele cumprirá suas promessas também para você, querido leitor e colega, pois Deus é fiel!

Coragem e bom proveito!

Francisco Leonardo Schalkwijk
Missionário no Brasil por quase quarenta anos,
é doutor em História e pastor emérito
da Igreja Evangélica Reformada

Introdução

Este livro sobre pregação diverge do padrão dos livros que tratam do assunto. Para começar, ele é mais a respeito do pregador que da pregação. Não é, tecnicamente falando, um livro de homilética, ou seja, uma obra destinada a ensinar pessoas a pregar ou a ajudar pastores a melhorar sua técnica de pregação. Trata-se simplesmente de uma coletânea de minhas experiências de quarenta anos como pregador, filtradas por minhas convicções bíblicas e teológicas em várias áreas relacionadas com o chamado do pregador.

Para tanto, estou partindo aqui de alguns pressupostos sem tentar prová-los biblicamente. Espero que o leitor os mantenha em mente à medida que avança na leitura, caso contrário, alguns capítulos e afirmações poderão ficar fora do contexto pretendido. Primeiro, tomo como ponto de partida que o pregador é sempre um homem cristão qualificado, chamado por Deus para exercer esse ministério. Não creio que possamos defender biblicamente o ministério de mulheres ordenadas ou pastoras. Entretanto, como essa temática não é o foco deste livro, não entrei aqui no mérito da discussão.[1]

Isso me leva ao segundo pressuposto: o pregador é geralmente um pastor de alguma denominação evangélica. Sei que nem sempre é o caso. Existem pregadores chamados "leigos", isto é, que não tiveram uma educação teológica formal nem foram consagrados ou ordenados como pastores em uma igreja ou denominação. Creio que eles também poderão tirar grande proveito deste livro, embora eu tenha em mente, principalmente, o pregador que é também pastor de uma igreja local.

---

[1] Estão disponíveis na internet vários artigos meus a respeito da ordenação feminina. Ver, também, meu livreto *Ordenação de mulheres: Que diz o Novo Testamento?* (São Paulo: PES, 1997).

Terceiro, não vejo o pregador como um ofício em si, mas como uma função do ofício de pastor, ressalvadas as exceções mencionadas no parágrafo anterior. Creio que temos apenas dois ofícios nas igrejas cristãs hoje, os presbíteros e os diáconos, entendendo os pastores como presbíteros dedicados ao ministério da Palavra. No entanto, respeito profundamente a opinião de outras denominações que acrescentam a essa lista de ofícios bispos e evangelistas, e alguns revelam-se excelentes pregadores.[2]

Além desses pressupostos, preciso também fazer algumas ressalvas. Como disse no início, este não é um livro sobre homilética. Não consultei bibliografia sobre o tema nem sobre técnicas de comunicação. Simplesmente abordei diferentes assuntos a partir de meu conhecimento bíblico e teológico, e de minha experiência no ofício de pregador. O leitor logo perceberá, portanto, o cunho pessoal e confessional deste texto.

Durante muito tempo, amigos me perguntavam se eu não escreveria um livro sobre pregação. Nunca senti vontade de fazê-lo. Embora pregar tenha sido sempre a área mais forte de meu ministério, nunca estudei, de fato, para tornar-me um pregador e, portanto, não me via na condição de ensinar outros, ainda que tivesse tido no Seminário Presbiteriano do Norte, onde me formei, um professor de homilética notável pelo vasto conhecimento geral, pelo zelo das coisas de Deus e pelo entusiasmo com que nos ensinava. Meu interesse dirigiu-se mais para a área de interpretação bíblica e estudos neotestamentários. E foi por aí que enveredei na vida acadêmica.

O projeto de escrever um livro sobre pregação propriamente dita nunca vingou de fato até surgir a ideia de um livro focado não na pregação, mas na pessoa do pregador. Depois de quatro décadas nesse ofício, senti que poderia dar alguma contribuição nessa área. Entretanto, ainda que meu alvo aqui seja mais a pessoa e a vida do pregador, e como ele pode desenvolver melhor seu ministério em geral, não há como falar do pregador sem falar da pregação.

Portanto, para terminar, quero fazer alguns agradecimentos. Primeiro, a Maurício Zágari, pelo incentivo e ajuda na preparação do esboço do livro. Segundo, a meu sogro, reverendo Francisco Leonardo, que leu cada

---

[2] Embora conviva bem com a titulação bispo e evangelista, não me sinto confortável com a de "apóstolo". Para entender minhas razões, ver meu livro *Apóstolos: A verdade bíblica sobre o apostolado* (São José dos Campos, SP: Fiel, 2014).

capítulo à medida que eu os finalizava. Terceiro, agradeço ao reverendo Cláudio Henrique Albuquerque, pastor titular da Primeira Igreja Presbiteriana do Recife, onde tenho o privilégio de servir, que juntamente com o Conselho da Igreja me concedeu um período sabático sem o qual eu não teria como escrever este livro. Também agradeço aos editores da Mundo Cristão, que se debruçaram cuidadosamente sobre o manuscrito e fizeram muitas importantes sugestões.

Por fim, agradeço a minha querida Minka, com quem estou casado há 39 abençoados anos, pelo incentivo e encorajamento nesses quarenta anos de ministério como pregador da Palavra de Deus.

E, claro, é somente a nosso Deus que rendo louvores e adoração pelo privilégio de poder escrever alguma coisa nessa área. A ele toda glória, agora e eternamente.

Augustus Nicodemus
Snow Camp, Carolina do Norte, agosto de 2022

1

A prioridade da pregação

Quero começar este livro falando sobre minha convicção básica na área de pregação: ela é a prioridade no culto. Com isso, não estou minimizando o valor da oração, dos cânticos ou dos sacramentos, mas apenas confessando o pressuposto de que, dentre os demais elementos do culto cristão, a pregação da Palavra de Deus deveria receber a primazia. Embora o Espírito Santo use todos os elementos do culto para nossa edificação, acredito que é pela pregação que Deus fala mais direta e claramente conosco quando estamos reunidos com seu povo para adorá-lo publicamente. Embora esse ponto me pareça claro, estou a par das controvérsias que o cercam, algumas das quais veremos em seguida.

O culto cristão

Ao longo de sua história, a igreja cristã vem se debatendo com disputas, discussões e discordâncias quanto a alguns importantes aspectos relacionados com o serviço divino. A organização *versus* a liberdade na liturgia constitui um exemplo. Até que ponto podemos organizar e estruturar a ordem ou a sequência dos atos de culto sem coibir a espontaneidade dos participantes? Ou, mais grave, até que ponto a própria ideia de preparar uma liturgia antecipadamente já não representa uma limitação à liberdade do Espírito de Deus em dirigir o culto como ele deseja?

Igrejas, movimentos e grupos dentro do cristianismo têm assumido, às vezes, lados radicalmente opostos nessa questão. De um lado, temos liturgias elaboradas minuciosamente e realizadas por ministros paramentados de acordo com o calendário eclesiástico e as estações do ano, as quais exigem formalidade, seriedade e reverência. De outro, temos cultos sem nenhuma ordem ou sequência preestabelecidas, em que as coisas acontecem ao sabor da inspiração momentânea do dirigente, supostamente sob a orientação do

Espírito de Deus. Já presenciei cultos representativos de ambas as visões. Felizmente, onde predomina o bom senso e o desejo de seguir os princípios bíblicos para o culto a Deus, adota-se uma liturgia que busca usar o que há de melhor dos dois esquemas, unindo seriedade reverente a liberdade exultante. Esse é o modelo que, pessoalmente, entendo ser o melhor.

Outro exemplo é a tensão existente entre ofício e participação. Quem deve dirigir o culto a Deus? Quem pode participar ativamente na liturgia? Apenas os que foram ordenados para isso, isto é, pastores e presbíteros? Ou qualquer membro da comunidade? Ao longo da história, essas questões têm recebido variadas respostas por parte de diferentes grupos. Encontramos igrejas cujo entendimento reside no fato de que apenas os que foram treinados adequadamente e posteriormente autorizados (ordenados) pela igreja podem liderar o serviço divino. Outros grupos, como os quacres do passado e alguns movimentos quietistas modernos, rejeitam a própria ideia de ofício e dispensam qualquer ordem ou liderança no culto público. E há ainda igrejas evangélicas brasileiras que apresentam variações desses extremos.

Entendo como caminho correto a manutenção no culto de uma liderança claramente bíblica de presbíteros e pastores, e ao mesmo tempo a busca, entre os não ordenados, daqueles que possuem dons públicos e se mostrem capazes, após treinamento adequado, de participar ativamente da liturgia.

Outra tensão: formalismo *versus* simplicidade. Relacionada com esta vem a tensão entre solenidade e alegria. Esses extremos na verdade não se excluem. Todos fazem parte do culto bíblico, muito embora em sua história a igreja cristã tenha por vezes enfatizado uma coisa em detrimento de outra. Como sempre, a busca pelo equilíbrio bíblico deve marcar a liturgia das igrejas evangélicas.

Mas existe ainda outra tensão, talvez em um nível mais profundo, que representa um sério desafio para a liturgia da igreja e que nos aproxima do tema deste livro. Refiro-me à tensão mente *versus* emoção. Ou, mais exatamente, qual o lugar da mente no culto? Pode-se cultivar o entendimento e o crescimento intelectual sem perder de vista o papel do coração no culto? Um culto só é realmente espiritual se a mente for deixada de lado e o coração envolvido inteiramente? O pregador só será usado se expressar profundas emoções do púlpito ou se manifestar profundo conhecimento teológico e argumentos racionais?

Muitos grupos evangélicos, hoje, responderiam sem hesitar que a mente acaba por representar um obstáculo à experiência da verdadeira adoração, e que deve ser deixada de lado para que as emoções fluam livremente. Desse ponto de vista, as partes do culto, e especialmente a pregação, devem facilitar a experiência litúrgica. A pregação acaba sendo relegada a plano secundário, substituída por relatos de experiências pessoais, ou, quando feita, geralmente se configura por uma coleção de casos, exemplos e experiências, intermediados aqui e ali por trechos bíblicos nunca expostos e explicados, mas citados como prova.

Essa tendência de priorizar as emoções e desprezar o papel do entendimento no culto e na pregação é bem antiga. Paulo precisou corrigir o desequilíbrio litúrgico dos coríntios e a ênfase deles na participação, no uso dos dons, na liberdade e na pouca atenção à instrução e ao uso da mente.[1] Modernamente, percebe-se sem muito esforço a tendência de enfatizar participação, louvor, testemunhos e dramatizações, em detrimento da pregação da Palavra durante os cultos dominicais de muitas igrejas.

É essa última tensão que tem questionado mais radicalmente a natureza, a necessidade e o propósito da pregação nos cultos. O presente capítulo não visa responder a todos os aspectos da questão, mas destacar o que mais nos parece fundamental: que desde o início Deus usou pregadores, mestres da Palavra, expositores bíblicos, como veículo de revelação da sua vontade ao seu povo. Por isso a pregação nunca deve ser relegada a plano secundário no culto, mas sempre ocupar o lugar central.

Para demonstrar a centralidade da pregação no culto divino, faremos um breve estudo no Antigo e no Novo Testamento do qual extrairemos várias lições de cunho prático para nós, pregadores, e para você, leitor.

Noé

Sabemos muito pouco acerca do culto público a Deus antes de Moisés organizá-lo com as instruções recebidas de Javé no Sinai. O primeiro pregador de quem temos notícia no Antigo Testamento é Noé. O apóstolo Pedro nos informa que Noé, além de justo e temente a Deus, era também um *pregador*. Pedro se refere a ele como "pregador da justiça" (2Pe 2.5, NAA).

---

[1] Para detalhes sobre as instruções de Paulo aos coríntios acerca do culto, ver *O culto espiritual*, 2ª ed. revisada e aumentada (São Paulo: Cultura Cristã, 2017).

Segundo as palavras do próprio Pedro em sua primeira carta, ficamos com a impressão de que Noé, pelo Espírito de Cristo, pregava aos pecadores de sua geração durante o tempo em que construía a arca (1Pe 3.18-20).[2] O próprio Senhor Jesus fez uma comparação entre a sua geração e a geração da época de Noé, dizendo que ambas seriam surpreendidas pelo juízo divino (Mt 24.37-39). Na comparação, Jesus era para a sua geração perversa e incrédula o que Noé havia sido para a geração perversa e incrédula de sua época, pregador da justiça divina, anunciando à sua geração o arrependimento e a conversão a Deus. Podemos concluir que, mediante a pregação de Noé, Deus manifestou ao mundo antigo, de antes do dilúvio, a sua verdade, chamando-o ao arrependimento.

Os patriarcas

Mais adiante, encontramos outro pregador, Abraão, chamado de "profeta" pelo próprio Deus (Gn 20.7). Profeta é alguém que fala em lugar de outro. Essa designação pode significar, entre outras coisas, que Abraão era, em sua geração, o porta-voz de Deus. E de que forma Abraão transmitia a seu povo a vontade que Deus lhe dava a conhecer? Não é difícil de imaginar. Abraão costumava celebrar cultos ao redor dos muitos altares que edificou, para oferecer sacrifícios e invocar o nome do Senhor (Gn 12.7,8; 13.4,18). Nessas ocasiões, ele ministrava a seu povo. De acordo com Gênesis 18.17-19, Deus escolheu Abraão para que determinasse a seus filhos e aos filhos de seus filhos que guardassem "o caminho do Senhor, praticando o que é certo e justo" (Gn 18.19). A fim de que isso acontecesse, Abraão teria de comunicar a seu povo qual era o caminho do Senhor.

Há uma tradição interpretativa entre os judeus de que Deus revelou a Lei a Abraão, antes mesmo de revelá-la a Moisés. Abraão teria recebido e guardado a Lei, e foi essa Lei que ele transmitiu a seus filhos. Evidentemente essa tradição não tem apoio bíblico, visto que o Antigo Testamento

---

[2] Eu disse "ficamos com a impressão" porque 1Pedro 3.18-20 é reconhecidamente muito difícil de interpretar, como as mais diferentes opiniões dos estudiosos confirmam. Daí a cautela para não ser dogmático em um ponto difícil. A ideia de que a passagem significa que Cristo, pelo Espírito Santo, pregou por intermédio de Noé aos pecadores do mundo antigo, enquanto a arca era preparada, é bastante aceita pelos estudiosos conservadores, e é a que adotamos aqui.

considera como o início da Lei a sua entrega no Sinai, 430 anos depois de Abraão. Mas uma coisa parece certa: Abraão instruía regularmente seu povo nos caminhos do Senhor, como profeta que era, anunciando-lhes o desejo de Javé durante os cultos celebrados ao redor do altar. Ali Abraão lembrava-os das promessas que Deus lhe havia feito, das bênçãos e dos deveres da aliança, e transmitia-lhes a vontade divina. Mais uma vez vemos como Deus transmitiu sua verdade através de um pregador. Embora não possamos provar, não seria muito supor que Isaque e Jacó continuaram a tradição, pregando aos descendentes de Abraão e transmitindo a tradição que nele se iniciou.

Moisés

Com Moisés, o culto a Javé foi formalmente organizado. Até aqui Deus ainda não havia revelado a seu povo, em detalhes, como desejava ser adorado, mas no Sinai Deus transmitiu a Moisés como essa adoração deveria ser feita. Um tabernáculo deveria ser construído de acordo com instruções detalhadas. Sacerdotes e levitas deveriam ministrar ali, de acordo com leis que regulavam desde suas vestimentas até a composição do incenso a ser oferecido. Os sacrifícios, também regulamentados, foram classificados em diferentes tipos de ofertas e oblações. Determinou-se o calendário religioso, com festas e dias santos, e o desejo de Javé de ter um local único para o culto, na terra que havia prometido.

A instrução do povo na Lei de Deus foi atribuída aos sacerdotes e levitas, que diariamente deveriam pregar no tabernáculo. Deus determinou a Arão que ele e seus filhos ensinassem ao povo a diferença entre o puro e o impuro, transmitindo-lhes os mandamentos e estatutos do Senhor (Lv 10.8-11). Mais tarde, em seu cântico de despedida, Moisés reconheceu diante de Deus que os levitas "ensinaram teus estatutos a Jacó, deram tuas instruções a Israel" (Dt 33.10).

Moisés, entretanto, era o grande pregador das assembleias, quando todo o povo se reunia para ouvir a Palavra de Deus. Aquele que era "pesado de boca e pesado de língua" quando Deus o chamou (Êx 4.10, NAA), veio a ser poderoso em "palavras e ações" (At 7.22). Foi primeiramente legislador, pois recebeu e transmitiu as leis de Deus ao povo; mas foi também pregador, pois essas leis foram transmitidas ao povo mediante seus sermões. O livro de Deuteronômio é o registro dos sermões de Moisés na planície de Moabe, antes que o povo entrasse na terra prometida. O livro começa dizendo que é o registro das palavras de Moisés (Dt 1.1), frase que é repetida em 29.1. Ao final, repete-se mais uma vez que as palavras de Moisés foram registradas no livro (Dt 31.24; 32.45).

Os estudiosos têm notado que Deuteronômio difere de Levítico e Números por ter uma forma sermônica. Isso se deve ao fato provável de que o livro reflete os sermões de Moisés ao povo, nas planícies de Moabe (29.1), preparando o povo para entrar na terra. Os estudiosos por vezes dividem o livro em: a) Primeiro sermão, capítulos 1—4; b) Segundo sermão, capítulos 4—28; c) Terceiro sermão, capítulos 29—33.

O que desejo mostrar é este aspecto não raro esquecido da vida daquele grande líder: Moisés era um grande pregador. Ele fez da proclamação pública o meio para transmitir a vontade de Deus ao povo de Israel no deserto, por quarenta anos, e o meio para preparar esse povo para entrar na terra prometida. Deuteronômio é o registro dos seus sermões nessa ocasião, conservando a forma como tais palavras foram entregues.

Os sacerdotes

Depois de se tornar uma monarquia, Israel reconhecia três ofícios ou funções oficiais pelos quais Deus se manifestava: o sacerdote, o sábio e o profeta. Os três são mencionados no livro do profeta Jeremias:

> Então o povo disse: "Venham, vamos planejar um jeito de nos livrarmos de Jeremias. Temos vários sacerdotes, e também homens sábios e profetas. Não precisamos que ele nos ensine a lei, e não precisamos de seus conselhos e profecias. Vamos espalhar boatos a seu respeito e ignorar o que ele diz".
> Jeremias 18.18

É importante entendermos as circunstâncias em que os inimigos de Jeremias disseram essas palavras: eles estavam irados com as profecias de Jeremias de que a nação de Israel seria invadida, o templo destruído, os sacerdotes e os profetas mortos (ver Jr 8.1; 13.13; 14.18; 23.11 etc.). Essas palavras suscitaram a ira do povo exatamente porque os sacerdotes, sábios e profetas eram considerados canais da revelação divina, os meios pelos quais Deus falava ao seu povo. Sem eles, o povo ficaria sem saber a vontade de Deus, ficaria sem direção. Julgavam que Deus jamais deixaria seu povo sem revelação, sem esses meios de comunicar-se com ele. Daí planejarem matar Jeremias, por considerarem falsa a sua profecia.

Infelizmente o povo estava errado e Jeremias, certo. Mas nosso foco aqui é o papel que essas três funções desempenhavam em Israel e como o desempenhavam. Comecemos com o sacerdote. Os sacerdotes e levitas foram encarregados por Moisés de ensinar a Lei ao povo durante os cultos públicos. Era deles a tarefa de ensinar a Israel todos os estatutos que Deus havia mencionado por intermédio de Moisés (Lv 10.8-11). Em Malaquias 2.7, o sacerdote é chamado de "o mensageiro do SENHOR". A palavra empregada para "mensageiro" (*mal'ak*) indica alguém encarregado de levar uma mensagem da parte de uma autoridade. O sacerdote era visto como mensageiro e porta-voz do Senhor dos Exércitos. De seus lábios e de sua boca os filhos de Israel deveriam esperar o conhecimento e a instrução do Senhor.

Nem sempre essa dimensão do ministério sacerdotal é lembrada. Pensa-se mais no sacerdote do Antigo Testamento como alguém que oferecia sacrifícios regulares e intercedia pelo povo. No entanto, além de oficiar os rituais o sacerdote era um ministro da Palavra, um mensageiro, um pregador. Era considerado em Israel aquele por meio de quem Deus manifestava sua vontade. Era um intérprete e um pregador da Lei. Essa função sacerdotal de pregar e ensinar a Palavra de Deus nunca foi abandonada, e temos indícios dela durante a monarquia.

É interessante notar que, durante as reformas religiosas, os reis tementes a Deus se preocupavam primeiramente em restabelecer os levitas e sacerdotes, pois estes ensinavam a Lei de Deus ao povo. Para promover a reconstrução do templo e a reforma da verdadeira religião em Israel, o rei Josafá mandou, junto com os príncipes, sacerdotes e levitas a fim de que estes ensinassem ao povo a Lei do Senhor em toda a extensão do seu reino. O resultado foi um grande despertamento espiritual (2Cr 17.1-9). O rei Ezequias tratou de restaurar o sacerdócio dos levitas tão logo assumiu o trono (2Cr 30.22-27). Assim também fez o rei Josias (2Cr 35.1-3).

Talvez o exemplo mais conhecido de sacerdote pregador seja Esdras. Ele era um escriba versado na Lei de Deus (Ed 7.6) e pregador da Palavra. Ele e outros sacerdotes e levitas instruíram o povo de Deus que havia voltado do cativeiro para Jerusalém durante aquele memorável reavivamento espiritual registrado no livro de Neemias (8.1-8). Isso mostra como Deus esperava que, por meio da exposição de sua Palavra pelos sacerdotes e levitas, seu povo fosse instruído, reformado e edificado.

Os sábios

O segundo meio pelo qual Deus se revelava a seu povo no Antigo Testamento eram os sábios, conforme vemos no texto de Jeremias mencionado acima. Essa classe especial de pessoas havia se desenvolvido durante a monarquia. Já na época de Jeremias, haviam tomado lugar ao lado dos sacerdotes e profetas como uma das maiores influências morais e religiosas em Israel. Aparentemente, a obra deles era formular planos e dar conselhos sobre como ter uma vida bem-sucedida e sempre de acordo com a Lei de Moisés. Nem todos os estudiosos do Antigo Testamento pensam que os sábios eram uma classe especial e reconhecida. Tratava-se apenas de pessoas de inteligência incomum, procuradas por seus conterrâneos para conselhos. Não podemos discutir esse assunto em profundidade aqui, mas qualquer que tenha sido o caso a presença e atuação dos sábios em Israel é muito clara.

Os sábios de Israel eram homens experientes, hábeis e vividos, que ensinavam a sabedoria prática de Deus ao povo. Em contraste com os sábios do Egito e da Babilônia, não praticavam ocultismo, astrologia ou adivinhação, mas para eles "o temor do SENHOR é o princípio da sabedoria" (Pv 9.10).

É muito importante destacar que a fonte da sabedoria deles era a Palavra de Deus, quer escrita, quer ainda em forma oral, falada pelos profetas. A literatura produzida pelos sábios que acabou em nosso cânon, como Eclesiastes, Jó, Provérbios e alguns dos salmos, são aplicações práticas da Palavra de Deus. A sabedoria consistia exatamente nisso, em encarar a vida do ponto de vista da Lei, em tomar decisões diárias que estivessem de acordo com os estatutos do Senhor, em viver o dia a dia nos caminhos da Palavra. Os sábios geralmente ficavam à entrada da cidade ou nas praças, onde eram consultados, e respondiam sempre em termos da Lei do Senhor. Muitos deles viviam nas cortes. Alguns eram, também, escribas.

Os sábios geralmente ministravam e expunham provérbios (ditos práticos, curtos, com ditames para a vida pessoal e para a bem-aventurança), monólogos (como Eclesiastes) ou diálogos (como Jó) em que discutiam a relação entre Deus e o ser humano, e o sentido da existência. Tudo analisado e investigado à luz da Lei de Moisés.

O exemplo mais conhecido de sábio é o rei Salomão, cuja sabedoria encontramos em Provérbios. Duas coletâneas de provérbios são atribuídas diretamente a ele nesse livro (Pv 10.1—22.16; 25.1—29.27). Como o principal contribuidor, a ele é atribuída a coleção completa (Pv 1.1).

O nome de Salomão está também associado ao livro de Eclesiastes. O livro começa com a frase: "Palavras do Pregador, filho de Davi, rei de Jerusalém" (Ec 1.1, NAA). É significativo que o nome hebraico desse livro seja "o Pregador", ou *Qohelet*. Essa palavra vem da raiz *qaʾal*, "assembleia", e significa aquele que fala (prega) à assembleia do povo de Deus. A frase inicial, que bem poderia ser o título do livro, sugere que Salomão destilava sua sabedoria pregando para as grandes assembleias do povo, expondo as implicações e os princípios práticos da verdadeira sabedoria.

Meu ponto, mais uma vez, é que o trabalho dos sábios se baseava na Lei. Pela exposição das implicações práticas dela, os sábios orientavam o povo quanto ao que fazer diariamente. Mais uma vez vemos como a exposição da Palavra de Deus tinha lugar central nos planos de Deus para revelar sua verdade e edificar seu povo.

Os profetas

A terceira categoria à qual o texto de Jeremias 18.18 se refere é a dos profetas. Enquanto o sacerdote era um expositor da Lei e o sábio um conselheiro sobre os caminhos de Javé, o profeta era instrumento de novas revelações, veículo da Palavra de Deus. É isso que caracteriza o profeta. A palavra profeta (*nabi*) significa basicamente, como já mencionamos, aquele que fala em lugar de outro (ver Êx 4.14-16 com 7.1).

Os profetas transmitiam a Palavra de Deus primariamente por meio da proclamação. Eram essencialmente pregadores. Não é difícil perceber isso. O profeta Isaías considerava seu ministério a proclamação da Palavra de Deus ao povo, pela qual o braço do Senhor seria revelado (Is 53.1). Ao declarar a vinda do Messias, Isaías se refere ao método pelo qual isso haveria de ocorrer: levar as boas-novas ao povo, o que se concretizaria pela pregação (Is 61.1). Dadas as denúncias feitas aos falsos profetas, que pregavam mentiras ao povo, vemos que era pela pregação que os profetas — falsos e genuínos — executavam seu trabalho (Jr 23.31; 28.1; Ez 21.29).

O profeta era essencialmente um pregador, que recebia e transmitia a viva Palavra de Deus ao povo. Esse ponto às vezes não é tão notado por causa da concepção popular equivocada de que a função principal do profeta no Antigo Testamento era predizer o futuro ou revelar coisas secretas no passado ou no futuro das pessoas. Deixemos bem claro que essas coisas faziam, sim, parte do ministério dos profetas. Entretanto, não eram a maior parte. Os profetas dedicavam-se especialmente a expor a Palavra de Deus ao povo e chamá-lo ao arrependimento. Eles geralmente surgiam quando os sacerdotes se haviam corrompido e os sábios haviam seguido a ganância. Os profetas surgiam como enviados por Deus para o momento de crise, quando a vida espiritual da nação estava em perigo e a verdadeira religião em risco de ser engolida pelo baalismo ou pelo culto a divindades pagãs. Os profetas, então, anunciavam ao povo os termos da aliança com Deus e relembravam a história de Israel, como Deus sempre punira a desobediência e recompensara a obediência. Também lembravam ao povo as ameaças de Deus em caso de desvio e apostasia, chamando-o ao arrependimento.

Os grandes profetas — Isaías, Ezequiel e Jeremias — gastaram mais tempo exortando o povo ao arrependimento pela proclamação do castigo iminente de Deus e da sua misericórdia para com os que se arrependem do que predizendo as coisas futuras. Se os livros que foram escritos em nome deles, e que estão no cânon da Bíblia, refletem corretamente a proporção entre a pregação exortativa e o anúncio profético, resta pouco espaço para dúvida. Basta conferir no livro de Isaías, por exemplo, quanto mais espaço é dedicado às pregações exortativas do profeta do que ao anúncio do que haveria de vir. E mesmo ao anunciar as coisas futuras, os profetas faziam-no pregando e conclamando ao arrependimento. Eram pregações escatológicas, enraizadas na Lei e com implicações morais. Eles não entravam simplesmente em transe e falavam ao povo durante as visões, mas primeiro tinham as visões e depois as transmitiam ao povo pela proclamação ou exposição, e suas implicações.

Em suma, podemos perceber que foi mediante a pregação de homens escolhidos e chamados para esse fim que Deus manifestou sua vontade à igreja debaixo da Antiga Aliança. Parece-nos claro que a pregação não é meramente um método, mas um meio que envolve diretamente o pregador, sua vida e personalidade, e que foi adaptado para a proclamação da verdade divina. Embora não concordemos com as premissas das modernas teorias de comunicação, penso que elas estão corretas ao afirmar que "o meio é a mensagem".[3] Mais do que somente as palavras, a mensagem de

---

[3] "O meio é a mensagem" é uma frase cunhada pelo teórico da comunicação canadense Marshall McLuhan e o nome do primeiro capítulo de seu livro *Os meios de comunicação como extensões do homem* (São Paulo: Cultrix, 1969), publicado originalmente em 1964.

Deus incluía sua entrega por homens pecadores e fracos, transformados e capacitados pelo poder do Espírito Santo para transmiti-la.

As sinagogas

Entre os principais acontecimentos do período intertestamentário está o surgimento das sinagogas. Não sabemos com exatidão em que circunstâncias elas apareceram pela primeira vez. O que sabemos é que já eram parte da vida religiosa de Israel no início do ministério do Senhor Jesus. A dificuldade em conhecer sua origem se deve ao fato de que não são mencionadas nos livros apócrifos escritos antes de Cristo. O que podemos dizer é que elas surgiram durante o período em que a nação de Israel estava no exílio, longe do templo de Jerusalém, onde se davam os sacrifícios e o ensinamento da Lei. A consciência de que a desobediência à Lei havia sido a causa do desterro despertou o desejo dos judeus de retornar à leitura da Lei (ver Ne 8).

"Sinagoga" vem de uma palavra grega que significa reunir coisas ou pessoas. As sinagogas surgiram, portanto, como locais onde os judeus se juntavam para orar, ler as Escrituras e ouvir o ensino e a exortação baseados nas Escrituras pelos mestres de Israel, geralmente levitas ou escribas. Mais tarde, durante o judaísmo rabínico (período que começa antes de Cristo), as sinagogas tornaram-se centros de estudo da Bíblia. Nelas, a atividade central consistia na leitura e na exposição da Lei. Não sabemos ao certo como eram esses encontros. Aparentemente, seguia-se uma ordem que incluía orações, ofertas, leitura da Lei e dos Profetas, seguida de sua exposição, e bênção. Nessa liturgia, a exposição bíblica era central. Foi por meio da exposição da Palavra que Deus manteve viva a fé de seu povo no período intertestamentário.

Nos tempos do Senhor Jesus

A centralidade da pregação pode também ser observada no ministério do Senhor Jesus, o pregador por excelência. Quando ele surgiu pregando na Palestina, as sinagogas já eram uma parte da vida dos judeus. O Senhor ia regularmente às sinagogas da Galileia, onde ensinava e pregava o reino de Deus. Muito embora ele curasse os doentes e fizesse milagres, era principalmente pela pregação e pelo ensino que realizava seu ministério

(Mt 4.23; 9.35; 13.54; Mc 1.21,39; 6.22; Lc 4.16ss; 4.44; Jo 6.59). É certo que a encarnação e as atividades do Senhor são entendidas no Novo Testamento como a revelação de Deus ao seu povo (Jo 1.1-3; Hb 1.1-3). Suas palavras e seu ensinamento são igualmente tidos como revelação. Ele é o profeta aguardado por Israel que viria declarar ao povo de Deus a sua vontade (Jo 6.14; 7.40). Aquele que é a Palavra encarnada transmitiu a verdade de Deus ao povo, indo por toda parte, ensinando e pregando. Com isso, o Senhor confirmou a pregação como meio escolhido por Deus para transmitir a verdade a seu povo.

Percebemos que o Senhor usou diversos recursos didáticos em seu ensino, como parábolas, por exemplo. Há excelentes estudos feitos por pesquisadores sobre sua didática. Não é esse nosso ponto agora, mas cabe destacar que foi mediante a pregação que Jesus desempenhou seu papel como o profeta e o mestre esperado por Israel. Não queremos minimizar o papel na revelação dos milagres e da própria presença do Senhor como a Palavra encarnada, mas parece-me evidente que foi através de seu ensinamento que ele nos revelou a vontade do Pai.

Essa revelação foi registrada de forma inspirada e infalível pelos escritores que nos legaram o Novo Testamento. Assim, fica difícil separar Cristo das Escrituras, como alguns estudiosos pretenderam. Entre eles está o conhecido Karl Barth, já falecido, cuja obra e pensamento influenciaram muitos. Mais adiante, mencionaremos o jargão bem conhecido hoje, segundo o qual "Cristo é a chave hermenêutica da Bíblia", que em certa medida faz essa separação entre Cristo e a Palavra.

O trabalho missionário

Os primeiros missionários fizeram da pregação o principal meio para transmitir o evangelho. Sinais e prodígios acompanhavam a pregação dos apóstolos, mas sem a exposição da verdade de Deus tais feitos sobrenaturais tornavam-se ineficazes para transmitir a verdade, como Paulo e Barnabé perceberam em Listra (At 14.8-18). Muito embora o milagre das línguas atraísse as multidões em Jerusalém, no dia de Pentecostes foi pela pregação de Pedro que milhares se converteram (At 2). A cura do aleijado despertou a atenção da multidão, mas foi pela pregação de Pedro que mais pessoas foram acrescentadas à igreja (At 3).

Quando se viram perante a necessidade de se ocuparem com as questões sociais da igreja crescente, os apóstolos tomaram medidas urgentes para não se desviarem do que entendiam ser sua missão principal: a oração e o ministério da Palavra (At 6). Diante do sinédrio, Estêvão expõe as Escrituras do Antigo Testamento, no mais extenso sermão registrado no Novo Testamento, mostrando como a rejeição dos judeus a Cristo era a continuação do padrão de desobediência do Israel de outrora (At 7). Embora Deus tivesse deixado claro por meio de visões e comunicações diretas do Espírito que os gentios deveriam ser incluídos na igreja, foi pela pregação de Pedro que isso se concretizou (At 10).

Em suas viagens missionárias, Paulo plantava igrejas seguindo uma estratégia padrão, que consistia em ir à sinagoga local, participar do encontro e expor as Escrituras aos presentes, como ocorreu claramente em Tessalônica. Durante três sábados, Paulo visitou a sinagoga da cidade e, como era costume, nas três ocasiões lhe foi concedida a oportunidade de falar. Lucas descreve as pregações de Paulo como arrazoadas, exposições e demonstrações a partir das Escrituras com o fim de persuadir os judeus a crerem que o Cristo esperado por eles era Jesus, a quem ele, Paulo, anunciava (At 17.1-4). Em Corinto, seu método evangelístico foi pregar Cristo, e este crucificado, em demonstração do poder do Espírito Santo (1Co 2.1-5). Muito mais poderia ser dito, mas penso que é desnecessário multiplicar textos, visto que é claro no livro de Atos que a expansão da igreja cristã em seus primórdios se deu por meio da pregação da Palavra, constatação que deveria nos levar a refletir, hoje, sobre a relação entre pregação e evangelização.

O culto da igreja apostólica

Não era só na obra missionária que a pregação ocupava lugar central. O mesmo ocorria nos cultos cristãos, que seguiram em linhas gerais o padrão dos encontros realizados nas sinagogas. Os primeiros cristãos eram todos judeus da Palestina ou da Diáspora (a partir de Pentecostes) e estavam familiarizados tanto com as sinagogas quanto com o templo. As atividades litúrgicas no templo tinham para eles um sentido escatológico, cumprido em Cristo e na igreja. A carta aos Hebreus, por exemplo, entende o serviço divino no tabernáculo como sombra e tipo de Cristo e da igreja. Foi do encontro realizado na sinagoga aos sábados que os cristãos extraíram os elementos e princípios do culto cristão, à exceção da celebração da Ceia, reminiscente dos sacrifícios executados no templo. O templo e sua liturgia tinham valor teológico para os cristãos, mas não litúrgico. Os principais elementos do culto da sinagoga passaram a fazer parte do culto cristão, como oração, coleta, disciplina, leitura e exposição das Escrituras. A isso foram acrescidos a celebração da Ceia e os cânticos.

Nos cultos cristãos, portanto, manteve-se a prioridade da Palavra, lida e exposta. O Senhor Jesus havia determinado aos discípulos que ensinassem aos demais — primariamente pela exposição das Escrituras, no poder do Espírito (Lc 24.44-49) — a guardarem tudo que ele havia ordenado. Em obediência, eles foram por toda parte ensinando e pregando o reino de Deus, instruindo os discípulos nos ensinamentos do Senhor.

É importante lembrar que o apóstolo Paulo destaca como vitais para a igreja os dons dos que ministram ao povo por meio do ensino e da exposição das Escrituras. Deus concedeu apóstolos, profetas, evangelistas, pastores e mestres a sua igreja para edificá-la e fortalecê-la na verdade, a fim de evitar que se desviasse pelos falsos ensinamentos (Ef 4.10-16). Mais adiante trataremos especificamente dessa passagem e da relação do pregador com esses ofícios e ministérios.

Paulo coloca o profeta acima do que fala em línguas, pois ele edifica a comunidade pela exortação (1Co 14.1-4). A igreja deve reconhecer de forma especial os presbíteros que se afadigam no ensino da Palavra de Deus (1Tm 5.17). Como vimos, os profetas do Antigo Testamento desempenhavam seu ministério especialmente pela pregação da Palavra de Deus, expondo a vontade dele a seu povo. O ministério dos profetas neotestamentários deve ter seguido na mesma proporção. Expunham ao povo o sentido cristológico das Escrituras do Antigo Testamento, demonstrando como as antigas promessas se cumpriram em Cristo.

Resumindo, Deus usou no período bíblico diferentes pessoas: profetas, sábios, escribas, sacerdotes, apóstolos, pastores e mestres. Embora esses títulos apontem para ênfases e ministérios diferentes, uma coisa é central em todos eles: a pregação (exposição) e o ensino da Palavra de Deus.

Na verdade, podemos afirmar que a Bíblia, em termos de sua produção humana, é uma grandiosa empreitada hermenêutica, cujas obras foram usadas, expandidas e expostas pelos autores posteriores. Na base da Bíblia, temos a Torá, a Lei de Deus revelada a Moisés, que a proclamou a todo o Israel e cujo registro encontramos no Pentateuco. Diretamente a partir da Torá, nasceram os livros que hoje chamamos de históricos, sapienciais, poéticos e proféticos. Os históricos são, em grande medida, sermões sobre a história de Israel e registram o funcionamento dos termos da aliança, revelada na Torá, na história do povo. Os sapienciais revelam a sabedoria prática de quem anda de acordo com a Lei de Deus. Os livros poéticos expressam a piedade segundo a Lei. E os livros proféticos, por sua vez, expõem a Lei de Moisés, declarando e proclamando ao povo as promessas e os compromissos da aliança, como encontrados na Torá.

O Novo Testamento, por sua vez, é a coleção de escritos que dá continuidade aos temas do Antigo Testamento, anunciando seu pleno cumprimento em Jesus Cristo. O Novo Testamento é, ao mesmo tempo, o registro da proclamação de Cristo, de que o reino havia chegado, e a exposição do significado da morte e ressurreição do Senhor. Existe, do ponto de vista literário, uma interdependência estreita e inseparável entre as diversas partes e gêneros literários da Bíblia, uma dependendo da outra, uma expandindo e pressupondo a outra. E o mais interessante é que o processo ou o principal meio para que essa literatura se formasse foi a pregação, a proclamação ou a exposição da revelação de Deus a seu povo.

Em nossos dias

Aparentemente, como dissemos, em boa parte do meio evangélico hoje a pregação expositiva, profunda, séria e direta da Palavra de Deus não tem recebido a primazia que merece. Em igrejas de várias tradições e linhas teológicas, o pregador tende mais a agradar as pessoas e a fazê-las se sentirem bem na igreja, pois fica evidente em muitos cultos a disparidade de tempo dado ao pregador frente a outras partes, como testemunhos, corais, solistas, cantores, dramatizações, coreografias e assim por diante. Certa vez fui convidado a pregar em uma igreja, que era tradicional. Quase duas horas após o início do culto, o pastor local, sentado a meu lado, inclinou-se para mim e sussurrou em tom de desculpa: "Depois desse cantor é sua vez de pregar, o senhor tem cerca de dez minutos, pois acabou ficando muito tarde". Chegado o momento da pregação, levantei-me, saudei a igreja, li um versículo, fechei a Bíblia, orei e me sentei. Levei cerca de dois minutos no total. Provavelmente eu não deveria ter reagido dessa forma, mas como pregador convidado senti profunda indignação por ter me deslocado de tão longe e receber apenas dez minutos para expor a Palavra.

No entanto, minha indignação deveria ter ocorrido pelo fato de a pregação da Palavra de Deus não receber o lugar e o valor corretos no culto daquela igreja. É esse descaso pela pregação bíblica no culto que explica parcialmente a ignorância de muitos membros de igreja sobre pontos básicos do evangelho, a vida cristã superficial e a facilidade com que o erro religioso se infiltra e ganha aceitação entre os evangélicos.

Não há uma solução fácil para esse problema, que é extremamente complexo. Ele começa na liderança das igrejas e se estende para os seminários e concílios. Há pouca ênfase na preparação adequada dos pregadores. Muitas igrejas não conseguem manter seus pregadores em tempo integral, de forma que eles precisam trabalhar secularmente para sustentar a família, restando-lhes pouco ou nenhum tempo para o preparo dos sermões.

Creio que os pastores e pregadores deveriam decidir que a pregação é a parte mais importante do culto de sua igreja. Deveriam se dedicar mais ao estudo e à preparação de sermões profundos e instrutivos, regados com oração e elaborados na dependência de Deus. Os membros das igrejas, por sua vez, deveriam cobrar mais de seus pastores no quesito pregação, encorajá-los a se preparar melhor, a estudar e, se possível, ajudá-los a fazer cursos teológicos de aperfeiçoamento.

Afinal, a pregação da Palavra de Deus está no centro do ministério pastoral.

2

A vida do pregador

Existe uma relação próxima entre o pregador e sua mensagem. Ainda que Deus, em sua misericórdia, use a pregação apesar das falhas do pregador, é muito claro nas Escrituras que ele se apraz em usar de maneira mais eficaz aqueles pregadores cuja vida é compatível com a mensagem que pregam. Vejamos alguns aspectos da vida do pregador capazes de impactar diretamente sua obra como proclamador da Palavra de Deus.

Oração

Comecemos com a vida de oração do pregador. Existem várias passagens na Bíblia que mostram a relação entre oração e pregação. Por exemplo, os apóstolos estabeleceram como prioridade de seu ministério a dedicação à oração e ao ministério da Palavra (At 6.4). Os pregadores precisam se dedicar intensamente não apenas à preparação dos sermões, mas também à oração e intercessão diante de Deus por seu ministério e pelos ouvintes. As duas coisas andam juntas.

Quando os primeiros cristãos experimentaram o início das perseguições dos judeus em Jerusalém, reuniram-se para orar. Entre outras coisas, pediram que Deus os capacitasse a continuar pregando a Palavra àquele povo incrédulo (At 4.23,29,31). Quando na prisão, Paulo pediu orações para que continuasse a pregar livremente a Palavra de Deus com toda intrepidez (Ef 6.18-19). As duas coisas aparecem juntas na declaração do profeta Samuel ao povo de Israel: "Quanto a mim, certamente não pecarei contra o Senhor, deixando de orar por vocês. Continuarei a lhes ensinar o que é bom e correto" (1Sm 12.23). Como ministro da Palavra de Deus, Samuel considerava um pecado deixar de orar pelo povo e instrui-lo.

É conhecido o fato de que, enquanto Charles Spurgeon pregava nos cultos de sua igreja, um grupo de membros reunia-se em uma sala anexa intercedendo fervorosamente, em oração, pela conversão de pecadores e pela edificação do povo de Deus. Não é de admirar os efeitos da pregação de Spurgeon e de seu alcance em todo o mundo. Centenas e centenas de pessoas se convertiam a cada ano por meio de suas pregações, e apesar de sua grande eloquência ele atribuía esse sucesso às orações de seu povo.

Por mais bem preparado que o pregador esteja, por mais que ele tenha estudado o seu sermão, por mais eloquente e carismático que seja, sem oração suas pregações terão pouco efeito na conversão de pecadores e na santificação do povo de Deus.

A Bíblia não estabelece um tempo de oração para os pregadores, nem locais específicos ou modos distintos de orar. O que ela ensina é que devemos orar sem cessar, em todos os tempos e ocasiões, em todos os lugares (Ef 6.18; 1Tm 2.8). Isso vale para os pregadores. Eles devem aproveitar toda oportunidade que tenham para gastar tempo em oração diante de Deus. O mais proveitoso é que separem diariamente um tempo específico para isso, e que perseverem. Para evitar distrações, o ideal é que o pregador tenha um local separado para orar. E, é claro, deve desligar seu celular e outros dispositivos que porventura o distraiam dessa disciplina espiritual tão importante.

Durante os anos de meu ministério tenho procurado reservar diariamente um tempo para comunhão com Deus por meio da oração. Confesso que nem sempre fui fiel nisso, e que muitas vezes a bênção de Deus em minhas pregações não resultou diretamente das minhas orações, mas sim de sua livre graça e das orações de outras pessoas em meu favor. Contudo, posso testificar que todas as vezes que subi ao púlpito com o coração tranquilo de que estive na presença de Deus, mediante Jesus Cristo meu Salvador, me senti mais seguro e usado na proclamação da Palavra.

Por mais importante que seja mantermos regularmente uma hora diária de oração, nada pode superar o que chamarei aqui de "espírito de oração", uma atitude mental e espiritual em que nos percebemos na presença de Deus e em constante contato com ele. Essa comunhão com o Pai nem sempre se dá por meio de palavras audíveis, mas às vezes com gemidos, aspirações, desejos e sentimentos que sobem até o Senhor como se fossem orações inarticuladas. É talvez isso que signifique que o Espírito intercede por nós com gemidos inexprimíveis (Rm 8.26-27). Devido à grande carga de trabalho dos pastores, cultivar o espírito de oração é crucial para eles, especialmente naqueles dias em que não conseguem encontrar tempo para se dedicar à oração. Assim, ao longo do dia, entre uma tarefa e outra, seu coração se eleva ao Senhor em súplicas silenciosas.

Esse senso de dependência de Deus permite que a qualquer instante lhe elevemos o coração, pois estamos conscientes de viver *coram Deo*, isto é, na presença de Deus. Estamos confiantes de que temos acesso imediato e constante à sua presença graças à mediação plena e eficaz de nosso Senhor Jesus Cristo. Talvez seja a isso que o profeta Elias se referiu quando disse: "o Senhor dos Exércitos, em cuja presença estou" (1Rs 18.15). É esse "espírito de oração" que tenho procurado cultivar em minha vida, e uma das maneiras de fazê-lo é confessar imediatamente a Deus pecados cometidos. Os pecados não tratados entristecem o Espírito Santo, perturbam a comunhão com o Senhor e apagam o espírito de oração. E não existe nada mais aterrador que subir ao púlpito com a consciência perturbada e o coração incerto do favor de Deus.

Como pastor, professor e pregador sempre tive de administrar meu tempo de forma tal que conseguisse tratar as grandes demandas que o ministério pastoral apresenta. Assim, ao orar em preparação para pregar, sempre procurei focar alguns pontos específicos. Primeiro, iluminação para entender as Escrituras. Não somente entender o que elas queriam dizer àqueles a quem foram escritas (exegese), mas qual sua aplicação para mim e para aqueles que me ouvirão. Como posso pregar alguma coisa que não entendo? Além de estudar e pesquisar, o pregador deve orar para que o Espírito lhe ilumine a mente a fim de compreender o sentido e o significado da passagem que pretende expor. As duas coisas andam juntas. Assim, orar por entendimento e desprezar o estudo e o uso das ferramentas a nosso alcance é tão pretensioso quanto estudar e pesquisar sem orar.[1]

Segundo, o pregador deve orar para que Deus lhe conceda a habilidade de organizar a mensagem das Escrituras de forma que todos entendam. Sou muito grato ao Senhor pela habilidade natural de organizar e sintetizar aquilo que desejo transmitir. Isso tem me ajudado muito a pregar de modo compreensível até mesmo para as crianças e os adolescentes das igrejas em que pastoreei. Mas reconheço que nem todos os pregadores

---

[1] Sobre o papel do Espírito Santo na compreensão das Escrituras, fui muito impactado pela posição de Moisés Silva, meu orientador no doutorado, que tem um excelente artigo sobre o assunto. Ver Moisés Silva, "A função do Espírito Santo na interpretação bíblica", in *Fides Reformata*, 2/2 (1977).

têm essa habilidade natural. Muitos entendem bem o texto, mas não conseguem transmitir o significado clara, fácil e didaticamente. Os pontos centrais do sermão nem sempre ficam claros, e poucos ouvintes conseguem acompanhar seu raciocínio.

Todos os pregadores deveriam orar para que Deus lhes concedesse sabedoria na organização de seus sermões a fim de torná-los claros aos ouvintes e resistir à tentação de usar frases intrincadas, vocabulário menos usual e raciocínio complexo. Deixem a erudição para a academia! Algo que sempre me ajudou foi pensar como eu poderia levar os membros da igreja menos escolarizados a aproveitarem ao máximo meu sermão de domingo.

Terceiro, o pregador deve orar por liberdade e autoridade na hora da entrega do sermão. Confesso que em muitas ocasiões, mesmo tendo orado e me preparado adequadamente, a pregação não fluiu fácil e levemente. Não consegui encontrar as palavras, perdi a linha de raciocínio, não senti liberdade para confrontar a audiência nem autoridade para chamá-la ao caminho da obediência. Creio que em alguns casos era uma questão meramente psicológica. Lembro-me de várias ocasiões em que as pessoas vieram me agradecer, emocionadas, por uma pregação que tive grandes dificuldades de entregar. Penso que é relativo o sentimento do pregador quanto à eficácia de sua mensagem. Por vezes, nossas piores pregações são aquelas mais usadas por Deus, certamente para deixar claro que a glória é dele — sempre.

Desde cedo em meu ministério como pregador aprendi a importância da oração em relação à entrega da mensagem. Segue uma citação de meu diário, de 18 de junho de 1981, quando eu estava no primeiro ano do seminário e já tinha um ministério de pregação:

> A oração renova a visão da glória de Cristo e da sua vitória. Reaviva as minhas forças espirituais, renova a visão espiritual, reacende o zelo e o amor por ele. Ah! Se eu orasse bastante antes de subir ao púlpito toda vez, minhas mensagens teriam outro tom e outro poder. Não é que, se não orar, não estou cheio do Espírito, nem Deus me use. Não é isso. Mas o estar na presença dele por algum tempo deixa minha mente e meu espírito em condições de serem usados no máximo de suas potencialidades.

Faz mais de quarenta anos que escrevi isso. Continuo crendo plenamente nessas verdades. E continuo lutando para viver diante de Deus em oração, para poder usar meu coração e minha mente da melhor maneira durante a pregação. Apesar da soberania de Deus em conceder liberdade ao pregador na entrega da mensagem, os pastores deveriam orar intensamente por isso. Também deveriam lembrar que as condições físicas, como cansaço, falta de sono e de boa alimentação, podem tornar o raciocínio lento e abalar as emoções, afetando diretamente a pregação. Por vezes, o que o pastor precisa antes de pregar no domingo à noite não é tanto orar, mas usufruir de uma boa tarde de sono.

Quarto, o pregador deveria orar por perspectivas do Espírito durante a pregação. Em inúmeras ocasiões fui levado a um entendimento do texto bíblico ou a uma aplicação dele durante a própria pregação. Aspectos da Escritura que não captei durante a preparação da mensagem de repente saltaram diante de meus olhos enquanto procurava transmitir a mensagem ao povo. O pregador deve, sim, preparar-se da melhor forma possível, estudar e pesquisar seu texto usando as ferramentas disponíveis. Deve preparar um bom esboço para guiá-lo durante a pregação. Mas também deve estar aberto e sensível para falar algo que não esteja no esboço e que lhe ocorra durante a mensagem. Portanto, deve orar por discernimento e entendimento espiritual para expor essas aplicações das verdades bíblicas aos ouvintes.

Quinto, o pregador deve orar para que o Espírito Santo ilumine o coração dos ouvintes, para conversão e santificação. Precisamos do Espírito Santo não apenas para preparar e entregar a mensagem, mas especialmente para iluminar o entendimento dos que nos ouvem e inclinar-lhes o coração a obedecer à Palavra pregada. É o Espírito Santo quem move corações e abre o entendimento das pessoas durante a pregação. Por isso, o pregador deve insistir diante de Deus, em oração, para que o Espírito Santo atue poderosamente na audiência. Confesso que deveria ter orado mais pelas pessoas a quem preguei durante meus anos de ministério. Geralmente orei por mim, pedindo graça e misericórdia para ser fiel na pregação, infelizmente deixando muitas vezes de orar pela conversão de pecadores e santificação dos crentes. O que estou querendo dizer é que, além de orar fervorosamente para que o Espírito Santo convença as pessoas da verdade, devo empregar todos os recursos possíveis para convencê-las disso durante a pregação, como, por exemplo, tirar dúvidas, remover obstáculos, expor a falácia das desculpas mais comuns, dar exemplos concretos, usar ilustrações e fatos históricos para comprovar a verdade que estou expondo.

Sexto, o pregador deve orar para que ele não se torne um tropeço para o povo a quem ministrará. Esta foi a oração de Davi: "Não permitas que por minha causa sejam envergonhados os que em ti confiam, ó soberano Senhor dos Exércitos. Não deixes que por minha causa sejam humilhados, ó Deus de Israel" (Sl 69.6).

Nada concede mais autoridade espiritual a um pregador que o testemunho de sua vida reta e santa diante de Deus. Não é sem razão que o apóstolo Paulo colocou tantos requisitos morais e espirituais para aqueles que desejam se tornar líderes do povo de Deus (1Tm 3.1-7; Tt 1.5-9). Por mais bem capacitado e preparado que o pregador seja, se sua vida e conduta são repreensíveis, suas palavras penderão de sua boca como as pernas bambas de um aleijado (Pv 26.7). Em contrapartida, um homem de Deus, ainda que limitado em suas habilidades e capacidade de entrega de um sermão, será ouvido com mais respeito.

Nesse ponto, é importante lembrar que, com relação ao ministério, talvez seja mais importante terminar bem que começar bem, muito embora as duas coisas sejam desejáveis. Explico. Pastores que ao final de sua carreira maculam o nome de Cristo por caírem em pecados graves ou por se desviarem e abraçarem doutrinas estranhas acabam destruindo com as próprias mãos aquilo que por anos edificaram com suas palavras. Durante meu tempo no seminário adquiri uma coleção de comentários do Novo Testamento de autoria de William Barclay. Fiquei impressionado com o conhecimento dos originais, da cultura e do mundo greco-romano demonstrado pelo autor. Mais tarde, descobri que ao final de sua vida Barclay havia renunciado à fé cristã e se tornado agnóstico. Nunca mais consegui ler seus comentários como antes. Uma mancha havia sido lançada sobre eles.

Minha oração constante diante de Deus tem sido que ele não me deixe tropeçar no final da minha carreira. Suplico ao Senhor que me deixe terminar bem. Aqui me lembro das palavras do profeta Samuel diante do povo de Israel:

> Então Samuel falou a todo o Israel: "Fiz o que pediram e lhes dei um rei. Agora ele é seu líder. Quanto a mim, estou aqui diante de vocês, um homem velho e de cabelos brancos, e meus filhos estão com vocês. Estive a seu serviço como seu líder desde minha juventude até hoje. Aqui estou: testemunhem contra mim diante do Senhor e diante do rei que ele ungiu.

De quem roubei um boi ou um jumento? Acaso enganei ou oprimi alguém? De quem aceitei suborno para perverter a justiça? Digam-me, e farei restituição se cometi alguma injustiça".

1Samuel 12.1-3

É verdade que os dois filhos de Samuel se desviaram dos caminhos do Senhor, mas em nenhum momento isso é atribuído a Samuel, como se ele tivesse falhado em educar seus filhos. Filhos de pastores fiéis podem se desviar, apesar de tudo que viram e ouviram de seus pais. O fato central é que, ao final de sua carreira como juiz e profeta, Samuel podia encarar o povo a quem ministrou durante tantos anos e desafiá-lo a apontar alguma mancha em sua carreira. Pastores que terminam bem são uma referência para a nova geração. Essa é minha oração diária diante de Deus, que ele me guarde e sustente até o fim.

Leitura da Bíblia

Outro aspecto extremamente importante na vida do pregador é sua rotina de leitura bíblica. O apóstolo Paulo assim ensinou a seu discípulo Timóteo:

Toda a Escritura é inspirada por Deus e útil para nos ensinar o que é verdadeiro e para nos fazer perceber o que não está em ordem em nossa vida. Ela nos corrige quando erramos e nos ensina a fazer o que é certo. Deus a usa para preparar e capacitar seu povo para toda boa obra.

2Timóteo 3.16-17

Por essa passagem e outras vemos que as Escrituras são o instrumento pelo qual Deus atua em meio a seu povo, pois são inspiradas por ele, sendo sua própria Palavra. Deus age no mundo mediante as obras da providência, guiando e dirigindo as circunstâncias, supervisionando cada etapa da história, mas é por meio de sua Palavra escrita que ele atua salvadoramente na humanidade. É por esse motivo que a principal tarefa do pastor é pregar a Palavra de Deus ao povo. Foi o que Paulo disse a Timóteo: "Pregue a palavra. Esteja preparado, quer a ocasião seja favorável, quer não. Corrija, repreenda e encoraje com paciência e bom ensino" (2Tm 4.2).

Quando o apóstolo Paulo chegou à cidade de Tessalônica, foi à sinagoga local, onde pregou a Palavra de Deus aos ouvintes. Esse sempre era seu método de começar uma igreja. O livro de Atos nos traz uma descrição detalhada de como ele pregou ali: "Como era seu costume, Paulo foi à sinagoga e, durante três sábados seguidos, *discutiu* as Escrituras com o povo. *Explicou* as profecias e *provou* que era necessário o Cristo sofrer e ressuscitar dos mortos" (At 17.1-3, itálicos meus). A pregação de Paulo consistiu em discutir as Escrituras, explicar as profecias e provar a partir do texto sagrado que Jesus era o Cristo. Isso só foi possível porque Paulo era um profundo conhecedor das Escrituras do Antigo Testamento.

O que eu estou querendo dizer é que o pregador deve conhecer profundamente a Bíblia para poder pregá-la de maneira convincente, persuasiva e eficaz. Para isso, é imprescindível que mantenha uma rotina de leitura e estudo da Palavra de Deus, buscando não somente alimentar-se dela como também conhecê-la, a fim de poder transmiti-la com fidelidade.

O pregador deve ler a sua Bíblia com alguns objetivos em mente. Primeiro, conhecer o conteúdo. A Bíblia contém 66 livros escritos há muito tempo por autores que já estão mortos e que viveram em uma cultura diferente da nossa — para não mencionar o fato de ter sido escrita em línguas já não faladas em nossos dias. A Bíblia está cheia de histórias, declarações teológicas, profecias, parábolas, poesias e salmos, cartas e eventos históricos. É um livro riquíssimo em informações a respeito de Deus, do mundo e de como nos relacionar com o Criador.

Todo pregador da Bíblia deveria estar a par de seu conteúdo, de Gênesis a Apocalipse, mas para tanto é necessário que ele dedique um tempo diário para a leitura bíblica. Infelizmente é possível um pastor gastar mais tempo lendo comentários e livros de teologia bíblica e sistemática do que lendo a Bíblia em busca de se familiarizar com seu conteúdo. Deveríamos ser capazes de citar passagens centrais da Bíblia, mencionar os fatos mais importantes da história da redenção e reconhecer o que foi escrito tanto no Antigo como no Novo Testamento. É embaraçoso quando na pregação um pastor confunde eventos, nomes bíblicos ou cita fatos de maneira equivocada. Revelar sua falta de conhecimento sólido da Bíblia pode ser a forma mais rápida de ele perder o respeito de sua congregação.

Segundo, o pregador deveria ler a Bíblia com o propósito de entender sua mensagem. Como ele pode pregar o que não entende? Assim, além da leitura devocional costumeira, ele deve estudar o texto sagrado a fim de entender o sentido original e como o texto escrito pelo autor bíblico foi entendido por sua audiência primária. Para isso, o pregador pode usar referências cruzadas, comentários, Bíblias de estudo e outros materiais. Até hoje tem sido minha prática, durante a leitura diária da Bíblia, marcar com pontos de interrogação os textos que me chamaram atenção e cujo sentido não consegui perceber. Geralmente faço uma pausa para consultar uma ou duas referências.

Devemos nos lembrar que existem passagens difíceis na Bíblia e que ela não é sempre clara. Daí a necessidade de comparar textos, entender o contexto em que a passagem difícil foi escrita e buscar ajuda de comentários. Isso não quer dizer que esteja descuidando a doutrina reformada de que a mensagem central da Bíblia é suficientemente clara para que qualquer pessoa, ao lê-la, possa apreender salvadoramente seu sentido. Contudo, como o próprio apóstolo Pedro admitiu, existem passagens difíceis de entender nas cartas de Paulo (2Pe 3.15-16), e o mesmo se dá no restante da literatura bíblica, o que deveria nos levar a ler cuidadosamente as Escrituras para não deturpar seu sentido, como muitos fazem desde tempos antigos.

Terceiro, o pregador deve ler regularmente a Bíblia buscando identificar textos necessários à realidade de seu rebanho. Nesse sentido, ele precisa lê-la como pregador, destacando aquelas passagens relevantes e que atendam à congregação. Isso é muito importante. Muito tempo e esforço são gastos em vão por pastores que simplesmente pregam em passagens que pouca ou nenhuma relevância têm para a realidade vivida por sua congregação. Pregadores devem ler a Bíblia em oração, pedindo a Deus iluminação na escolha de textos que beneficiem os membros de sua igreja. Judas começou a escrever uma carta para os cristãos em geral acerca da salvação em Cristo. Contudo, ao tomar conhecimento de que falsos mestres se haviam infiltrado em suas comunidades, mudou o tema central da carta: "Amados, embora planejasse escrever-lhes com todo empenho sobre a salvação que compartilhamos, entendo agora que devo escrever a respeito de outro assunto e insistir que defendam a fé que, de uma vez por todas, foi confiada ao povo santo" (Jd 1.3).

Pregadores precisam conhecer bem as necessidades de seu rebanho, especialmente aqueles que pregam regularmente nos cultos de sua igreja. Dessa forma, ao ler as Escrituras, estarão atentos aos textos bíblicos que guardam uma relação direta com a necessidade do povo.

Por fim, o pregador deve ler diariamente a Bíblia buscando alimentar a própria alma. Sei que existe um conflito aparente aqui. Muitos consideram que a leitura da Bíblia ou é devocional ou é voltada para o estudo. Não percebo esse conflito em minha própria experiência. Na verdade, em minhas leituras diárias da Bíblia, mantenho em mente todos esses objetivos. Estudar a Bíblia a fim de descobrir estruturas para um sermão e pensar em pregações para a igreja, longe de tornar a leitura acadêmica e seca, consiste em um dos principais meios pelos quais eu me alimento espiritualmente.

Mas existe, de fato, o risco de o pregador esquecer-se de sua necessidade diária de alimento espiritual. Ele talvez esteja tão focado nas necessidades da congregação que se esquece da sequência importante da orientação de Paulo a Timóteo: "Fique atento a seu modo de viver e a seus ensinamentos" (1Tm 4.16). Ou seja, Timóteo deveria primeiramente cuidar de como conduzia sua vida para só depois preocupar-se com os ensinamentos. Ele devia cuidar primeiro de si e depois da doutrina. A lógica dessa orientação é óbvia. Se o pregador não estiver bem, como poderá abençoar os ouvintes? Se não cuida de si mesmo, espiritualmente falando, como poderá cuidar de seu rebanho?[2]

Como, então, o pregador deve ler a Bíblia visando todos esses propósitos mencionados? Primeiramente, como um crente em Jesus Cristo, buscando conforto, orientação e fortalecimento espirituais. Deve ler consciente de que ela é a Palavra de Deus, autoritativa e infalível. Deve ler em oração, permitindo que Deus lhe fale ao coração. Também deve ler disposto a obedecer àquilo que estiver claro pelo texto: confessar e abandonar seus pecados, mudar de hábitos, agir fazendo o bem. No salmo 119, o rei Davi pede a Deus avivamento espiritual cerca de dez vezes, e em quase todas elas deixa claro que esse despertamento é "segundo a tua palavra" (Sl 119.25,50,107,149,154,156). Ou seja, Davi lia as Escrituras e nelas meditava em busca de avivamento espiritual. É assim que devemos ler a Bíblia, sabendo que Deus, por meio dela, avivará nosso coração.

É preciso, ainda, reconhecer que há diferenças entre a rotina de leitura bíblica do pregador para sua vida espiritual pessoal e para a preparação de um sermão. Como vimos, não são necessariamente duas vias separadas, mas caminhos que se entrelaçam. Podemos ler a Bíblia como crentes em Cristo e como pregadores. A diferença está no propósito da leitura. Como

---

[2] Aqui gostaria de recomendar o excelente livro do puritano Richard Baxter, *O pastor aprovado* (São Paulo: PES, 2016), que consiste numa exposição detalhada dessa passagem.

crente, leio para me fortalecer espiritualmente. Como pregador, leio para receber a mensagem de Deus a ser pregada. Na prática fica muito difícil separar as duas coisas: em geral me edifico espiritualmente ao ler e estudar a Bíblia para o preparo de meus sermões, e muitas vezes é lendo a Bíblia devocionalmente que surgem ideias de sermões. Algo parecido, talvez, com a experiência do salmista: "Quanto mais eu pensava, mais ardia meu coração; então, decidi falar" (Sl 39.3). Ou, ainda, com a experiência de Jeremias: "Mas, se digo que nunca mais mencionarei o Senhor, nem falarei em seu nome, sua palavra arde como fogo em meu coração; é como fogo em meus ossos. Estou cansado de tentar contê-la; é impossível!" (Jr 20.9).

Confesso que muitas vezes ao longo de meu ministério tenho lido a Bíblia como pregador e não como um simples cristão. Tenho deixado o desejo de proclamar as verdades de Deus sobrepujar as necessidades de meu coração. O que tem me salvado é o fato de que Deus tem usado o estudo e a pesquisa bíblicos para alimentar meu coração. Confesso também que tenho dificuldade de me sentar no banco da igreja e ser alimentado por uma pregação sem que, ao mesmo tempo, eu esteja tomando notas para sermões que eu gostaria de pregar. Acredito que esse deva ser o drama de quase todos os pregadores.

Embora nada justifique isso, gostaria de apresentar uma explicação que talvez ajude o leitor a entender o que se passa comigo. Meu chamado para o ministério se deu no momento de minha conversão, aos 23 anos de idade. Comecei a dar testemunho em público e a pregar pouquíssimo tempo depois de ter me tornado crente em Jesus Cristo, e bem antes de frequentar o seminário que me prepararia para o pastorado. Isso foi possível por causa das habilidades naturais e da cultura geral e bíblica que recebi durante minha infância e mocidade. Mas o fato é que não passei muito tempo sentado no banco da igreja, aprendendo a Palavra pela ministração de pastores. Comecei a pregar muito cedo e na grande maioria das vezes ia aos cultos como pregador, não como congregação. Talvez isso tenha contribuído para esse fato que confessei. Até hoje preciso me concentrar para simplesmente me sentar, ouvir e ser alimentado pela pregação de outros sem que, ao mesmo tempo, esteja elaborando sermões mentalmente.

Após a minha conversão, em 1977, todos os dias dedicava horas para a leitura da Bíblia e para a oração. Eu mantinha um diário no qual anotava minhas experiências espirituais. Durante alguns anos, registrei nele minhas histórias de fracasso, vitórias, frustrações e descobertas como cristão. Uma das lições que aprendi cedo, e que ficou registrada no diário, foi que, quando eu parava de ler a Bíblia, de meditar nela e de orar a Deus, o pecado remanescente em meu coração ganhava poder sobre minha vontade e sobre minhas decisões. Escrevi muito a respeito desse fato. Não poucas vezes registrei nas páginas do diário a frase: "Hoje deixei de ler minha Bíblia". Quanto mais tempo eu passava sem ler a Bíblia e sem orar, mais difícil era retomar a prática diária e mais endurecido meu coração ficava. Aquela mentalidade espiritual tão necessária ia se perdendo, assim como o poder espiritual necessário à santificação. Em contrapartida, quando mantinha regularmente a disciplina da oração e a leitura bíblica, o deleite em Deus e a compreensão do mundo a partir das Escrituras cresciam exponencialmente.

Hoje, tantos anos após aquelas experiências, mesmo sendo um cristão maduro e experimentado, reconheço a veracidade daquela lição aprendida no começo da minha vida cristã. Como pastor, aprendi essa verdade de maneira ainda mais profunda. Pregadores são muito tentados a negligenciar a vida devocional pessoal. Primeiro, as muitas demandas do ministério, caso o pregador seja pastor de uma igreja local, às vezes o levam a trabalhar manhã, tarde e noite, todos os dias da semana. O mesmo pode ser dito de muitos dos membros da igreja que, embora não sejam pastores, estão muito envolvidos no trabalho.

Segundo, existe a tentação de substituir o tempo devocional pelo tempo de preparação de sermões. Mas, embora às vezes se sobreponham, como eu disse, não são necessariamente o mesmo. Por mais edificante que seja, a leitura de comentários e livros de teologia sistemática não substituem a da Palavra, por meio da qual Deus nos fala.

Terceiro, existe a tentação de o pregador pensar que tem tudo sob controle e que não precisa da graça e do poder de Deus para seu trabalho, ainda que ele jamais o diga abertamente. Por ser uma tentação muito sutil, acaba camuflando-a em seu ativismo. O pregador que não mantém uma vida regular de leitura bíblica e oração não terá uma mentalidade espiritual e bíblica ao tratar de problemas e dar aconselhamento. Também lhe faltará o fruto do Espírito e um caráter cristão aprovado.

Pode ser que essas coisas não fiquem claras para a igreja onde ele prega. Pregadores tendem a disfarçar, em público, o verdadeiro estado de seu coração. Por isso, geralmente os efeitos começam em casa, no relacionamento com a esposa e com os filhos, nas explosões de raiva e nas decisões egoístas, na indiferença para com a esposa e os filhos, no tempo gasto diante da televisão ou das mídias sociais.

Pregadores, façam da piedade pessoal diária uma das prioridades de seu ministério. Igrejas, ajudem seus pastores nisso, orando por eles e entendendo que o tempo que ele gasta diante da Bíblia e em oração é parte de seu trabalho como pregador e pastor. Para muitos membros de igreja, pastores só estão trabalhando quando visitam, pregam ou aconselham. "Obedeçam a seus líderes e façam o que disserem. O trabalho deles é cuidar de sua alma, e disso prestarão contas. Deem-lhes motivo para trabalhar com alegria, e não com tristeza, pois isso certamente não beneficiaria vocês" (Hb 13.17).

Leitura de obras teológicas e gerais

Não creio que o pregador deva ler somente a Bíblia, muito embora ela seja a base de sua vida espiritual e ministerial e, portanto, leitura indispensável. Ele deve gostar de ler e aprender. Precisamos aprender com outros pregadores e pastores sobre a Palavra de Deus, sobre a natureza humana, sobre a vida em geral e como preparar bons sermões. Quando Paulo estava preso em Roma, mandou uma carta a Timóteo que tinha como um dos objetivos pedir que seu discípulo viesse vê-lo na prisão e trouxesse sua capa e seus livros, especialmente seus pergaminhos (2Tm 4.13). Não podemos afirmar com certeza, mas essa pequena biblioteca de Paulo deveria conter, além de cópias do Antigo Testamento, outras obras, como os Evangelhos, por exemplo, que já estavam circulando por ocasião de sua segunda prisão. Ou mesmo obras de filósofos e pensadores da época, considerando as citações que Paulo faz deles em suas cartas.

Quanto à seleção do que o pregador deve ler, sempre existe o perigo de ele ter um ou dois autores preferidos e ler apenas suas obras. Precisamos admitir que Deus tem muitos outros escritores fiéis e úteis ao reino além dos poucos que admiramos e lemos. A importância da variedade de autores reside nas múltiplas perspectivas que podemos obter com seus livros sobre as verdades imutáveis das Escrituras. Pregadores calvinistas podem tirar proveito de obras de arminianos, como os sermões de John Wesley, por exemplo. É claro que discordo de várias de suas posições teológicas, mas não posso negar quanto aprendi com a leitura da coleção de seus sermões quando ainda era um novo convertido. Ganhei essa coleção — três livros finamente encadernados em capa grossa vermelha —de um pastor batista arminiano que me ajudou no começo da vida cristã. Lembro-me claramente de como fui edificado pela leitura desses volumes.

Precisamos encarar o fato de que hoje existem muitas opções de leitura, de maneira que o pregador deve escolher, pois é impossível acompanhar a quantidade de lançamentos de obras teológicas. Recebo regularmente os lançamentos das principais editoras teológicas do Brasil. Fico muito feliz em ver a publicação de tantas obras excelentes! Na minha época de seminarista, bons livros teológicos em português eram raros. Tive de ler as *Institutas* de Calvino e a *Teologia sistemática* de Louis Berkhof em espanhol, já que não havia tradução para o português. Muitas outras obras li em inglês. Mas, hoje, embora o quadro seja outro, há um lado melancólico. Fico olhando para a pilha de livros que eu gostaria de ler e que ficam pegando poeira na mesa de meu escritório por absoluta falta de tempo para ler tudo o que eu gostaria. Portanto, é preciso selecionar cuidadosamente o que não pode deixar de ser lido.

Acredito que o pregador deveria se concentrar em livros de teologia bíblica, teologia sistemática, comentários de livros sobre os quais está expondo, boas biografias de pregadores e missionários, e livros de apologética, dadas as circunstâncias atuais. Deve procurar livros de autores reconhecidamente eruditos e piedosos, de boa teologia e com experiência de vida pastoral ou cristã. Livros de editoras sérias e comprometidas com a Palavra de Deus e com a boa teologia também são um filtro importante. Esse assunto da leitura de obras teológicas é tão relevante que Charles Spurgeon dedicou um capítulo de sua obra *Lições aos meus alunos* aos obreiros sem recursos financeiros para adquirir bons livros.[3] Nesse capítulo forneceu valiosas sugestões e alternativas para que esses pregadores pudessem obter conhecimento.[4]

---

[3] Recomendo fortemente essa obra a todos os pregadores. Nela encontrarão conselhos preciosos sobre a vida do pregador, a preparação e a entrega dos sermões, entre outros pontos importantes. Charles Spurgeon, *Lições aos meus alunos: Homilética e teologia pastoral*, 3 vols. (São Paulo: PES, 2000).

[4] Apenas uma nota aqui: se Spurgeon vivesse em nossos dias, certamente não recomendaria que pregadores sem recursos formassem uma biblioteca com cópias piratas de livros de teologia oferecidos gratuitamente em *sites* na internet.

Há um ponto relacionado a isso que desejo mencionar: a leitura de obras não teológicas. Livros de ficção, policiais e mistério, e outros gêneros literários também podem ser lidos com proveito, para lazer e conhecimento geral. Pessoalmente, gosto muito das obras de Agatha Christie e aproveito meu tempo de folga para lê-los. Tenho vários *e-books* de obras não religiosas à espera de serem lidos em meu Kindle. Enquanto escrevo este livro, estou lendo um livro de ficção escrito por um membro de minha igreja. Certa vez, meu sogro recebeu em sua casa um pastor em busca de ajuda, sobrecarregado e cansado com o trabalho pastoral. O rev. Francisco Leonardo simplesmente deu a esse pastor algumas revistas em quadrinhos de Asterix e Obelix, a famosa dupla gaulesa criada por Uderzo e Goscinny. O pastor passou a tarde lendo e gargalhando, e à noite já era outro homem. Em resumo, creio que obras não religiosas deveriam fazer parte da dieta literária do pregador, ao menos para servir de distração e lazer e, quem sabe, prover algumas ilustrações interessantes.

Isso me leva à questão do limite para a inserção de extratos de livros em sermões. Ou seja, é válido citar ou fazer citações extensas de trechos de livros teológicos ou seculares durante a pregação? Não creio que haja uma regra para isso, a não ser o bom senso e a habilidade do pregador em discernir o que é útil para tornar sua mensagem mais clara. Como já mencionei, o apóstolo Paulo faz algumas citações de obras de autores pagãos em suas cartas. Assim, não creio que seria algo inconveniente para o pregador citar obras de autores cristãos e não cristãos, desde que o faça com prudência e moderação. Creio que o princípio aqui é não deixar que os apêndices ao sermão, como ilustrações ou citações, acabem ofuscando o conteúdo bíblico.

Uma vez li uma história interessante que ilustra esse ponto. Certo rei da França, cujo nome não lembro agora, ordenou que um artista pintasse seu retrato. O artista retratou fielmente o rei, com suas roupas, medalhas e apetrechos reais. Entretanto, incluiu na pintura um belíssimo jarro de flores multicoloridas. As flores foram tão bem pintadas que roubou a atenção dos que olhavam o quadro, ofuscando assim a figura do rei, que, irado, mandou castigar o artista. Ilustrações e citações devem ser usadas com moderação para que não desviem a atenção da mensagem, tornando-se um fim em si mesmas. E é aqui que entra a habilidade e a capacidade do pregador de discernir o que inserirá na mensagem para torná-la mais clara e vívida.

Assim, o pregador deve estar pronto e aberto para citar em seus sermões outros pregadores e textos de livros, demonstrando que não se considera dono da verdade e que estudou o assunto. Contudo, se o seu sermão se resumir a uma coleção de citações de livros, dará a entender que a autoridade de sua mensagem se baseia na autoridade desses autores, e não em sua própria pesquisa e convencimento, e muito menos nas Escrituras.

A diferença entre a pregação de Jesus e dos rabinos de sua época está, entre outras coisas, no fato de que, enquanto estes citavam constantemente outros rabinos, invocando a autoridade deles, Jesus falava segundo sua própria autoridade, o que impressionou as multidões (Mc 1.22). Alguns pastores, em vez de exporem a Bíblia, apresentam na igreja artigos teológicos, recheados de citações de acadêmicos e teólogos, que tratam de assuntos dos quais a igreja não tem o menor conhecimento, uma vez que grande parte das disputas teológicas acontece somente nos seminários e em escolas de teologia, sem nenhuma relevância prática para os membros das igrejas.

Além da Bíblia, de bons livros e comentários, o pregador deve estar familiarizado com o mundo ao seu redor: o que está acontecendo na política, na economia, na sociedade, quais são as tendências teológicas mais recentes, as questões mais polêmicas de sua época. Jesus estava bem familiarizado com os eventos recentes ocorridos na Judeia, como o assassinato de galileus por Herodes e a queda da torre de Siloé, que matou vários habitantes de Jerusalém, e ele usou esses eventos para demonstrar um ponto teológico (Lc 13.1-4).

É claro que nosso mundo é diferente do mundo de Jesus. Vivemos na era da globalização. A quantidade de informações disponível é incalculável. Assim, para manter-se informado, o pregador deve fazer bom uso de informações e materiais disponíveis na internet, como mídias sociais, *podcasts*, *blogs* e vídeos, mas sempre alerta para a realidade das chamadas *fake news*, que proliferam no mundo virtual.

A participação em boas conferências teológicas também é importante para renovar a mente, fortalecer as convicções e obter novas perspectivas para mensagens e sermões. Contudo, o pregador deve ser bastante seletivo. Falsos profetas também fazem conferências teológicas, publicam nas mídias sociais, escrevem livros e disponibilizam vídeos.

Jejum

A oração e a leitura regular da Bíblia são as disciplinas espirituais mais importantes para o pregador, conforme espero já ter deixado claro. É pela leitura das Escrituras, em oração fervorosa, que o pregador prepara o coração e a mente para a tarefa gloriosa de expor a Palavra de Deus a outros pecadores. Além dessas duas disciplinas espirituais, a Bíblia não recomenda nenhuma outra, exceto o jejum em ocasiões especiais e necessárias. Na Bíblia, o jejum é sempre associado à oração, e trata-se de um ato voluntário, não mandatório. O pregador que decide jejuar deve separar um tempo para orar intensamente, além de ler a Palavra e nela meditar.

A Bíblia não regulamenta a extensão e a frequência do jejum. O Senhor Jesus jejuou durante quarenta dias (Mt 4.2). Paulo jejuava com frequência (2Co 6.5; 11.27). Na Lei de Moisés, o jejum era obrigatório apenas uma vez por ano, durante o Dia da Expiação. Foram os fariseus que criaram a regra de jejuar duas vezes por semana (Lc 18.12). Os pregadores podem determinar livremente quando e por quanto tempo jejuarão, sempre tendo o cuidado de não criar regras para isso, e muito menos impô-las a sua congregação.

Muito importante também é a motivação do pregador para separar um tempo de jejum. Acredito que os pregadores devem usar esse tempo de jejum para orar mais, sondar o próprio coração, clamar a Deus em prol da vida de sua igreja, interceder pelos necessitados e clamar por vitória sobre as tentações do inimigo, além de implorar a bênção de Deus sobre a ministração de sua Palavra. Infelizmente, em alguns quartéis da igreja evangélica, a prática do jejum tem sido deturpada. Pessoas jejuam por qualquer motivo, quando deveriam fazê-lo apenas em momentos graves e solenes, em que se faça necessário, de fato, um período de intensa batalha espiritual em oração.

Quando for jejuar, o pregador deve abster-se de comida em geral, embora não necessariamente de água. Não há nenhuma base bíblica para jejum de comidas específicas, como é praticado atualmente em algumas igrejas. Por exemplo, abster-se de chocolate durante uma semana ou deixar de comer doces durante alguns dias. O jejum consiste na abstinência total de alimentos durante um tempo determinado, com o fim de buscar a Deus mais intensamente, em oração. Nesse período, o pregador não deve demonstrar estar em jejum, como uma forma de exibição espiritual, mas em vez disso apresentar-se normalmente, de forma que fique restrito a ele e a Deus. Foi essa a orientação de Jesus aos discípulos quanto à prática do jejum (Mt 6.15-18).

Embora o jejum não seja obrigatório para os pregadores, deveria ser praticado com mais frequência. Jesus não obrigou os discípulos a seguir o costume judaico de jejuar duas vezes por semana, nem os apóstolos determinaram, em suas cartas, o jejum como lei. Contudo há ocasiões em que ele poderia ser praticado proveitosamente pelo pregador, como quando queremos nos dedicar mais à oração, quando nos vemos em meio a grandes conflitos espirituais, em preparação para o trabalho de pregação e na escolha de presbíteros e pastores. Jejum não significa apenas passar fome por um tempo, mas para que tenha alguma valia deve ser acompanhado de oração e de outras disciplinas espirituais.

O pregador também precisa estar consciente de que existem alguns riscos que devem ser evitados no período de jejum, como cuidar para não atribuir a essa prática algum valor meritório ou mágico e não estabelecer comparações com outros que não jejuam com tanta frequência, como ocorreu com o fariseu e o publicano. Precisa cuidar ainda para não aparentar piedade e culto de si mesmo. Infelizmente, em vez de tratar o jejum como uma questão particular e privada, pregadores anunciam à congregação, no púlpito, sua intenção de fazê-lo. Não creio que isso contribua muito para a eficácia de seu ministério. Se ele decide jejuar, que seja algo entre ele e Deus.

Confesso que poderia ter jejuado mais durante meus longos anos de ministério. Houve ocasiões preciosas em que separei tempo para isso, e posso testificar da bênção que foi para minha alma e meu ministério. Em outras ocasiões, convidei as igrejas que pastoreei para dias solenes de oração e jejum. Embora não me sinta culpado por não ter jejuado mais, uma vez que o jejum não é obrigatório, certamente estou consciente de que poderia ter aproveitado mais esse meio de graça.

Meditação, silêncio e reclusão

Muitos pregadores acreditam que disciplinas espirituais como a meditação, o silêncio e a reclusão são essenciais para que a entrega da mensagem da Bíblia seja mais eficaz. Sinceramente não vejo isso na Bíblia. Os apóstolos e os primeiros pregadores não tinham tempo para se isolar do mundo e dos outros para meditar, por dias, nas verdades a serem pregadas ou para buscar experimentar uma união mística com Cristo. O Novo Testamento nos ensina que eles viviam na estrada, em jornadas e viagens, ativamente engajados na pregação, no discipulado e na plantação de igrejas. Se em vez de passar dias meditando silenciosamente em atitude contemplativa os pregadores se dedicassem a estudar mais a Palavra de Deus, certamente pregariam melhor.

Não quero com isso desvalorizar períodos especiais de retiro para oração e comunhão com Deus. O próprio Senhor Jesus fazia isso de vez em quando (Lc 5.16). Ocasionalmente, o pregador pode tirar um tempo especial para se dedicar à oração, leitura e meditação das Escrituras. Meu ponto de discordância está no ensino de uma corrente de espiritualidade que torna disciplinas como meditação, silêncio e contemplação obrigatórias e mesmo essenciais a uma vida cheia do Espírito Santo. Esse movimento de espiritualidade se inspira nos místicos católicos da Idade Média. Não discordo de tudo que seus defensores pregam. Quebrantamento, despojamento, mortificação, humildade, amor ao próximo são conceitos bíblicos, muitos dos quais são defendidos pelos seguidores da espiritualidade. O problema a meu ver não está tanto no que eles dizem — embora eu pudesse apontar um ou outro ponto de discordância conceitual — mas no que não dizem ou dizem muito baixinho, a ponto de se perder no cipoal de outros conceitos.

Sinto falta no movimento de espiritualidade, por exemplo, de uma ênfase na justificação pela fé em Cristo, pela graça, sem as obras ou méritos humanos, como raiz da espiritualidade. Sinto falta, igualmente, de uma declaração mais aberta e explícita de que a espiritualidade começa com a regeneração, o novo nascimento, e que somente pessoas nascidas de novo e regeneradas pelo Espírito Santo de Deus, como novas criaturas, podem de fato se santificar, crescer espiritualmente e ter comunhão íntima com Deus. Esse caráter progressivo na santificação também falta na pregação do movimento. Quando não mantemos em mente o fato de que a santificação é imperfeita neste mundo, que aqui nunca estaremos totalmente livres de nossa natureza pecaminosa e de seus efeitos, facilmente podemos nos inclinar para o perfeccionismo, que acaba trazendo arrogância ou frustração.

Também creio que lhes falta clareza quanto ao significado do imitar Jesus como uma das características da vida cristã. Jesus não era cristão.

A religião dele era totalmente diferente da nossa. Nós somos pecadores. Jesus não era. Logo, ele não se arrependia, não pedia perdão, não mortificava uma natureza pecaminosa, não lamentava nem chorava por seus pecados. Ele não orava em nome de alguém, nem precisava de um mediador entre ele e Deus. Não tinha consciência de pecado, nem sentia culpa — a não ser quando levou sobre si nossos pecados, na cruz. Ele não precisava ser justificado de seus pecados, nem experimentava o processo crescente e contínuo de santificação. A religião de Jesus era a religião do Éden, a religião de Adão e Eva antes de pecarem. Somente eles viveram essa religião. Nós somos cristãos. Eles nunca foram. Jesus nunca foi. Como, portanto, vou imitá-lo nesse sentido?

É desse tipo de definição e esclarecimento que sinto falta na literatura da espiritualidade, que constantemente se refere à imitação de Cristo sem maiores qualificações. Quando vemos Jesus apenas como exemplo a ser seguido, podemos perdê-lo de vista como nosso Senhor e Salvador. Quando o Novo Testamento fala em imitarmos a Cristo, refere-se sempre a sua disposição de renunciar a si mesmo a fim de fazer a vontade de Deus, sofrendo mansamente as contradições (Fp 2.5; 1Pe 2.21), mas nunca a imitá-lo como cristão, em suas práticas devocionais e em sua espiritualidade.

Faltam ainda outras definições em pontos cruciais. Por exemplo, o que realmente significa "ouvir a voz de Deus", que aparece constantemente no discurso dos defensores da espiritualidade? Quando fico em silêncio, meditando nas Escrituras, aberto para Deus, o que de fato estou esperando? Ouvir a voz de Deus literalmente? Ouvir uma voz interior, como os quacres? Sentir uma presença espiritual poderosa, definida, que afeta inclusive nosso corpo, com tremores, arrepios? Ver uma luz interior, ou até mesmo ter uma visão do Cristo glorificado e manter diálogos com ele, como Teresa de Ávila, Inácio de Loyola, a freira Hildegard e mais recentemente Benny Hinn? Ou será que é intencional essa indefinição do que seja "ouvir a voz de Deus", visto que a indefinição abriga tudo isso e mais, unindo por essas experiências vagas pessoas das mais diferentes persuasões doutrinárias e teológicas, como católicos e evangélicos, conservadores e liberais?

Franklin Ferreira, conversando comigo em certa ocasião sobre esse assunto, escreveu o que se segue, que reproduzo literalmente por retratar de forma sintética e profunda o que considero o principal problema com a espiritualidade defendida pelo movimento que leva esse nome:

Acho que você conhece a distinção que Lutero fez entre a "teologia da glória" e a "teologia da cruz". Muito do movimento de espiritualidade moderno cai, justamente, no que Lutero chamou de "teologia da glória", a tentativa de chegar a Deus de forma imediata, ou por meio de legalismo (mortificação, flagelação da carne etc.), especulação teológica (como no liberalismo de Tillich) ou misticismo (as escadas da ascensão da alma para o céu, com a necessária purgação, mortificação e iluminação). Note que nessas três escadas, o que se fala é da união imediata da alma com Deus, sem a mediação do Cristo crucificado. Para Lutero, o fiel só encontra Deus não nas manifestações de poder que supostamente cercam as três escadas, mas em fraqueza, na cruz, pois por meio dela somos justificados.

Por todos esses motivos é que nunca me senti realmente interessado, como pregador, na espiritualidade proposta por esse movimento. Parece-me uma tentativa de elevação espiritual sem a teologia bíblica, uma tentativa de buscar a Deus por parte de quem já desistiu da doutrina cristã, das verdades formuladas nas Escrituras de maneira proposicional. Prefiro a espiritualidade evangélica tradicional, centrada na justificação pela fé, que enfatiza a graça de Deus recebida mediante a Palavra, os sacramentos e a oração e que vê a santidade como um processo inacabado neste mundo, embora tendo como alvo a perfeição final.

Em resumo, é meu entendimento que o pregador pode, eventualmente, tirar tempo para meditar, ficar em silêncio e se recolher do convívio das pessoas para buscar a Deus, mas não como condição essencial para se tornar um pregador cheio do Espírito, poderoso em palavras e obras, instrumento ungido de Deus para pregar o evangelho. Para isso, basta o uso regular dos meios ordinários revelados na Palavra de Deus, a saber, as Escrituras e a oração.

Santidade

A santidade pessoal do pregador influencia sua pregação. Creio que existe uma relação íntima entre as duas coisas, embora não possa dizer que a eficácia da pregação resida necessariamente na pessoa do pregador e no seu desenvolvimento espiritual. Apesar de Deus ter prazer em usar mais aqueles servos que andam em santidade, não podemos estabelecer uma relação direta de causa e efeito entre os resultados da pregação e a vida pessoal do pregador. Digo isso porque é sabido que muitos pregadores que caíram em desgraça, depois de uma vida oculta em pecado, pregaram mensagens que foram instrumentais na salvação de pecadores e no crescimento espiritual dos membros de sua igreja, mesmo durante o tempo em que levavam uma vida dupla.

Talvez aqui caibam as palavras do Senhor Jesus, em Mateus 7.22-23, a serem proferidas no dia do juízo a algumas pessoas que ministraram em seu nome, aparentemente com muitos resultados: "No dia do juízo, muitos me dirão: 'Senhor! Senhor! Não profetizamos em teu nome, não expulsamos demônios em teu nome e não realizamos muitos milagres em teu nome?'. Eu, porém, responderei: 'Nunca os conheci. Afastem-se de mim, vocês que desobedecem à lei!'". Jesus não negou que essas pessoas realizaram grandes obras em seu nome. Contudo, ele as rejeitou por terem vivido na iniquidade. Judas provavelmente é o exemplo mais conhecido de alguém usado para fazer a obra de Deus, mas que não era de Deus.

Tenho em mente um exemplo pessoal. Depois da minha conversão, fui grandemente influenciado por um pregador muito popular entre os jovens de Recife. Muitas pessoas se juntavam para ouvi-lo, onde quer que ele pregasse. Sua palavra era bíblica, firme e apaixonada. Creio que muitos vieram a se converter por intermédio dele. Foi ele quem primeiro me convenceu a ir para o seminário a fim de me preparar teológica e pastoralmente. Para surpresa e tristeza geral dos evangélicos da cidade, descobriu-se depois que ele vivia na prática do adultério, tendo abandonado esposa e filhos para viver com outra mulher.

Eu poderia citar outros casos de pastores cuja pregação foi grandemente usada por Deus, mas que não praticavam uma vida de integridade e santidade diante do Senhor. Da mesma forma, conheço pastores piedosos e que andam diante de Deus, cuja pregação não parece ter muito alcance nem produzir muitos frutos. Acredito que Deus age dessa maneira para deixar claro que a glória é dele, e não nossa.

Minha referência não tem o intuito de separar a santidade do pregador dos efeitos de sua pregação. Como já disse, acredito que existe uma relação íntima entre as duas coisas, embora não a ponto de podermos dizer que todo pregador realmente santificado será usado pelo Espírito, ou que o Espírito não usa a verdade proferida por pregadores em pecado. Certa época, no início do meu ministério, sentia-me desanimado e abatido diante da consciência de meus pecados, a ponto de não me considerar digno e apto para pregar a Palavra de Deus. Sem querer aliviar a convicção de pecado do meu coração, meu sogro me lembrou que "a mensagem é sempre maior que o mensageiro", e com isso ele queria dizer que as verdades que pregamos continuarão a ser verdades ainda que não consigamos vivê-las e experimentá-las plenamente em nossa vida. Essa frase tem me ajudado até hoje, quando percebo minhas fraquezas e a corrupção de meu coração pecador e me sinto indigno de abrir as Escrituras e expor seu conteúdo.

Um pregador expositivo que prega sequencialmente em livros da Bíblia cedo ou tarde se deparará com passagens que demandam ou ensinam alguma coisa que ele ainda não experimenta ou vive completamente. Quando isso acontecer, devemos humildemente corrigir nossa vida e buscar, com a graça de Deus, alcançar o patamar de santidade que nos é apresentado nas Escrituras. Antes de conhecer o Senhor Jesus, tive uma vida longe de seus caminhos, desviado da igreja onde cresci. Fiz muitas coisas erradas. Entre elas, roubar um posto de gasolina. Depois da minha conversão, comecei imediatamente a dar testemunho da graça de Deus, que havia me transformado radicalmente, e a pregar a Palavra de Deus onde houvesse oportunidade.

Foi assim até o dia em que resolvi pregar acerca da conversão de Zaqueu. Minha consciência simplesmente não me permitia pregar sobre aquilo que Zaqueu tinha dito após a sua conversão, que devolveria o que havia roubado (Lc 19.8). Eu não conseguia pregar nessa passagem porque me lembrava do que havia feito. Finalmente, vendi meu carro e fui procurar o dono do posto, a quem fiz uma completa confissão e entreguei o valor roubado com juros, dispondo-me até mesmo a sofrer o devido processo legal. O homem ficou muito impressionado com minha atitude e recebeu de bom grado a Bíblia que lhe dei de presente, o livro que havia mudado minha vida. Ele não quis prestar queixa. A partir daí, pregar sobre Zaqueu se tornou para mim um deleite espiritual.

Sei que é impossível para um pregador com um passado semelhante ao meu colocar em ordem todos os erros cometidos antes de poder pregar com a consciência tranquila. Não é isso que estou dizendo. Estou dizendo que, se for possível, devemos consertar os erros do passado, para não ficarmos abertos a críticas e julgamentos. Mas sei que há coisas irreparáveis.

O fato de que minha santificação é imperfeita não me impede de afirmar e ensinar que Deus demanda de nós santidade em nossos caminhos. Embora nem sempre eu sinta tristeza e profunda convicção de pecado pelos meus erros, ainda assim tenho de pregar que Deus se agrada de corações contritos e abatidos. Não estou encorajando a hipocrisia, que é pregar alguma coisa em que realmente não acredita ou que não tem o menor interesse em vivenciá-la por si mesmo. Pregadores verdadeiros e profundamente espirituais sempre estão conscientes de suas limitações e de seus erros, e ministram somente pela graça e misericórdia de Deus. Afinal, não podemos esquecer as declarações de Paulo em 1Coríntios 9.27: "Disciplino meu corpo como um atleta, treinando-o para fazer o que deve, de modo que, depois de ter pregado a outros, eu mesmo não seja desqualificado". Ou ainda, em 2Timóteo 2.20-21: "Numa casa grande, alguns utensílios são de ouro e de prata, e outros, de madeira e de barro. Os utensílios de mais valor são reservados para ocasiões especiais, e os de menos valor, para uso diário. Se você se mantiver puro, será um utensílio para fins honrosos. Sua vida será limpa, e você estará pronto para que o Senhor da casa o empregue para toda boa obra".

O Espírito Santo usa as verdades que ele mesmo inspirou, independentemente do mensageiro. Contudo, ele se compraz em usar de maneira mais eficaz aqueles mensageiros que se humilham diante dele e dependem dele para pregar. Por esse motivo, o pregador deve sempre zelar por sua vida de santidade e estar sempre pronto a confessar seus pecados e abandoná-los, a procurar ajuda diante das dificuldades em vencer práticas pecaminosas, a lamentar e chorar diante de Deus pela corrupção de seu coração, pela fraqueza de sua vontade e pela instabilidade de sua decisão. Ele deve buscar a total dependência do Cristo ressurreto e vivo, buscar uma vida cheia do Espírito Santo. Não há dúvida de que o pastor que zela por uma vida santa tem muito mais chances de ter um ministério abençoado e frutífero, e de ser usado por Deus na vida de muitos.

Pode acontecer que o pregador veja a necessidade de pregar sobre um tema com o qual ainda tenha dificuldade de lidar em sua vida. Por exemplo, ele sabe que membros de sua igreja são viciados em pornografia e que ele precisa expor a verdade bíblica sobre esse assunto. Contudo, ele mesmo está em luta contra essa prática. A experiência de Isaías nos mostra que, antes de denunciarmos os pecados nos outros, é importante que tenhamos lidado com nossos próprios pecados. O profeta confessou que vivia em meio a um povo de impuros lábios e que ele mesmo tinha lábios impuros. Logo em seguida, seus lábios foram tocados pela brasa do altar, e sua impureza foi perdoada. Então, ele foi enviado a pregar a Israel (Is 6.5-8).

Isso não significa, contudo, que a partir daquela experiência Isaías nunca mais tenha tido lábios impuros. Significa que ele tratou seu pecado antes de tratar do pecado de Israel. Tratar não quer dizer vencer definitivamente, mas estar engajado em uma luta diária e ferrenha contra o pecado, ainda que nem sempre sejamos vitoriosos. No caso do pastor que luta contra a pornografia, por exemplo, creio que ele pode pregar contra ela, desde que esteja lutando para vencê-la, lamentando o próprio pecado e sendo gracioso e misericordioso com os outros.

Com frequência tenho pregado com a consciência clara de que sou um dos que precisam ouvir minha mensagem e colocá-la em prática. Por estar consciente de minhas fraquezas é que prego com temor e tremor, sempre orando os versos de Davi: "Não permitas que por minha causa sejam envergonhados os que em ti confiam, ó Soberano SENHOR dos Exércitos" (Sl 69.6).

Confissão

Existem pecados cujas consequências afetam profundamente a vida do pregador. Todos os pecados são iguais, pois são transgressões da lei de Deus. Mas as consequências são distintas. As igrejas, por exemplo, têm dificuldade em perdoar e esquecer o adultério e a desonestidade cometidos por um pregador, ainda que ele se arrependa e conserte seus caminhos. Por isso, ainda que exista a chance de recebermos o perdão e a compreensão de nossa igreja, o melhor é andar humildemente no caminho da santidade, sempre confessando a Deus nossos pecados e evitando cair em tentação.

É realmente uma demonstração da graça de Deus quando pregadores descobrem estar vivendo em pecado. Não me refiro apenas a pecados que costumam causar escândalo, mas a pecados como arrogância, autoritarismo, abuso espiritual, inveja e ira, para citar alguns. Infelizmente é possível que o pregador caminhe um longo tempo sem perceber pecados em seu ponto cego. Boa parte dos acidentes de motocicleta ocorrem porque os motociclistas ficam ao lado dos carros, esquecendo que existe um ponto cego, uma pequena área fora da abrangência dos retrovisores, o que os torna vulneráveis às manobras dos motoristas. Hoje existem veículos com sensores que alertam sobre objetos dentro do ponto cego, ajudando a prevenir acidentes. Creio que é mais ou menos esse o papel do Espírito Santo na vida do pregador e dos cristãos em geral: ajudá-los a ver o que há no ponto cego. Foi essa a oração de Davi em Salmos 19.12: "Quem é capaz de distinguir os próprios erros? Absolve-me das faltas que me são ocultas", e em Salmos 139.23-24: "Examina-me, ó Deus, e conhece meu coração; prova-me e vê meus pensamentos. Mostra-me se há em mim algo que te ofende e conduze-me pelo caminho eterno". E ainda, nas palavras do Senhor em Jeremias 17.9-10: "O coração humano é mais enganoso que qualquer coisa e é extremamente perverso; quem sabe, de fato, quanto é mau? Eu, o SENHOR, examino o coração e provo os pensamentos".

Pela graça de Deus, o Espírito Santo iluminará a consciência do pregador temente a Deus e o levará a perceber o engano dos seus caminhos, concedendo-lhe, assim, a oportunidade de arrependimento, confissão e reparo dos erros cometidos. O problema, afinal, não são os nossos pecados, mas os nossos pecados não tratados. Por isso é extremamente importante que o pregador sempre esteja sensível aos alertas do Espírito Santo em sua vida.

Em alguns casos, será preciso fazer restituição e confissão a pessoas que de alguma maneira sofreram com os pecados do pregador. Para alguns, essa atitude de quebrantamento e confissão pode representar uma demonstração de fraqueza da parte do pregador e assim prejudicar profundamente seu ministério. Entretanto, creio que o efeito poderá ser o contrário. Quando o pregador se arrepende e confessa, sua congregação se dá conta de que ele, como os demais, é pecador e depende da graça de Deus que ele tanto anuncia do púlpito. É provável que, ao demonstrar integridade e honestidade diante de seu povo, seu conceito cresça na igreja, mesmo que ele tenha de sair dela, pois o fará com a consciência de ter procurado consertar os erros cometidos.

Fui professor durante alguns anos no Seminário Presbiteriano do Norte. Havia terminado o mestrado e era muito exigente. Costumava dar tarefas na segunda-feira para cobrá-las na sexta-feira, e era extremamente rigoroso com os prazos. Havia um aluno em particular que, a meu ver, nem deveria estar no seminário, porque era desleixado e totalmente irresponsável com as tarefas que lhe eram solicitadas. Numa sexta-feira, comecei a cobrar individualmente os alunos sobre a tarefa solicitada na segunda-feira. O referido aluno, mostrando total descaso, não apresentou nada. Perdi a paciência diante da classe e, irado, tratei-o com muita dureza, humilhando-o na presença dos colegas. Naquele fim de semana eu tinha um compromisso de pregação em outra cidade e durante a viagem senti-me atormentado por minha atitude. Tentei argumentar com Deus usando a irresponsabilidade do aluno e o fato de que ele não se importava em cumprir as tarefas. Mas nada adiantou. Foi um fim de semana terrível.

Ao regressar ao seminário na segunda-feira, eu já estava convencido de que deveria pedir perdão ao aluno, em público, apesar de meu grande temor de, ao fazê-lo, perder o respeito e a autoridade em sala de aula. Entretanto, depois que pedi perdão ao aluno no início da aula, o que percebi foi um quebrantamento da parte daquele aluno e dos demais. Sei que cresci no conceito deles a partir daquele dia. Eles perceberam que eu praticava o que ensinava. Acredito que esse princípio é válido para todo pregador. Como eu disse, o problema não são os nossos pecados, mas os nossos pecados não resolvidos. Deus pode nos perdoar e usar, uma vez que estejamos arrependidos e quebrantados, e consertemos os erros cometidos.

E aqui chegamos à questão de como o pregador deve praticar a confissão de pecados. Acredito que a confissão deve ser tão extensa quanto o conhecimento do pecado cometido. Se o pecado foi entre o pregador e Deus, ele pode confessá-lo somente a Deus, a menos que deseje receber ajuda de alguém. Se o pecado envolveu uma pessoa, o pregador deve confessar esse pecado não somente a Deus, mas também à pessoa envolvida, buscando reconciliação e restauração da comunhão. Se o pecado vier a se tornar público, é necessária uma reparação pública, que envolva confissão e atitudes que demonstrem arrependimento, como, por exemplo, sujeitar-se à disciplina eclesiástica.

É muito importante que o pregador tenha irmãos e amigos com quem se abrir e a quem pedir ajuda, caso seja apanhado em alguma falta. Pregadores estão entre as pessoas mais solitárias do mundo, pois a credibilidade de suas pregações depende de sua reputação e, por receio de que o assunto se torne público, em geral evitam falar de erros e faltas com outros pastores. Apesar disso, todo pregador deveria ter ao menos uma pessoa de confiança com quem compartilhar fracassos e temores e confessar pecados.

Como dissemos, embora os pecados sejam essencialmente iguais, alguns são mais odiosos e trazem consequências mais sérias. Determinados pecados exigirão mais que uma confissão privada a outro pastor. Em alguns casos, o pregador precisa passar por um processo disciplinar instaurado pelo colegiado, presbitério ou concílio sob cuja autoridade o pastor se encontre. Se houver real arrependimento e submissão, ele talvez possa retornar mais tarde ao ministério. Um dos pastores que mais me ajudou quando eu era novo convertido havia cometido adultério em anos passados. Confessou seu pecado, foi disciplinado pelo presbitério, cumpriu o tempo suficiente para demonstrar real contrição e foi restaurado ao ministério. Pregou a Palavra por muitos anos, abençoando gerações, até sua morte. Em contrapartida, conheci pastores que caíram em adultério, mas que não deram mostras de arrependimento nem se sujeitaram à disciplina do colegiado, o que os levou finalmente à saída do ministério, cheios de amargura e rancor contra a igreja.

Preparo intelectual

Além do preparo espiritual, é importante que o pregador se prepare intelectualmente para expor a Palavra de Deus da melhor maneira possível. Não digo que a preparação formal seja obrigatória para que alguém se torne pregador, mas ela ajuda bastante. Meu chamado ao pastorado se deu por ocasião da minha conversão. Não demorou muito, e eu comecei a pregar em reuniões de jovens, acampamentos e depois igrejas. Finalmente, demonstrei ao meu pastor o desejo de evangelizar os pescadores da praia de Maria Farinha, na cidade de Olinda. Depois de algum tempo, quis pregar no interior de Pernambuco, quando meu pastor me orientou a frequentar um seminário a fim de preparar-me para a tarefa. Eu não via a necessidade disso, uma vez que já era um pregador conhecido e queria dedicar minha vida à plantação de igrejas, como fizera o apóstolo Paulo. Para mim, àquela altura, passar quatro anos estudando em um seminário era pura perda de tempo.

Meu pastor, contudo, manteve sua posição de não me enviar sem um curso teológico, e então fui acolhido pelo pastor da igreja onde eu havia crescido, em Recife. Ele me enviou, sem curso teológico, para reabrir uma igreja em Gameleira, interior de Pernambuco, entre os cortadores de cana da usina Cucaú. À medida que o tempo passou, enquanto evangelizava aquela região, fui percebendo a necessidade de um melhor preparo para enfrentar os desafios do ministério pastoral e acabei sendo persuadido por um conhecido pastor de jovens da cidade a frequentar o seminário.

Dificilmente já houve um calouro mais reticente do que eu. No primeiro dia de aula de teologia sistemática perguntei ao professor rev. Gérson Gouveia, já falecido, que ajuda prática a teologia sistemática traria à vida cristã. Demonstrando muita paciência com aquele calouro arrogante, o experiente pastor explicou que eu oraria melhor se conhecesse melhor o Deus a quem me dirigia. Que eu pregaria melhor se tivesse um conhecimento mais amplo e sistemático das Escrituras. Que eu responderia melhor às questões dos jovens da minha igreja se tivesse um conhecimento amplo de teologia e conhecimento geral de algumas disciplinas, como filosofia, antropologia etc.

Aos poucos, as barreiras foram sendo derrubadas. Percebi que o preparo teológico poderia se tornar uma ferramenta poderosa para meu ministério e minhas pregações. Nunca mais parei de estudar. Após o bacharelado em teologia, prossegui para o mestrado, o doutorado e o pós-doutorado em estudos bíblicos. Nunca me arrependi do tempo investido nos estudos.

Deus, obviamente, pode usar pregadores analfabetos ou sem estudos formais em teologia, e tem feito isso com frequência. Grande parte dos pregadores ao longo da história da igreja foi composta de cristãos sem treinamento formal, mas que conheciam a sua Bíblia e tinham profunda paixão por Jesus. Eles abriram igrejas, pregaram em lugares distantes, evangelizaram multidões. Alguns dos pregadores mais conhecidos da história da igreja nunca fizeram seminário ou escola de teologia, como Charles Spurgeon e mais recentemente Martin Lloyd-Jones, que era médico.

Em contrapartida, a falta de preparo teológico tem levado pastores a pregar falsas doutrinas, desenvolver comportamentos legalistas, incentivar um culto falso e anunciar um evangelho distorcido. O evangelicalismo popular está cheio desses pregadores, que rejeitam o estudo e a preparação intelectual, entendendo tratar-se de afronta ao Espírito Santo. Alguns acusam colegas estudiosos de serem intelectuais áridos e frios, que silenciam o Espírito Santo. Para justificar sua posição, gostam de usar, erroneamente, o texto "a letra mata, mas o Espírito vivifica" (2Co 3.6, NAA), que na verdade expressa o contraste entre a insuficiência do sistema da legislação mosaica e a suficiência de Cristo para nos salvar do pecado. A "letra" é o "antigo sistema, com suas leis gravadas em pedra", que "terminava em morte" e que foi dado aos israelitas por intermédio de Moisés (2Co 3.7). O "Espírito" é a nova aliança de Cristo, revelada mediante o Espírito Santo e escrita em nosso coração (2Co 3.3-4,6,8). Ou seja, a expressão não contrapõe teologia e espiritualidade, estudo e poder espiritual. O próprio uso dessa passagem para justificar a não necessidade de estudar já prova meu ponto.

O que alguns pregadores não percebem é que nossa tarefa consiste em entender e pregar a mensagem de um livro escrito entre dois e três mil anos atrás, em hebraico, aramaico e grego, em uma cultura que já não existe, a do antigo Oriente Próximo, e em contextos completamente diferentes do Brasil do século 21. E, até onde sei, o Espírito Santo não ensina grego, história, teologia e arqueologia ao pregador por revelação direta. Creio que é tentar a Deus desprezar os recursos que ele nos deu para melhor entender a revelação escrita, na esperança de que o Espírito Santo nos comunique diretamente, no momento da pregação, o significado de um texto bíblico. Basta escutar na internet os sermões suposta e diretamente revelados para perceber sua superficialidade, quando não afirmações completamente falsas ou indevidas. Pregar no Espírito não é gritar, gesticular, usar jargões e frases de efeito.

Paulo determinou a Timóteo: "Pregue a palavra" (2Tm 4.2). Para que possamos pregar a Palavra de Deus, como Paulo mandou, temos de primeiro interpretar e entender o que ela está dizendo, a fim de que preguemos a Palavra de *Deus*, não a nossa. Mas, para isso, precisamos nos preparar intelectual e academicamente, não necessariamente para nos tornarmos teólogos, pensadores e doutores em Bíblia, mas para podermos ter uma compreensão clara o suficiente das Escrituras que nos garanta pregar *seu* significado, e não as nossas ideias.

Estou ciente de que, em muitas denominações e igrejas, os pregadores nunca estudaram teologia nem deles se exige um diploma acadêmico para pregar ou para tornar-se pastor. Não creio que a falta de estudos formais em teologia desqualifique esses pregadores. Na verdade, prefiro que sejam fiéis à Bíblia sem diploma do que ter doutorado e serem teologicamente liberais. A mensagem central da Bíblia é suficientemente clara, ainda que usemos apenas traduções em português para preparar nossa mensagem. Qualquer pregador que não seja analfabeto funcional e que consiga ler e entender textos pode organizar as ideias contidas numa passagem bíblica e passá-las a seus ouvintes, ainda que de forma sofrível. Contudo, pastores que estudaram a Bíblia, interpretação, história da igreja e teologia sistemática estarão em melhor condição de pregar mensagens que reflitam com mais exatidão o sentido do texto bíblico.

Embora a falta de estudo — quer obtido formalmente em seminários e institutos bíblicos, quer informalmente como autodidata — não seja impeditivo para que um pastor pregue a Palavra de Deus, as igrejas deveriam se esforçar para oferecer a seus pregadores a oportunidade de se prepararem melhor. A história da igreja cristã mostra claramente que os pregadores que marcaram o cristianismo histórico e impactaram o mundo eram pessoas preparadas, a começar do apóstolo Paulo, homem culto, preparado, conhecedor de sua época e de sua cultura.

Preciso ressalvar, contudo, que estudos teológicos só valem a pena se feitos em seminários e escolas de teologia comprometidos com a inerrância da Bíblia e com a fé do cristianismo histórico. Existem muitas escolas de teologia com professores liberais, que não creem na inerrância da Bíblia, que usam o método crítico de interpretação e que são adeptos da teologia da libertação. Em pouco tempo, eles abalam, se não arrancam, a fé dos alunos despreparados, que deixarão o seminário pior do que quando entraram.

Quero terminar este tema oferecendo alguns conselhos para aquele que já prega em sua igreja (talvez há anos) e que, ao ler este livro, entendeu que precisa se preparar melhor intelectualmente para seguir pregando. Primeiro, adote e siga fielmente um sistema de leitura de bons livros de teologia bíblica, tanto do Antigo quanto do Novo Testamento. Existem muitos livros de teologia bíblica no mercado. Um bom filtro é a editora. Procure livros de editoras que tenham compromisso em publicar somente obras de autores comprometidos com a infalibilidade das Escrituras.

Segundo, procure escutar com frequência as mensagens de pregadores expositivos e ver como utilizam seu conhecimento na entrega da mensagem, especialmente na aplicação. No início de meu ministério, depois de concluir o seminário, eu me inspirei em diversos pregadores expositivos. Na verdade, aprendi com eles a pregar expositivamente, e não no curso de homilética do seminário, cujo professor era adepto de sermões tópicos.

Terceiro, caso haja oportunidade, faça mais um curso de teologia sistemática ou histórica para corroborar o conhecimento bíblico. Se já tem o bacharel em teologia, procure mestrado em boas instituições, nessas duas áreas mencionadas. Caso nunca tenha feito um curso de teologia, existem hoje várias opções de cursos teológicos à distância. Como sempre, procure saber cuidadosamente do compromisso teológico desses cursos antes de começar a cursá-los.

A soberania de Deus

Certa ocasião, fui convidado a pregar em uma igreja no domingo à noite. Na tarde daquele dia fiquei muito gripado e cheguei a cogitar cancelar o compromisso. Mas, mesmo sem condições de me preparar para pregar, resolvi cumpri-lo. No culto, apenas compartilhei o que havia lido durante minha hora devocional, algo em torno de quinze minutos. Naquele dia, havia meditado em Mateus 5.23-26, em que Jesus fala da necessidade de reconciliação antes de apresentarmos culto a Deus. Quando terminei, sentei-me procurando um buraco para me esconder, pensando que havia acabado de pregar o pior sermão da minha vida. Para minha surpresa, muitas pessoas pediram que eu falasse durante o culto, e começaram a confessar pecados, pedir perdão e se reconciliar com outras! Eu nunca havia presenciado algo assim. Claramente o Espírito de Deus usou a mensagem para quebrantar corações e produzir convicção de pecados em muitos. O culto se estendeu noite adentro, à medida que o Espírito de Deus movia os corações para a confissão e a reconciliação. Foi uma noite única. Depois dela, preguei o mesmo sermão muitas outras vezes em outras igrejas, mas sem esses resultados.

Contei esse episódio para introduzir mais um ponto importante na vida do pregador, que é a consciência de que os resultados de sua pregação dependem, no final das contas, da vontade do próprio Deus. Existem normas e princípios estabelecidos por ele quanto à pregação de sua Palavra. Deus deseja que sejamos fiéis em pregar somente aquilo que ele revelou nas Escrituras. Deseja que busquemos a salvação de pecadores e, acima de tudo, a sua glória. Deseja que exponhamos toda a sua vontade revelada nas Escrituras. Deseja que façamos tudo isso na dependência do Espírito Santo. A implicação dessas verdades é que se seguirmos esses princípios nossa pregação produzirá frutos de arrependimento, conversão e santificação. Creio que podemos estabelecer como certo que os pregadores mais usados por Deus no avanço de seu reino aqui no mundo praticaram uma vida de oração, leitura das Escrituras, santidade, quebrantamento e dependência dele. Por esse motivo, o pregador deve estar sempre empenhado em buscar a plenitude do Espírito, a capacitação para testificar de Cristo ao mundo.

Contudo, há casos em que essa equação não funciona exatamente dessa forma. Embora eu os considere exceção, em vez de regra, não podemos ignorá-los. Refiro-me a ocasiões em que Deus usa de maneira incomum a mensagem de um pregador não preparado, ou mesmo desqualificado. Talvez o melhor exemplo aqui seja o episódio do profeta rebelde, Jonas. Por intermédio da pregação dele, Deus trouxe um dos maiores avivamentos da história, que foi a conversão da cidade de Nínive, desde o povo até a realeza. Durante três dias, Jonas pregou o arrependimento aos ninivitas, cuja cidade seria destruída por Deus, que estava irado com a perversidade, imoralidade e idolatria desse povo. Não só os ninivitas creram em Deus e se arrependeram, mas até mesmo o rei deles o fez. Como resultado, Deus os poupou. O interessante é que o instrumento de Deus para essa obra extraordinária foi um profeta amargurado, que pregou de má vontade e que não teve a menor alegria com a salvação daqueles pagãos, inimigos de Israel (Jn 4.1-3).

Outro ponto importante é o propósito da pregação. Sempre pensamos na salvação de pecadores e, portanto, imaginamos que um pregador bem-sucedido é aquele que ganha muitas pessoas para Cristo e cuja pregação edifica sobremaneira os crentes. Contudo, os propósitos de Deus com a pregação não são necessariamente a salvação de todos que a ouvem. Ao comissionar Isaías para pregar aos judeus rebeldes, Deus disse que a pregação de Isaías serviria para fechar olhos e ouvidos em Israel, para que eles não se convertessem nem fossem salvos. Deus estava resolvido a castigar Israel por sua idolatria e rebelião. A rejeição à pregação do profeta serviria para potencializar a culpa deles, ensejando um castigo cada vez maior (Is 6.9-10). Mais tarde, Jesus usou essa mesma passagem para explicar por que ele falava ao povo de sua época em parábolas: para fechar o reino de Deus aos incrédulos (Mt 13.10-15). Paulo ensinou que o evangelho tem duplo efeito no coração: "Para os que estão perecendo, somos cheiro terrível de morte e condenação. Mas, para os que estão sendo salvos, somos perfume que dá vida" (2Co 2.16).

A implicação disso tudo é que não devemos medir o sucesso de um pregador pelos números que ele produz. Por esse critério, Noé, Isaías e Jesus seriam considerados pregadores fracassados. Entretanto, foi pela pregação deles que Deus cumpriu seu propósito de trazer castigo sobre a incredulidade das gerações às quais ministraram. O coração deles se endureceu mesmo diante da pregação fiel da Palavra de Deus, aumentando o castigo que receberiam no juízo final. Dessa perspectiva, as pregações de Noé, Isaías e Jesus foram bem-sucedidas.

O critério final do sucesso é, como Paulo disse aos coríntios, a fidelidade: "De um encarregado espera-se que seja fiel" (1Co 4.2). Deus não nos chamou para sermos bem-sucedidos numericamente, mas para sermos fiéis. Se lhe aprouver nos abençoar com números, toda glória deve ser atribuída a ele.

3

A preparação do sermão

A preparação do sermão é uma questão crucial porque normalmente existe uma relação direta entre a preparação e os efeitos da pregação. Sermões bem preparados e pregados por homens bem preparados apresentam muito mais probabilidade de eficácia do que mensagens entregues de maneira desleixada por pregadores desleixados.

Tipos de sermão

Precisamos começar com os tipos mais comuns de sermão encontrados hoje e que se encaixam basicamente em duas categorias: sermões improvisados e sermões preparados. Como o próprio nome revela, na primeira categoria estão os sermões não preparados antecipadamente, em que não houve estudo do texto sagrado, meditação, pesquisa e nem a preparação de um esboço mínimo. O pregador chega ao púlpito apenas com a ideia de uma passagem de base — e, às vezes, nem isso. Usando de sua habilidade de falar em público, esse tipo de pregador fala o que lhe ocorre, emendando uma coisa na outra, contando histórias de sua própria experiência, citando versículos de várias partes da Bíblia, procurando de alguma maneira relacioná-las com o versículo que serviu de partida, de forma que ao final ninguém consiga especificar o ponto central do sermão, suas partes, a interpretação do pregador ou o tema. Esse tipo de pregação consiste mais em um evento cujo centro é o pregador, sua eloquência, sua gesticulação, seus gritos e suas frases de efeito. Pouca ou nenhuma exposição das grandes verdades bíblicas é feita.

Algumas denominações ainda encorajam, como vimos, esse tipo de sermão por defenderem que a preparação antecipada da mensagem revela falta de fé no Espírito Santo, que a concede na hora da pregação. Mas por que o Espírito Santo não poderia conceder a mensagem antes e durante a preparação do sermão? Preparar os sermões não é afronta ao Espírito, mas sim o reconhecimento da seriedade do assunto, de que não somos os únicos a quem o Espírito revela o sentido da Palavra de Deus e de que estamos diante de um livro único, que demanda cuidado de interpretação. Aquele que usa o texto de Mateus 10.19 para justificar a não preparação deve lembrar que a promessa de Jesus foi feita aos cristãos perseguidos e levados aos tribunais. É curioso que os que mais enfatizam a necessidade de recebermos diretamente do Espírito Santo a mensagem de Deus são os mesmos que não reconhecem a possibilidade de o Espírito Santo nos falar por meio de sermões, livros e obras de outros.

Não estou dizendo que Deus não use sermões improvisados para salvar pecadores e abençoar crentes. O Espírito Santo usa a verdade onde quer que a encontre, inclusive em sermões totalmente desestruturados. Um dos pastores que mais me influenciou e abençoou foi um pastor calvinista que nunca havia feito seminário, tinha dificuldade em articular suas ideias e geralmente não usava esboços para suas mensagens. Ia pregando à medida que as ideias lhe vinham à mente. Entretanto, foi um dos maiores evangelistas que conheci. Centenas e centenas de jovens vieram a conhecer a Cristo por intermédio das pregações desse pastor. Mas esse pastor é uma exceção que serve para deixar clara a soberania de Deus no uso dos meios que ele deseja para salvar pecadores. Na maior parte do tempo, o que vemos é que pregações malfeitas, por não terem sido preparadas com cuidado, pouco contribuem para o avanço do reino de Deus.

Quero deixar claro, também, que não estou afirmando ser obrigatório o esboço para pregar. Eu mesmo tenho pregado inúmeras vezes sem esboço. Acontece, porém, que nessas vezes usei sermões preparados em determinado momento e que preguei tantas vezes em diferentes lugares que com o passar do tempo se fez desnecessário o esboço escrito, por estar gravado na memória. É o que acontece com pregadores itinerantes, que pregam o mesmo sermão muitas vezes, em diferentes igrejas ou eventos. Nesses casos, não usar um esboço não indica falta de preparação. Na verdade, gosto mais de pregar com o esboço gravado na memória, por me conceder mais liberdade e me permitir mais contato visual com o auditório, em vez de ficar de cabeça baixa o tempo todo, preso ao manuscrito. Pregadores como Martin Lloyd-Jones, por exemplo, levavam um esboço mínimo para o púlpito, às vezes uma folha de papel contendo apenas os pontos a serem pregados, mas em todos esses exemplos e casos houve preparação prévia do sermão.

Na segunda categoria estão os sermões preparados, e aqui cabe mencionar alguns tipos de sermões conforme sua estrutura. Primeiro, os sermões tópicos, que são aqueles em que uma passagem bíblica é usada para introduzir o tema do sermão, o qual é desenvolvido em tópicos de acordo com a criatividade do pregador, e não necessariamente com a estrutura do texto bíblico lido como base. Geralmente esse tipo de sermão usa a passagem bíblica apenas como mote e desenvolve a ideia central a partir de três ou quatro pontos, seguidos de uma ou mais aplicações. Quando esses pontos são extraídos da passagem, o sermão é chamado de textual. O propósito de sermões tópicos e textuais é expor um tema, uma verdade — como santidade, consagração, conforto, amor etc. —, em vez de expor o texto bíblico usado como base.

O pregador tópico leria, por exemplo, 1Coríntios 13, o famoso capítulo sobre o amor, e passaria a discorrer sobre o amor como a maior das virtudes no cristão. Explicaria os tipos existentes de amor, a necessidade de amarmos uns aos outros, a importância do amor no casamento, e assim por diante. Contudo, não faria uma exposição de 1Coríntios 13 no contexto da carta, seguindo a estrutura e os pontos que o próprio apóstolo Paulo adotou. Acho que é bem conhecida a história daquele pregador tópico que comentou com seu colega: "Estou com o sermão de domingo todo pronto, só falta encontrar o texto bíblico!".

Sermões tópicos estavam na moda nas igrejas históricas até cerca de quarenta anos atrás. Depois de ler a passagem bíblica, era costume o pregador abrir com uma introdução — geralmente uma história ou ilustração —, anunciar o tema de seu sermão, prosseguir para a elucidação do texto e então extrair três ou quatro pontos seguidos de uma aplicação. Esse foi o tipo de sermão ensinado em minhas aulas de homilética no seminário. Meu professor, um homem muito culto e preparado, defendia com ardor o sermão tópico ou textual como a maneira mais eloquente, eficaz, elegante e lógica de pregar. Mas foi nessa época mais ou menos que a pregação expositiva começou a se tornar popular graças ao ministério de pregadores como John Stott, Martin Lloyd-Jones, Ray Stedman e, aqui no Brasil, Russell Shedd.[1]

---

[1] O crescimento do interesse pela pregação expositiva coincide com o crescimento do interesse pela teologia reformada, fenômeno que se passa não somente no Brasil, mas em vários países do Sul Global.

E aqui temos o segundo tipo, o sermão expositivo. Cedo em meu ministério me convenci de que esse era o melhor tipo de sermão a ser pregado, apesar de meu querido professor de homilética. Antes de terminar o curso de teologia, eu já havia pregado meus primeiros sermões expositivos. Nos anos seguintes, e até o dia de hoje, a convicção de que sermões expositivos são os melhores tem se fortalecido. Não estou dizendo que o único tipo de sermão que Deus usa é a pregação expositiva. Charles Spurgeon não era necessariamente um pregador expositivo. Mas o que quero dizer é que o sermão expositivo é o que mais se adequa ao chamado do pregador, que é pregar a Palavra de Deus. Esse tipo de sermão nos aproxima do texto porque procura expor seu significado, extrai dele seus argumentos, sua sequência e suas aplicações. Por isso, é o tipo de pregação em que o pregador tem menos chance de colocar na mensagem suas ideias ou conclusões equivocadas.

Em resumo, na pregação expositiva o sermão está no texto, enquanto nos outros tipos o texto está no sermão. A exposição bíblica emerge diretamente das Escrituras e tem nelas ancorados todos os seus tópicos e seções. Não se trata de apenas fazer um comentário sobre o texto, mas de mostrar aos ouvintes seu significado e aplicação.

Vejamos um comparativo entre o sermão tópico e o sermão expositivo, com base em 1Coríntios 13, que pode esclarecer a diferença entre eles.

Sermão tópico	*Sermão expositivo*
O mais importante é o amor	O amor como solução para uma igreja problemática
1. O amor é uma virtude necessária	1. O amor é superior aos dons espirituais, 13.1-3
2. O amor é uma virtude em falta	2. O que é o amor, 13.4-7
3. O amor é uma virtude a ser cultivada	3. O amor dura para sempre, 13.8-13

Observem como o sermão expositivo procura seguir o texto, inclusive em suas divisões naturais. Já no sermão tópico, o texto fornece apenas o tema da mensagem, e suas divisões são resultado da habilidade criativa do pregador. Por vezes, pregadores tópicos elaboram seus tópicos a partir de perguntas sugeridas pelo próprio texto.

Embora ocorra raramente, também prego sermões tópicos, e em geral o faço quando sou convidado a pregar sobre um tema específico, como, digamos, santificação. Normalmente, mesmo nesses casos, procuro uma passagem bíblica sobre santificação — como Romanos 6, por exemplo — e faço a exposição dela. No entanto, quando se trata de algum tema peculiar, às vezes fica difícil encontrar uma passagem que trate diretamente dele, momento em que recorro a um sermão tópico. Certa vez fui convidado a pregar em um culto de ação de graças. Ao chegar à igreja, descobri que se tratava do aniversário do coral da igreja, e o pastor gostaria que eu pregasse alguma coisa relevante para a ocasião! Não consegui pensar em nenhuma passagem bíblica que falasse de aniversário de coral na igreja e que eu pudesse expor. Então, nos minutos que tive antes de começar a pregar, rascunhei rapidamente três pontos sobre a música coral na Bíblia e preguei totalmente de improviso a partir desse esboço tópico.

Em algumas ocasiões — como casamentos, formaturas, funerais e aberturas de eventos —, quando o pregador tem apenas alguns minutos para levar a mensagem, um sermão tópico curto e objetivo pode produzir melhor efeito do que a tentativa de expor uma passagem bíblica, que geralmente leva mais tempo e demanda mais atenção da audiência (que nessas ocasiões, em geral, está mais interessada no evento em si). É aqui que entra o julgamento do pregador e sua sabedoria em decidir o formato de sua mensagem para cada ocasião.

A preparação do sermão expositivo

Não creio que exista alguma fórmula única, um conjunto de regras comprovadamente eficaz para a preparação de um sermão expositivo, por se tratar muito mais de uma atitude com relação ao texto que de obediência a um conjunto fixo de regras de interpretação e homilética. Pregadores que entenderem que sua tarefa é ensinar a Bíblia instintivamente perceberão a necessidade de estudar e expor seu conteúdo de maneira fiel, clara e prática. Cada pregador expositivo desenvolve seu método, de acordo com seu conhecimento, sua audiência e principalmente seus dons e talentos na área da pregação.

Se compararmos a estrutura de sermões de pregadores reconhecidamente expositivos, perceberemos de imediato a diferença de estilo. John Piper é um dos pregadores expositivos mais conhecidos no mundo.

A PREPARAÇÃO DO SERMÃO

Quando leio ou escuto seus sermões, percebo sua maneira própria e característica, que consiste em destacar os pontos centrais e elaborar seu conteúdo como pequenas mensagens tópicas. Já John Stott tinha uma habilidade extraordinária de sintetizar o ensino central de uma passagem em poucos pontos extraídos do próprio texto. Em um congresso em Recife, ele expôs em uma única noite simplesmente todo o livro de Atos. Após estabelecer o tema central do livro, levou-nos pelo conteúdo de seus capítulos apontando a intenção de Lucas de mostrar, através de eventos selecionados, como a igreja, saindo de Jerusalém, chegou a Roma. Martin Lloyd-Jones era capaz de pregar quatro a cinco sermões em uma única passagem, como foi o caso de sua série em Efésios.

O que todos esses pregadores têm em comum? A consciência de que seu dever é trazer à luz o sentido das Escrituras e aplicá-lo ao coração de seus ouvintes, quer seja a partir de um único versículo, quer seja em livros inteiros da Bíblia.

Em contrapartida, em que pese o fato de não haver regras preestabelecidas, existem algumas etapas práticas que podem ser observadas na preparação do sermão a fim de expor uma passagem das Escrituras com clareza e dela extrair uma aplicação adequada. Pessoalmente, considero os passos a seguir minimamente necessários para o preparo de uma mensagem. Eles não estão necessariamente na ordem em que devem ser observados, mas refletem em grande parte minha maneira de preparar sermões.

Primeiro, o pregador deve ler a passagem diversas vezes até familiarizar-se com seu conteúdo. Essa primeira leitura é feita sem o auxílio de comentários ou notas explicativas. Sempre procuro ler como se fosse um de meus ouvintes. O objetivo desse primeiro passo é sentir o texto, experimentar seu impacto, procurar entender sua mensagem. Para isso é preciso ler e reler o texto várias vezes, e, importante dizer, na mesma versão que será usada na pregação.

Segundo, o pregador deve fazer um esboço inicial da passagem, procurando descobrir a mensagem que o autor quis passar a seus leitores e como ele o fez. É importante que esse esboço não seja forçado, mas que nasça naturalmente das divisões do texto. Ajuda muito observar conjunções como "mas", "portanto" e outras indicativas da sequência do pensamento do autor e do início de uma nova parte de sua história ou argumentação. Normalmente, as traduções já fazem o trabalho de divisão do texto por blocos de assuntos, chamados de perícopes, encabeçados por subtítulos em negrito. Entretanto, é preciso cuidado, porque nem sempre essas divisões do texto ajudam. Um exemplo é a inserção, em muitas versões, do subtítulo em negrito entre Efésios 5.21 e 22, "O lar cristão", como se o apóstolo Paulo estivesse falando desse assunto a partir do versículo 22,[2] quando na verdade este é a continuação do versículo 21, que por sua vez faz parte da argumentação de Paulo sobre o enchimento do Espírito (ver 5.18ss). O subtítulo entre os dois versículos leva o leitor desavisado a perder a conexão entre eles e o fio do pensamento de Paulo.

Na elaboração do esboço, as seguintes perguntas, entre outras, podem ajudar o pregador a entender o texto e apreender sua mensagem:

1. Para quem a passagem foi escrita?
2. Que situação gerou essa passagem?
3. Qual a finalidade dela?
4. Qual o ponto central ensinado?

Um sermão sobre a plenitude do Espírito em Efésios 5.18—6.9, por exemplo, poderia ter como divisões as seguintes perguntas: 1) O que é ser cheio do Espírito? 2) Como ficamos cheios do Espírito? 3) Quais são os sinais da plenitude do Espírito? Todos esses pontos estão ancorados no texto e nele têm sua resposta.

Terceiro, o pregador deve ler a mesma passagem em diferentes versões, notando as diferenças de tradução e procurando entender a razão dessas diferenças. Costumo usar cinco ou seis versões distintas para esse comparativo.[3] A grande maioria das diferenças consiste apenas no arranjo das palavras na frase e no uso de sinônimos. Poucas diferenças representam um problema no original. Quando percebo diferenças de sentido nas traduções, é sinal de que existe alguma dificuldade de entendimento e tradução do texto original, em hebraico e grego. Por exemplo, em Atos 26.28, a reação do rei Agripa à defesa de Paulo foi traduzida com sentidos opostos quando comparamos as traduções. Algumas versões, por exemplo, mostram um rei Agripa quase convertido: "Então, Agripa se dirigiu a Paulo e disse: Por pouco me persuades a me fazer cristão" (ARA; ver

---

[2] A NVT manteve juntos os versículos 21 e 22, mas os separou do contexto estabelecido por 5.18-20 com o subtítulo "Maridos e esposas".

[3] Aqui talvez seja a hora de mencionar a inestimável ajuda de *softwares* bíblicos, que trazem dezenas de versões em várias línguas, além de dicionários, léxicos e comentários, que permitem busca de palavras ou frases, facilitando muito o trabalho de pesquisa.

tb. NAA), enquanto outras mostram um Agripa irônico: "Então Agripa o interrompeu: 'Você acredita que pode me convencer a tornar-me cristão em tão pouco tempo?'" (NVT; ver tb. NVI e NTLH).

Esse é o tipo de diferença entre as traduções que exige que o pregador se debruce sobre o texto grego original, se puder, ou sobre os comentários, para entender o motivo da discrepância. No caso mencionado, trata-se de uma ambiguidade na própria expressão grega usada por Lucas, *en olígos*, "em pouco" ou "por pouco" ou "com pouco", que permite todas as interpretações.[4] Na minha opinião, o contexto deveria ser o fator decisivo, pois entendo que ele aponta mais para uma reação de incredulidade da parte do rei.

Quarto, o pregador deve consultar bons comentários bíblicos sobre a passagem. Esse trabalho de pesquisa no texto original e em comentários deve servir de embasamento para estabelecer o sentido e a estrutura do texto bíblico. Contudo, o pregador precisa ter sabedoria na hora de preparar o sermão, para não cair em discussões exegéticas do texto original que não farão o menor sentido para sua audiência. É bem conhecida aquela ilustração segundo a qual não levamos à mesa as panelas, mas a comida pronta. Levar para o púlpito detalhes minuciosos e técnicos da pesquisa exegética equivale a trazer as panelas para a mesa de jantar, na sala.

Devemos oferecer à audiência a comida pronta para ser mastigada e engolida. Citações do grego, menção às regras gramaticais, discussão sobre as diferentes variantes do texto original só devem aparecer na pregação quando absolutamente necessárias ao entendimento correto do sentido da passagem. E, ainda assim, o pregador deve ser cauteloso no uso do vocabulário técnico, para não parecer pedante, exibido ou desinteressado quanto ao entendimento de seus ouvintes.

Já houve uma época em que havia escassez de bons comentários bíblicos em português. Não é mais o caso hoje. Existem muitos bons comentários disponíveis em nossa língua e que devem ser usados com gratidão pelo pregador. É preciso, apenas, saber escolher os que não têm viés liberal. Se o pregador não estiver familiarizado com o nome dos autores, a editora pode ser uma boa referência. Editoras sérias e comprometidas com a autoridade da Bíblia não publicam comentários de autores liberais, comprometidos com o método crítico de interpretação e que negam a inspiração bíblica.

---

[4] Lembrando que no grego do Novo Testamento não se usava pontuação. Fica a cargo dos tradutores o entendimento do texto e a inserção desses sinais.

Quinto, o pregador deve trabalhar exaustivamente no formato de sua mensagem, procurando, de um lado, seguir o fluxo do texto e, de outro, colocar as ideias de forma clara e sistematizada, para que a audiência perceba as conexões internas e o sentido do texto. E aqui entra a habilidade do pregador. Acredito que é nesse ponto que se manifestam mais claramente as diferenças entre pregadores expositivos. A essa altura, já teremos deixado a exegese para trás e entrado na homilética, a arte de preparar sermões. Pregadores habilidosos são capazes de tomar os resultados de sua pesquisa e dar-lhes uma forma sermônica ideal, de maneira que sua exposição seja clara, coerente, lógica, argumentativa e persuasiva. Mas, infelizmente, temos aqueles pregadores que, apesar de fazerem um excelente trabalho de pesquisa, não conseguem harmonizar os resultados de uma forma proveitosa para seu povo. Suas mensagens se tornam longas, prolixas, complicadas e difíceis de acompanhar. Um verdadeiro desperdício!

Não devemos descansar até que tenhamos conseguido um formato adequado para o entendimento de nosso povo. É por isso que a preparação de sermões expositivos demanda tempo e dedicação. Vejamos uma sugestão, que reflete em grande parte minha prática na preparação do formato do sermão. Comece selecionando o ponto central da passagem. Ela pode ter diversos pontos, mas geralmente apresenta uma ideia central que controla as demais. Depois, selecione a partir do texto e da análise de discurso os pontos secundários ligados a essa ideia central. Em seguida, organize seus achados sob a forma de um esboço que não contenha muitos pontos e que siga a sequência do texto. Então, escreva duas ou três aplicações tendo em vista as necessidades das pessoas para quem você pregará, mostrando-lhes não somente o que elas precisam fazer, mas também como podem fazê-lo.

Sexto, o pregador deve preparar para a mensagem uma introdução que apresente de fato o conteúdo que ele desenvolverá. Pode parecer redundância, mas a verdade é que muitas introduções, na prática, não introduzem nada. Visam apenas quebrar o gelo ou estabelecer contato com a audiência. Uma introdução deve dar uma ideia inicial aos ouvintes sobre o que será tratado no sermão. Fale sobre o que o sermão trata, explique a relevância do assunto e o contexto original da passagem. Essa introdução não só preparará o ouvinte para o que virá como também obriga o pregador a cumprir o prometido. O grande Charles Spurgeon costumava anunciar de antemão os tópicos que sua mensagem desenvolveria, e os seguia rigorosamente. Essa prática mantém o foco do pregador em seu tema, evitando divagações por temas secundários, que prejudica a compreensão da mensagem.

Além da introdução, o pregador deve preparar também uma conclusão que traga à consciência do povo as implicações das verdades expostas. Falaremos mais sobre isso no capítulo sobre as aplicações. Por ora, é preciso ter em mente que tanto a introdução como a conclusão devem ser as últimas tarefas no preparo do sermão.

Sétimo, o pregador deve ler e reler seu sermão, tentando colocar-se no lugar de seu ouvinte e, assim, constatar se a mensagem está compreensível, clara, se os pontos importantes são perceptíveis, se sua aplicação é direta e contundente. Faça-o em oração e na dependência do Espírito Santo. É quando oramos que as conexões do texto e o impacto dele nos ficam claros na mente. Isso é algo que tenho experimentado muitas vezes. Quando estou relendo e orando, alguns aspectos ou pontos da passagem que a princípio me passaram despercebidos no processo de preparação me veem à mente com muita clareza, dando-me oportunidade de rever e editar algumas partes da mensagem. Creio que o Espírito Santo de Deus faz isso como parte de sua obra de nos levar a toda a verdade. Devemos estar sensíveis e abertos para isso.

Por fim, uma advertência. O pregador expositivo deve, de um lado, afirmar com segurança aquilo que o texto bíblico está dizendo claramente, mas, de outro, reconhecer que existem passagens que não são claras o suficiente para que se possam fazer asseverações dogmáticas. A integridade intelectual do pregador e seu compromisso com a verdade da Palavra de Deus o obrigam a reconhecer isso em seu sermão. Se ele pregar em Oseias 3.1, por exemplo, se deparará com a falta de consenso dos comentaristas acerca da identidade da mulher que Deus ordena ao profeta amar. Essa dificuldade se reflete nas traduções:

> Vá outra vez e ame uma mulher, que é amada por outro e é adúltera. (NAA)

> Vá, trate novamente com amor sua mulher, apesar de ela ser amada por outro e ser adúltera. (NVI)

> Vá e ame uma adúltera, uma mulher que tem um amante. (NTLH)

> Vá e ame sua esposa outra vez, embora ela cometa adultério com um amante. (NVT)

Fica evidente que o texto hebraico é ambíguo e pode ser interpretado tanto em referência à mulher de Oseias, mencionada no capítulo 1, como a outra mulher. O pregador não pode ter absoluta certeza. Portanto, ao expor esse texto, deve deixar clara qual interpretação prefere e por que, admitindo que outros estudiosos adotam a interpretação contrária. Isso em nada diminui o ponto central do texto, que é o amor de Deus por Israel, como um homem que ama sua mulher adúltera e infiel. O pregador precisa ter esse cuidado para não acabar sendo categórico sobre textos difíceis. Os membros de sua igreja facilmente tomarão sua palavra como verdade absoluta sobre um texto complexo e serão privados do que outros homens de Deus disseram sobre o assunto, ainda que se trate de pontos secundários e não cruciais para o evangelho. Cito aqui o que meu amigo e colega de ministério, pr. Elias Medeiros, escreveu sobre o assunto, em uma conversa que trocamos:

> Nós, pregadores, deveríamos prestar atenção às informações que passamos durante as pregações. Muitas vezes, assumimos como inquestionáveis certas teorias, opiniões, posições de comentaristas ou hipóteses levantadas, quando há muitas outras opiniões, teorias, hipóteses etc. para explicar certas transições, certos contextos das passagens sobre as quais pregamos. Portanto, precisão é indispensável para o pregador — clara evidência encontrada no texto das Escrituras e não fruto de uma opinião, seja pessoal, de comentaristas seja mesmo dos pais apostólicos. Esse compromisso hermenêutico e homilético guarda total relação com o compromisso do pregador com a "Sola Scriptura". Para os reformadores, nem a tradição nem a igreja (como instituição e decisões doutrinárias) são autoridade final, mas o texto à luz do próprio texto.

A escolha da passagem bíblica

Vários cenários podem ser contemplados quando se trata de escolher o texto sobre o qual pregaremos. Vejamos inicialmente o caso do pregador que é pastor de uma igreja, onde prega regularmente todos os domingos. Ele tem várias opções quanto à escolha do tema de seus sermões. Primeiro, ele pode pregar uma série de mensagens em um determinado livro da Bíblia. É uma prática muito comum entre pregadores expositivos. João Calvino costumava pregar sequencialmente em livros da Bíblia durante seu ministério em Genebra. Quando retornou à igreja, depois de ter sido expulso por uns anos, retomou a série de pregações expositivas exatamente no ponto em que havia parado anos antes! Além de trazer várias vantagens para a igreja — como, por exemplo, mostrar aos crentes como a Bíblia deve ser lida —, traz para o pregador o conforto de saber antecipadamente qual será a passagem sobre a qual pregará no domingo seguinte.

A prática da exposição sequencial tem ainda a vantagem de obrigar o pregador a enfrentar passagens que normalmente não escolheria como base de um sermão para sua igreja e a de evitar a acusação de "sermão de carapuça", ou seja, sermões encomendados e usados para dar um recado a grupos ou pessoas da igreja. Ninguém acusará um pregador expositivo sequencial disso, uma vez que ele está seguindo a sequência do texto, e não escolhendo o que pregará de acordo com sua conveniência.

O pregador precisa estar atento ao tamanho da perícope selecionada para exposição. Se for pequena demais, ele pode se tornar repetitivo, prolixo e monótono. Se for grande demais, o sermão pode se tornar longo e enfadonho. Se decidir pregar em um livro inteiro, precisa estar bem preparado. Nem todos têm o poder de síntese. É atribuída a John Wesley a seguinte frase: "Se o sermão for bom, ele será breve, se for ruim, tem que ser curto".

A pregação sequencial tem sido minha prática há muitos anos nas igrejas onde tenho servido. Já fiz exposições em praticamente todos os livros do Novo Testamento e em vários do Antigo. Algumas delas foram publicadas sob a forma de comentários homiléticos e devocionais. O testemunho das pessoas que foram abençoadas por esse tipo de pregação sempre me tem alegrado o coração e reforçado minha convicção de que a pregação expositiva sequencial é muito benéfica para as igrejas.

Segundo, o pregador pode seguir as datas do calendário litúrgico. Essa prática não é muito comum entre os evangélicos brasileiros, embora seja seguida por algumas igrejas históricas, como a luterana e a episcopal. O calendário litúrgico contém as datas tradicionalmente celebradas pela cristandade, como Natal, Páscoa, Pentecostes etc. O pregador pode preparar uma agenda de pregações relacionadas com esses eventos. Por exemplo, pregar nos textos da natividade de Lucas (Lc 1—2) durante o mês de dezembro. Particularmente, nunca segui esse critério para a escolha de meus sermões nas igrejas em que servi, embora excepcionalmente tenha interrompido uma série de pregações em um livro da Bíblia para pregar uma mensagem alusiva a alguma data do calendário litúrgico. Não tenho nada contra o critério litúrgico, apenas prefiro outros critérios que me permitam escolher textos mais adequados às necessidades da igreja.

Terceiro, o pregador pode usar o critério pastoral, que só funciona se ele realmente conhece as necessidades de sua congregação. Por esse critério, o pregador poderá escolher textos bíblicos nos quais possa pregar sermões que abordem necessidades de seu rebanho, como, por exemplo, deficiências doutrinárias, erros de prática, problemas de relacionamento, consolo no sofrimento e nas tragédias (Rm 5; Tg 1; 1Pe 4), correção de erros sobre espiritualidade (Ef 5; plenitude do Espírito), instrução em temas polêmicos (Hb 6; perda da salvação) ou, ainda, eleições para oficiais da igreja, crise econômica ou política, a morte de alguém querido da igreja. Um dos riscos desse critério é que o pastor pode ser tentado a pregar sobre temas que ele entende agradar mais a igreja, quando essa não é a condição mais importante. Às vezes a igreja precisa ouvir aquilo de que não gosta, mas que se faz necessário.

Aqui seria interessante falar um pouco sobre a chamada "nova homilética", uma abordagem da pregação relativamente recente que procura desconstruir o modelo tradicional histórico de exposição bíblica e substituí-lo por um tipo de pregação mais *user friendly*, mais acolhedora e voltada para as necessidades pessoais dos ouvintes.[5] Alguns proponentes da nova homilética chegam a defender a participação dos membros da igreja na preparação semanal do sermão, de forma que a mensagem a ser pregada no domingo ecoe a vontade, o entendimento e o querer do povo.[6]

Para outros dessa linha, pregar significa recontar as histórias da Bíblia, como a do filho pródigo, em versão atual, em que o pregador encena os personagens no púlpito, o que abre as portas para dramatização e encenação durante o culto, como substituto da pregação.[7] E há os mais radicais, como a falecida ativista feminista Lucy Atkinson Rose, que defendia uma relação comunitária e não hierárquica entre o pregador e a congregação. O sermão

---

[5] Ver, por exemplo, Fred Craddock, *As One Without Authority: Essays on Inductive Preaching* (Enid, OK: Phillips University Press, 1971).
[6] Ver Reuel L. Lowe, *Partners in Preaching: Clergy and Laity in Dialogue* (Nova York: Seabury Press, 1969).
[7] Ver Edmund A. Steimle, Morris J. Niedenthal e Charles Lynvel Rice, *Preaching the Story* (Minneapolis, MN: Fortress Press, 1980).

deveria ser preparado não pelo pastor, mas por uma equipe que incluísse membros da congregação. Nessa proposta, o pastor não pode fazer afirmações e declarações, mas perguntas, proposições, e deixá-las sem resposta, como um convite a uma reação posterior, quem sabe em um fórum.[8]

Obviamente, sempre há pontos corretos e úteis mesmo em propostas radicais como essas, mas o grande problema nelas é que todas acabam minimizando a importância da exposição bíblica autoritativa feita por alguém consagrado e ordenado para esse fim, que não diz o que o povo quer ou decidiu ouvir, mas aquilo de que sabe que o povo precisa.

Quarto, o pregador pode escolher seu texto com base em sua devocional diária. Com frequência, ao ler e meditar nas Escrituras, em oração, um dado texto parece saltar das páginas da Bíblia e gritar: "Pregue em mim! Pregue em mim!". O pregador, então, pode preparar um sermão nessa passagem que lhe falou profundamente ao coração. Esse é o critério de muitos pregadores. Eles são primeiramente alimentados pelo texto bíblico para, em seguida, passar esse alimento ao povo. A grande dificuldade com esse critério de escolha de sermões é quando os dias da semana vão passando sem que esse momento mágico aconteça. A leitura diária da Bíblia por vezes é árida, nenhum texto salta aos olhos enquanto o domingo se aproxima.

Não poucas vezes me vi nessa situação quando não estava pregando sequencialmente em um livro. É angustiante chegar ao sábado sem ter ainda um texto bíblico a ser pregado no domingo. Uma vez li em algum lugar que Spurgeon não gostava de repetir sermões, e que ele usava esse critério pessoal como base para a escolha do que pregaria aos domingos. Certa ocasião, ao ser convidado para pregar em outra cidade, viu o fim de semana se aproximar sem nenhuma iluminação sobre que texto pregar. No sábado, já na cidade onde pregaria, precisou mandar buscar o esboço do sermão que havia pregado em sua igreja no domingo anterior!

Por fim, eu mencionaria ainda a escolha de temas relevantes para o momento que a igreja esteja vivendo. Lembro-me de ter pregado uma

---

[8] Ver Lucy A. Rose, *Sharing the Word: Preaching in the Roundtable Church* (Lousville, KY: Westminster Jonh Knox Press, 1997). Rose defende que nos cultos de domingo os crentes e o pastor se sentem em círculo e compartilhem experiências a partir da mensagem construída durante a semana. Embora isso seja uma prática interessante para estudos de pequenos grupos, não se encaixa no conceito de pregação e culto que encontramos na Bíblia.

série de mensagens sobre "Pastores, presbíteros e diáconos" por ocasião das eleições para esses ofícios em uma igreja. Contudo, não foram mensagens temáticas. Escolhi textos das Escrituras que tratavam do assunto, como Atos 6, 1Timóteo 3 e Tito 1, e preguei expositivamente em cada um deles. Também preguei séries sobre batalha espiritual, dons do Espírito e outras, mas sempre expondo as passagens bíblicas pertinentes. Esse critério tem a vantagem de permitir que o pregador desenvolva séries menores e mais diretas, atendendo, assim, às necessidades da igreja.

Vejamos agora o cenário em que o pregador, em vez de pastor de uma igreja, é itinerante ou está pregando a convite de igrejas que não especificaram o tema do sermão. Que critérios ele deveria ter na escolha de sua mensagem? Vou começar dizendo qual tem sido a minha experiência. Depois de muitos anos de pregação, acumulei na memória dezenas de esboços de mensagens expositivas. Listei mais de trinta textos bíblicos e o respectivo tema da mensagem pregada, e guardei essa relação na contracapa da minha Bíblia. Quando sou convidado para pregar em uma igreja, em geral não tenho ideia do que vou pregar até que o culto comece e eu tenha alguma percepção de como é a igreja. Isso pode parecer um comportamento desleixado ou irresponsável para alguns, mas na verdade só recomendo para pregadores com muitos anos de experiência. Em alguns casos, só decido o que pregar poucos minutos antes do momento do sermão. Durante a liturgia, observo a congregação, o grupo de louvor, a maneira como o pastor conduz o culto, além de outras evidências e sinais que me indiquem, ainda que superficialmente, o que seria mais adequado pregar.

Outro cenário se desenha quando o pregador é convidado a pregar sobre um tema preestabelecido. Se, quando sou convidado a pregar sobre um tema cuja mensagem demandará muito tempo de preparo, estou assoberbado com compromissos pastorais e familiares, vejo a possibilidade de mudança para um tema mais familiar e que me tome menos tempo naquele momento específico. Em outras ocasiões, quando a agenda está mais livre, aceito o desafio de preparar algo novo. Mesmo nesses casos, minha prática tem sido identificar uma passagem bíblica relacionada com o tema e nela preparar um sermão expositivo, a partir do qual eu possa fazer aplicações relevantes dentro do assunto tratado. Se sou convidado a falar sobre o verdadeiro culto a Deus, por exemplo, posso fazer uma exposição do livro de Malaquias ou de alguns capítulos dele, uma vez que esse é o tema do profeta. Se me pedem para falar sobre missões, posso optar, por exemplo, pela exposição de alguns capítulos de Romanos, do livro de Jonas ou ainda da terceira carta de João.

Se você não prega em série, permita-me deixar algumas dicas. Evite preparar sermões de carapuça e assim transformar o púlpito em um reduto de recados dirigidos. Se precisa tratar de assuntos específicos com pessoas específicas da igreja, faça-o diretamente com elas, no gabinete pastoral. Não use o púlpito para disparar indiretas. Tenha cuidado, também, para não pregar todos os domingos no mesmo tema, usando passagens diferentes. Alguns pregadores são fascinados por escatologia, e pregam quase que exclusivamente sobre esse assunto, variando apenas a passagem bíblica. Outros são fixados no batismo, na predestinação, nas contribuições etc. O lema dos reformadores *Sola Scriptura* era acompanhado por outro, *Tota Scriptura*, ou seja, "toda a Escritura". Paulo disse aos presbíteros de Éfeso que nunca deixou de anunciar-lhes "tudo que Deus quer que vocês saibam" (At 20.27). Ele ensinou a Timóteo que "toda a Escritura é inspirada por Deus e útil para nos ensinar o que é verdadeiro" (2Tm 3.16). O dever do pregador é ensinar a Bíblia toda, pregar sobre o maior número de assuntos possível, não deixar de anunciar o que é necessário e relevante para o rebanho.

Uma última questão que gostaria de levantar é até que ponto a escolha de um tema para o sermão consiste em uma escolha racional do pregador ou uma influência sobrenatural de Deus. Estou pensando mais naquele cenário do pregador regular, em sua igreja, que não está pregando sequencialmente em algum livro da Bíblia ou seguindo o calendário litúrgico. Honestamente, não vejo contradição entre esses dois pontos. Deus usa a capacidade racional do pregador não apenas para escolher o texto a ser empregado como também para fazê-lo de maneira eficaz. Devo orar pedindo a orientação de Deus e em seguida usar meu conhecimento, minha experiência e minhas habilidades para escolher uma passagem bíblica adequada e nela preparar uma exposição fiel, clara, objetiva, prática e direta. Deus está em todo esse processo, silenciosa e imperceptivelmente guiando, iluminando e conduzindo tudo.

Existem, aqui, dois extremos a serem evitados. Primeiro, escolher um texto simplesmente com base em critérios racionais, como os que coloquei acima a título de exemplo, sem orar e depender da orientação do Senhor. O outro extremo é esperar que Deus revele em sonho ou visão a passagem a ser pregada, desprezando os critérios lógicos, naturais e perfeitamente humanos de identificação de um texto das Escrituras. Não preciso de uma revelação direta de Deus para saber que Mateus 28 é uma excelente escolha para pregar em um evento cujo tema seja a obra missionária no mundo.

Quando Jesus foi pregar na sinagoga em Cafarnaum, ele recebeu do assistente, como era o costume das sinagogas, o rolo contendo a leitura do dia, que na ocasião era o livro do profeta Isaías. Jesus abriu e achou a passagem em que o Servo do Senhor diz que o Espírito de Deus o havia ungido para pregar as boas-novas aos pobres. Após fechar o rolo e devolver ao assistente, Jesus começou a pregar na passagem, dizendo que aquela profecia estava se cumprindo naquele momento, diante dos olhos de sua audiência (Lc 4.16-20). Aqui encontramos unidas as duas coisas. Por um lado, Jesus queria pregar a seus conterrâneos que ele era o Messias prometido, e a passagem de Isaías era ideal para isso. Por outro, foi providencial que a leitura do dia na sinagoga fosse exatamente no profeta Isaías. Uma coincidência a ser atribuída à providência divina.

O esboço

Às vezes enfrentamos a difícil decisão sobre o tipo de esboço que levaremos ao púlpito. Já mencionei que em alguns casos, como quando o pregador está familiarizado com a passagem e já pregou o mesmo sermão muitas vezes, ele não precisa de esboço. Mas, não raro, o pregador precisará de um esboço para seguir durante a pregação. A questão é: que tipo de esboço? O pregador deve escrever o sermão todo? Ou apenas elencar os pontos centrais da mensagem?

Minha primeira observação é que essa questão não envolve nenhum aspecto doutrinário ou moral. Os grandes pregadores da Bíblia — como os profetas do Antigo Testamento, João Batista, Jesus e os apóstolos — certamente não usaram esboços. O tipo de sermão mais comum daquela época se valia de um tipo de interpretação da Bíblia chamada *midrash*, que consiste em citar um texto das Escrituras para em seguida fazer uma aplicação prática dele, relacionando-o com algum evento. Pregadores judeus, como Paulo, tinham memorizadas, desde a infância, largas porções do texto sagrado, o que os tornava bem familiarizados com os temas bíblicos e com o conteúdo das Escrituras. A pregação apostólica, por exemplo, consistia em citar passagens do Antigo Testamento e mostrar seu cumprimento na vida e no ministério de Jesus e em outros aspectos da igreja cristã. Basta ler os sermões de Pedro e de Paulo registrados no livro de Atos para perceber isso.

A situação é outra, porém, para os pregadores que vieram depois do período apostólico e durante a história da igreja. Temos a revelação completa registrada em um livro, e nosso dever é expor seus ensinos fielmente ao povo de Deus e ao mundo. Temos um tempo determinado para cada sermão e queremos aproveitar cada minuto para dizer a verdade de Deus. Não somos inspirados nem recebemos revelações diretas. Um esboço do que vamos dizer nos ajuda muito na hora de expor o texto sagrado.

Acredito, aliás, na validade de sermões escritos. Essa era a prática do famoso Jonathan Edwards, pregador puritano da Nova Inglaterra durante o segundo grande avivamento, ocorrido no século 18. Ele escrevia seu sermão palavra por palavra e o lia do púlpito. Seu famoso sermão "Pecadores nas mãos de um Deus irado", que trouxe um grande quebrantamento a sua congregação, foi um sermão escrito e lido. Essa prática de escrever sermões é muito antiga e tem sido muito usada por excelentes pregadores. Na verdade, recomendo que pregadores iniciantes escrevam seus sermões por inteiro até que adquiram experiência e confiança suficientes para reduzi-los a um esboço regular e finalmente mínimo.

As duas grandes dificuldades que encontro com sermões escritos são que, primeiro, eles restringem o pregador ao manuscrito, concedendo-lhe pouca liberdade para desenvolver perspectivas ou ideias espontâneas durante a pregação. Segundo, eles dificultam o contato visual com a congregação, uma vez que o pregador se aterá ao manuscrito a maior parte da pregação, deixando de olhar para o povo. Esse contato é muito importante porque, além de funcionar como *feedback* do que está sendo pregado, auxilia o pregador a decidir se deve persistir em explicar mais um determinado ponto ou passar rapidamente para o próximo. Meus esboços costumam ocupar geralmente cinco ou seis folhas de papel digitados no computador, o que me dá uma margem razoável de liberdade enquanto mapeio o caminho que devo seguir durante a exposição.

O grande pregador Martin Lloyd-Jones levava um esboço mínimo para o púlpito. A dificuldade com o esboço mínimo é que permite desvios e elaborações secundárias sem muita relação com o tema, que podem levar o pregador não disciplinado e focado a se perder. Além do mais, obriga o pregador a depender da memória na citação de versículos complementares, ilustrações e argumentações que poderiam ter sido antecipadamente preparados e apontados no esboço. Por isso, minha opção tem sido alguma coisa entre sermão escrito e um esboço mínimo.

Fontes e recursos para a preparação do sermão

Pregadores como Paulo se valeram do vasto conhecimento de três culturas (judaica, grega e romana), do conhecimento das Escrituras, de obras de autores não cristãos,[9] de algumas obras apócrifas,[10] da tradição rabínica em aramaico (posteriormente os *targums*) e da tradição oral que remontava ao ensino de Jesus. Obviamente, as Escrituras eram o recurso mais importante, enquanto os demais serviam para subsidiar as verdades que elas ensinavam. Os autores do Novo Testamento, que certamente eram pregadores, valeram-se com muita frequência da tradução grega das Escrituras hebraicas, a Septuaginta, que era a Bíblia dos judeus da Dispersão.

O que desejo mostrar é que esses pregadores usaram de todos os recursos disponíveis para pregar a Palavra de Deus ao povo. Acredito que devemos ter a mesma atitude. Rejeitar todas as ferramentas disponíveis hoje sob a alegação de que precisamos somente da Bíblia e do Espírito Santo, por mais piedosa que essa posição possa parecer, é ignorar o distanciamento cultural, linguístico e temporal que nos separa da Bíblia, além de desprezar o que o Espírito Santo revelou a outros acerca do significado da Palavra inspirada. A quantidade de recursos disponíveis hoje é enorme: diferentes versões da Bíblia, comentários, dicionários e *softwares* bíblicos, além de livros sobre pregação, teologia sistemática e bíblica, e outros que trazem ilustrações de sermões e esboços de pregadores famosos.

O pregador deve exercer discernimento e cautela com relação ao que pretende inserir no sermão. Uma polêmica bem atual refere-se à citação no sermão de trechos de músicas de cantores populares, como Chico Buarque ou Raul Seixas, por exemplo, usando recursos do *datashow* para apresentar partes de suas músicas a fim de ilustrar determinado ponto. Pessoalmente, não tenho dificuldade em citar trechos de obras não cristãs

---

[9] Paulo faz citações de Aratus e Cleantes (At 17.28), Epimênides (Tt 1.12) e Menander (1Co 15.33), autores e poetas pagãos.
[10] Como a citação do apócrifo *Ascensão de Moisés* feita em Judas 1.9.

numa pregação, desde que fique claro que o faço para ilustrar um ponto e que isso não significa que aprovo ou concordo com tudo que aquele cantor ou autor não cristão disse, cantou ou escreveu. Contudo, já tenho mais dificuldade em aceitar que se toquem músicas seculares dentro do contexto do sermão, talvez por entender que o cântico e o louvor no culto devam ser sempre direcionados ao Senhor.

Embora já tenha mencionado a questão da iluminação do Espírito Santo na preparação do sermão, creio que é importante reforçar que por iluminação do Espírito não me refiro à revelação direta, mas ao esclarecimento da mente e do coração do pregador para que ele entenda o sentido do texto. Essa iluminação vem pelo uso de meios ordinários como a leitura e a meditação na passagem, além da pesquisa e do estudo. Essa iluminação do Espírito pode ocorrer durante a pregação, permitindo ao pregador perceber coisas não observadas na preparação. Embora eu tenha experimentado esse fenômeno muitas e muitas vezes, e ele seja maravilhoso, não quer dizer que essa iluminação ocorrerá. Por isso, o pregador não pode depender de uma possível iluminação do Espírito Santo no momento da pregação, e com isso improvisar, pois estará minimizando a importância da preparação do sermão. Devemos nos preparar como se a iluminação do Espírito ocorresse apenas durante aquele tempo de preparo. Se vier mais iluminação durante a pregação, será a cereja do bolo.

4

Línguas originais

O conhecimento das línguas originais é extremamente útil para o pregador que teve a oportunidade de estudá-las durante sua preparação teológica e que se manteve versado nelas após iniciar seu ministério. Lembro-me sempre de um episódio ocorrido com nosso professor de hebraico, rev. Heinz Neumann, que além de hebraico lecionava exegese do Antigo Testamento e história da igreja. Ele era profundo conhecedor de hebraico e nos ensinava com paixão e dedicação. Sempre, porém, reclamava que seus alunos, uma vez que terminavam os estudos no seminário e começavam a pastorear, esqueciam o hebraico e deixavam de usá-lo na preparação de seus sermões. Um dia, encontrou-se com um ex-aluno, agora pastor, que lhe disse que usava todos os dias a Bíblia hebraica. A felicidade do professor Neumann durou até fazer uma visita à casa do ex-aluno e descobrir que o pastor usava o grosso volume da Stuttgartensia para escorar a porta de seu quarto!

Infelizmente essa é a triste verdade. Poucos pastores se mantêm atualizados no conhecimento das línguas originais após terem concluído os estudos formais. Isso sem mencionar os que nunca tiveram oportunidade de estudar grego e hebraico, deixando então de se valer dessa ferramenta utilíssima.

O conhecimento da própria língua

Antes de me deter mais nesse assunto, queria abrir um parêntese para mencionar duas outras questões. A primeira, e mais similar, é o conhecimento do português. Sempre me batia um profundo desânimo quando corrigia as provas no seminário e constatava o nível de conhecimento da língua portuguesa de meus alunos. Erros básicos de concordância, grafia e gramática me levavam a dar uma nota baixa mesmo quando a matéria era história da igreja, por exemplo. Para mim, era inadmissível que alguém que usaria a língua portuguesa como instrumento de seu serviço a Deus fosse tão inábil na língua vernácula. Pastores escrevem boletins, postam na internet, preparam estudos para a igreja e pregam regularmente. Os erros de português acabam prejudicando a mensagem que desejam transmitir. "Por causa das palavras, prejudicam a Palavra", dizia sempre meu sogro nas aulas do seminário, deixando envergonhados os alunos brasileiros, sendo ele um holandês.

É verdade que os apóstolos eram galileus e considerados "iletrados e incultos" (At 4.13, NAA), ainda que isso não signifique que fossem semianalfabetos ou analfabetos funcionais. As cartas escritas por eles, embora revelando diferentes níveis de conhecimento do grego, estavam em conformidade com o grego *koinê*, a língua falada na época pelo mundo greco-romano e na qual todos os livros do Novo Testamento foram escritos. Não encontramos nas cartas erros grosseiros de gramática, vocabulário e sintaxe. Os apóstolos eram chamados de "iletrados e incultos" porque não haviam tido treinamento formal nas escolas rabínicas.

Muitos jovens que entram nos seminários buscando preparação teológica para o ministério da Palavra tiveram uma formação deficiente nas escolas públicas que frequentaram. Nunca aprenderam de fato o português. Não adquiriram hábitos de leitura. Pouco ou nada conhecem de gramática e sintaxe. O vocabulário é pobre. O pior é que não aproveitaram as aulas de português no seminário ou escola de teologia, crendo que bastava estudar teologia e exegese. Pastores que falam errado no púlpito, que cometem erros grosseiros de concordância, acabam causando má impressão e abalam a confiança dos que ouvem sua pregação. Aconselho o pregador que tem um português deficiente que estabeleça o alvo de ler livros clássicos em nossa língua, que comece a escrever em grande parte os seus sermões, que peça a alguém que conheça bem a língua que leia e revise seu texto antes de pregar. São pequenas coisas que farão enorme diferença quando ele for entregar a Palavra de Deus usando corretamente as palavras.

A questão manuscritológica

A segunda questão importante a considerar antes de abordarmos diretamente o uso dos originais na preparação do sermão é a dos manuscritos da Bíblia. Não temos mais os originais do Antigo e do Novo Testamento. O que temos são milhares de cópias de livros inteiros ou passagens desses livros, que por sua vez são cópias de outras, remontando aos originais. Embora erros tenham entrado no texto das cópias durante o processo de transmissão, eles representam uma porcentagem muito pequena dos textos hebraico e grego. Geralmente são erros involuntários dos escribas, como a troca de palavras, repetição de uma linha, omissão de palavras ou linhas. Também encontramos os erros intencionais, quando copistas editaram o texto para eliminar o que consideravam dificuldades teológicas, para harmonizar uma passagem de um Evangelho com outro, ou para introduzir palavras ou frases que dessem um sentido coerente com sua crença. Contudo, uma vez que centenas e centenas de cópias foram feitas, sempre foi possível compará-las e detectar esses erros. A ciência que trata da pesquisa, exame e avaliação dessas variantes chama-se "baixa crítica" ou manuscritologia bíblica.

Graças aos esforços dedicados de estudiosos nessa área, é possível recuperar em quase sua inteireza os textos hebraico e grego conforme escritos por seus autores. As divergências, lacunas, incertezas e obscuridades representam uma porção muito pequena dos textos e não afetam nenhuma das doutrinas centrais da Bíblia. Para dar um exemplo, o texto hebraico de 1Samuel 13.1 pode ter se corrompido durante a transmissão, de maneira a permitir várias interpretações:

> Saul havia reinado em Israel durante um ano. No segundo ano do seu reinado sobre o povo... (NAA)

> Saul tinha trinta anos de idade quando começou a reinar, e reinou sobre Israel quarenta e dois anos. (NVI)

> Saul já era adulto quando se tornou rei e governou o povo de Israel dois anos. (NTLH)

> Saul tinha 30 anos quando se tornou rei, e reinou por 42 anos. (NVT)

Os relatos e as lições da vida e do reinado de Saul não dependem de nosso exato conhecimento desses números.

Outro exemplo, agora no Novo Testamento, refere-se à história da mulher apanhada em adultério, que não aparece nos manuscritos mais antigos do texto grego do Evangelho de João, considerados os melhores por muitos. Mesmo que apareça na maioria dos manuscritos de João de data mais recente, existem sérias dúvidas quanto a sua originalidade. Meu ponto é que, se a história fosse excluída da Bíblia, a mensagem central das Escrituras não seria afetada por se tratar de uma interpolação e não algo escrito pelo apóstolo João. Os ensinos da passagem, como a hipocrisia dos fariseus, o perdão de pecados e a misericórdia de Jesus são ensinados em dezenas de outras passagens sobre as quais não paira nenhuma dúvida.

O texto hebraico padrão do Antigo Testamento é o chamado Texto Massorético, que serve de base para a quase totalidade das versões.[1] No caso do Novo Testamento, existem basicamente dois textos usados pelos tradutores: o Texto Majoritário, baseado na leitura da grande maioria dos manuscritos gregos mais recentes,[2] e o Texto Crítico, baseado nos manuscritos mais antigos, que são a minoria. Até meados do século passado, a grande maioria das traduções usava o Texto Majoritário, por considerá-lo o mais fiel aos originais. É o caso da famosa King James, em inglês. No Brasil, a Almeida Revista e Corrigida é o melhor exemplo. Estudos recentes, todavia, sugerem que o texto baseado na leitura dos manuscritos mais antigos, embora poucos, é a mais próxima do original. Assim, traduções modernas como ARA, NAA, NVI, NTLH e NVT usam o Texto Crítico como base. A grande maioria das diferenças entre os textos Majoritário e Crítico é irrelevante para o estabelecimento do sentido correto, consistindo mais em troca de nomes, pronomes, omissão ou adição de palavras ou linhas.

Vejamos o exemplo de Romanos 8.1, para deixar mais claro:

Almeida Revista e Corrigida	**Nova Versão Transformadora**
Texto Majoritário	*Texto Crítico*
Portanto, agora, nenhuma condenação há para os que estão em Cristo Jesus, *que não andam segundo a carne, mas segundo o espírito.*	Agora, portanto, já não há nenhuma condenação para os que estão em Cristo Jesus.

---

[1] O Texto Massorético foi estabelecido no século 6 por estudiosos judeus. Além dele, a Septuaginta (versão grega do AT elaborada antes de Cristo) e os textos de Qumran (Mar Morto) são também usados pelas traduções modernas para estabelecer o texto mais próximo do original.

[2] Também chamado de Bizantino. O Texto Receptus deriva do Majoritário e consiste em uma variação baseada em alguns manuscritos bizantinos antigos.

A expressão "que não andam segundo a carne, mas segundo o espírito" no fim do versículo é omitida pelo Texto Crítico por não aparecer nos manuscritos mais antigos. Contudo, ela aparece em Romanos 8.4 tanto no Texto Majoritário quanto no Texto Crítico.

Existem outras diferenças envolvendo perícopes inteiras. O Texto Crítico omite o final de Marcos (16.9-20), a história da mulher apanhada em adultério (Jo 8.1-11) e uma declaração de João sobre a Trindade (1Jo 5.7b-8a). Contudo, ainda que essas passagens não fossem originais — o assunto continua na mesa e aberto para discussão —, nenhuma doutrina bíblica depende delas, como a doutrina da Trindade, dos dons espirituais ou do perdão divino.[3]

Então, como pregar nesses textos sobre os quais pairam dúvidas quanto à originalidade? Sou da opinião de que Deus pode ter usado outras pessoas, que não os autores bíblicos, para inserir essas passagens no texto. Além disso, estou tranquilo quanto ao fato de que elas não são fundamentais para o estabelecimento de qualquer dos ensinos bíblicos. Portanto, sinto-me à vontade para pregar no final de Marcos 16 ou sobre a história da mulher adúltera em João, e mesmo no texto de 1João 5, que, de todos, é o que mais claramente parece ser uma interpolação. A grande questão é, como pregador, quanto devo mencionar dessas questões manuscritológicas a minha audiência.

Certa ocasião, ainda um jovem pastor, fui pregar em uma igreja sobre sinais e prodígios, e acabei mencionando o fato de que o final de Marcos 16, geralmente citado para defender a contemporaneidade de todos os dons,[4] não aparecia nos manuscritos antigos e que existia uma dúvida sincera e séria sobre sua originalidade. Por mais que eu tivesse dito não se tratar de algo relevante para aquela questão e não possuir nenhum impacto na doutrina da inspiração e da infalibilidade bíblica, quase fui

---

[3] A maioria das versões modernas que adotam o Texto Crítico mantêm o final de Marcos e o episódio da mulher adúltera no texto, mas entre colchetes e com uma nota explicativa. Quanto a 1João 5.7b-8a, é omitido totalmente em algumas versões, mas com uma nota explicativa, caso da NAA, NVI e NVT, por exemplo.

[4] Na passagem, Jesus diz aos discípulos que "Os seguintes sinais acompanharão aqueles que crerem: em meu nome expulsarão demônios, falarão em novas línguas, pegarão em serpentes sem correr perigo, se beberem algo venenoso, não lhes fará mal, e colocarão as mãos sobre os enfermos e eles serão curados" (Mc 16.17-18).

denunciado por um presbítero daquela igreja como liberal e por colocar em dúvida a inspiração da Bíblia!

A lição que aprendi é que preciso avaliar cuidadosamente o nível e a capacidade da minha audiência, antes de entrar nessas questões, que fazem mais parte do trabalho da cozinha que do servir a refeição na sala. De maneira geral, o que sugiro ao pregador é que se atenha ao texto conforme a versão que está usando ou conforme a versão que a igreja costuma usar. Caso a questão dos colchetes pareça inevitável, pode apenas dizer que alguns manuscritos antigos não contêm aquela passagem, mas que a grande maioria contém e por isso está no texto, embora com a bandeira amarela levantada.

Acredito que a grande maioria dos pregadores no Brasil terá dificuldade em avaliar por si mesmos qual variante está mais próxima do texto original. Nesse caso, o pregador deve confiar no trabalho já feito pelas sociedades bíblicas que traduziram o texto e pelas editoras que o publicaram. Creio que podemos confiar no julgamento daqueles que nos deram as modernas versões da Bíblia e que foram honestos o suficiente para colocar notas explicativas em passagens duvidosas.

Em resumo, não entre nessas questões no púlpito. Se precisar tratar delas, faça-o em um grupo de estudos.

O conhecimento das línguas originais

Comentadas essas duas questões, a do conhecimento da língua vernácula e a dos manuscritos da Bíblia, podemos tratar da importância para o pregador do conhecimento das línguas originais da Bíblia propriamente dito.

O ideal é que o pregador tenha um conhecimento básico das línguas originais para que possa, ele mesmo, entender por que as traduções optaram por determinadas interpretações. A realidade, porém, é que a grande maioria dos pregadores brasileiros não reúne um conhecimento mínimo de hebraico, aramaico e grego. O estudo dessas línguas geralmente se faz nos poucos seminários das denominações históricas, os quais normalmente só atendem aos candidatos ao ministério de sua denominação. Entretanto, nem todos que se formam nesses seminários mantêm o conhecimento dessas línguas após sua ordenação como pastores.

Confesso que, depois de uns anos, fui deixando o conhecimento do hebraico para trás a fim de me concentrar mais na língua grega, uma vez que o Novo Testamento se tornou minha área de estudos. Uma das maneiras que encontrei de manter o conhecimento do grego foi fazer, de tempos em tempos, minhas devocionais diárias usando o texto grego. Acho que, por causa disso, ainda sou capaz de ler o texto grego sem o uso de interlineares ou dicionários. Ler o Novo Testamento em grego é, de fato, muito útil, especialmente porque me assegura que estou pregando com base no que os autores escreveram, e não nas decisões de tradutores. No preparo de meus sermões, posso comparar as versões com o original, entender a razão das diferenças entre elas e optar pelo que entendo ser a melhor tradução.

O fato, no entanto, de o pregador não conhecer o original e depender das traduções em português não constitui, em si, um impeditivo para que ele pregue. Na verdade, grande parte das citações que os autores do Novo Testamento fazem de passagens da Bíblia hebraica provêm da Septuaginta, uma tradução do hebraico para o grego feita cerca de dois ou três séculos antes de Cristo, provavelmente na cidade de Alexandria. Essa tradução da Bíblia hebraica serviu de base para a pregação de muitos pregadores do primeiro século ao ministrarem entre os gentios e mesmo em comunidades judaicas da Dispersão. Hoje, temos traduções boas e confiáveis do Antigo e do Novo Testamento para o português, das quais o pregador pode se valer com tranquilidade, por mostrarem uma preocupação em se manterem fiéis aos textos originais.

Paralelamente, existem muitos recursos que podem ser usados para compensar essa deficiência do pregador com as línguas originais. Primeiro, usar como texto base na preparação e entrega do sermão uma Bíblia que siga o método de tradução formal, e deixar as paráfrases — como a Bíblia Viva, A Mensagem ou mesmo a NTLH — como material de consulta. Segundo, reunir diversas traduções diferentes para fim de comparação. Se ao compará-las o pregador perceber diferenças que implicam mudança do sentido, precisará consultar comentários ao texto. Terceiro, usar Bíblias de estudo que trazem notas exegéticas e observações críticas ao texto. Elas são de grande ajuda. Quarto, consultar uma Bíblia interlinear hebraico-português e grego-português para identificar as palavras-chave no original e consultar dicionários e léxicos para esclarecer o sentido e o uso. Quinto, usar bons comentários exegéticos que elucidem e esclareçam dificuldades relacionadas com a tradução do original. Sexto, investir em *softwares* bíblicos, como o conhecido *Logos*, uma ferramenta poderosa que reúne alguns dos recursos mencionados acima. É a ferramenta que mais uso na preparação de meus sermões. E, por fim, recomendo o estudo de gramáticas de grego para autodidatas. Das que conheço, a que recomendo é a *Coinê: Pequena gramática do grego neotestamentário*, do rev. Francisco Leonardo Schalkwijk, meu sogro.[5] Tive o privilégio de ajudar na preparação e edição dessa gramática quando ainda namorava a Minka, e usava minha ajuda como desculpa para ir à casa deles para vê-la. O estudo sistemático e diário dessa gramática certamente contribuirá para o pregador ter um bom conhecimento do grego do Novo Testamento.

---

[5] Essa gramática autodidata é distribuída pela CEIBEL e pode ser adquirida pela internet.

5

Modelos de interpretação

Antes de entrar no assunto da interpretação do texto, creio ser apropriada uma palavra sobre a Bíblia. Afinal, quanto mais soubermos sobre a Bíblia, mais estaremos aptos a interpretá-la corretamente, para então pregá-la com fidelidade.

O que é a Bíblia

A Bíblia é uma obra bastante antiga. Ela é composta de 66 livros, divididos entre Antigo (39) e Novo Testamento (27). As Escrituras hebraicas são estruturadas em Lei, Profetas e Escritos. O Novo Testamento, em Evangelhos, Atos, Cartas Paulinas, Cartas Gerais e Apocalipse. O primeiro livro, Gênesis, foi escrito por volta de 1.500 a.C., e os últimos, Evangelho e cartas de João, cerca de 80 d.C.

Os livros da Bíblia foram escritos por mais de quarenta autores, a maioria deles judeus, com exceção de Lucas (não sabemos quem escreveu Hebreus). Todos esses autores viveram no antigo Oriente Próximo — parte do Irã, Turquia, Síria, Líbano, Egito e Israel. Eles escreveram em hebraico, aramaico (partes de Esdras, Daniel e Jeremias) e grego. Estou mencionando esses fatos básicos para que o pregador tenha em mente o distanciamento temporal, linguístico, cultural e autoral que existe entre nós, hoje, e o texto das Escrituras. O fato de terem sido escritas há muito tempo, em uma cultura e línguas bem diferentes da nossa e por pessoas que já morreram, requer estudo a fim de vencer o distanciamento e chegar ao sentido original. Só assim será possível pregar com exatidão sua mensagem. O primeiro passo nesse sentido já foi dado pelos tradutores, responsáveis pelas muitas versões disponíveis em português. Cabe ao pregador estudar para conhecer o máximo que puder acerca da Bíblia, o livro que constitui a base de seu chamado e comissão.

MODELOS DE INTERPRETAÇÃO

Judeus e cristãos entendem as Escrituras hebraicas como inspiradas por Deus e, portanto, infalíveis e inerrantes. Os cristãos acrescentam às Escrituras hebraicas o Novo Testamento, que também consideram inspirado por Deus. O apóstolo Pedro, escrevendo em meados do primeiro século, já reconhece a existência, circulação e inspiração de um conjunto de cartas do apóstolo Paulo. Ele as denomina Escrituras e as coloca em pé de igualdade com as Escrituras do Antigo Testamento (2Pe 3.15-16).

O tema central de toda a Bíblia é a revelação do Deus trino acerca de si mesmo, e que se encontra dividida em quatro partes: criação, queda, redenção e consumação. A terceira é a mais extensa e consiste nos atos redentores de Deus na história humana. O centro da Bíblia é a revelação máxima de Deus na pessoa de Jesus Cristo, prometida no Antigo Testamento e cumprida no Novo. É na Bíblia, portanto, que encontramos a verdade acerca de Deus, de nós mesmos, da origem de todas as coisas, de como podemos nos relacionar com Deus e qual será o fim de todas as coisas. Não cremos que Deus tenha se revelado dessa maneira em outros escritos ou livros.

Aqui também é importante mencionar como a Bíblia foi formada. Muitos livros sobre a história e os personagens do Antigo Testamento foram escritos em grego por judeus no período chamado Intertestamentário, e sobre Cristo e seus apóstolos por cristãos do ano 50 até 250 d.C. A igreja cristã reconheceu como inspirados por Deus somente os 66 livros que hoje compõem o cânon adotado nas igrejas históricas e, como os judeus, rejeitou os livros escritos antes de Cristo em grego. Entre os livros rejeitados, conhecidos como apócrifos do Antigo Testamento, estão estes, que são os mais conhecidos:

- Apocalipse de Moisés
- Ascensão de Isaías
- Assunção de Moisés
- Livro dos Jubileus
- 1Enoque
- 1—4 Macabeus
- Testamento dos Doze Patriarcas
- Baruque
- Sabedoria
- Eclesiástico

- Tobias
- Judite

A igreja cristã também rejeitou os seguintes escritos de cristãos, considerados apócrifos ou pseudoepígrafos:

- Protoevangelho de Tiago ou Evangelho da Infância de Tiago ou Evangelho de Tiago
- Evangelho da Infância de Tomás ou Evangelho do Pseudo-Tomás
- Evangelho Árabe da Infância
- Nascimento de Maria
- História de José, o carpinteiro
- Evangelho dos Ebionitas
- Evangelho dos Nazareus ou Evangelho dos Nazarenos
- Evangelho dos Hebreus
- Evangelho de Judas
- Evangelho de Tomé
- Evangelho de Nicodemus
- Atos de Pedro (e praticamente de todos os apóstolos)
- Atos de Paulo e Tecla
- Carta de Barnabé
- Apocalipse de Pedro
- Apocalipse de Estêvão
- Testamento de Jesus
- Carta de Clemente
- Carta de Inácio
- Pastor de Hermas

A igreja cristã decidiu que os apócrifos podiam ser lidos como escritos meramente humanos, mas não como Palavra de Deus. Portanto, o pregador pode se referir a essas obras como ilustrações do pensamento religioso de grupos judeus e cristãos do período imediatamente antes e depois de Cristo, mas nunca como base para seus sermões. Para dar um exemplo, os livros de Macabeus servem para nos dar conhecimento da história dos judeus no período entre os dois Testamentos. Ali aprendemos sobre o surgimento das sinagogas e dos fariseus, bem como de outras seitas do judaísmo, vigentes na época de Jesus. Mas jamais o pregador deve preparar um sermão usando uma passagem de Macabeus como base. O pregador faz bem em conhecer essa literatura, mas sempre mantendo a distinção entre os apócrifos e o cânon bíblico, inspirado por Deus.

Aliás, este é um bom momento para a pergunta: que critérios os primeiros cristãos usaram para reconhecer os livros inspirados pelo Espírito Santo e identificá-los, de fato, como a Palavra de Deus?

Os critérios da canonicidade foram basicamente três. Primeiro, a apostolicidade, isto é, o livro ter sido escrito por um apóstolo ou alguém associado a ele, uma vez que os apóstolos foram aqueles escolhidos por Deus para dar testemunho (oral e escrito) da pessoa e obra de Cristo. Segundo, a compatibilidade entre os ensinamentos do livro e o ensino dos apóstolos. Se contivessem ensinamentos contrários, como os evangelhos gnósticos, deveriam ser rejeitados, como o foram. Terceiro, a universalidade, isto é, a aceitação do livro, como Palavra de Deus, pelas igrejas cristãs espalhadas pelo mundo.

Esse processo levou tempo, dadas as condições de cópias e transmissão daquela época. Os 66 livros que hoje estão na Bíblia, e que historicamente vêm sendo usados pela igreja, foram reconhecidos de forma definitiva como o cânon final da Palavra de Deus somente no século 4. Neste ponto, é importante observar que não foi a igreja cristã que criou, determinou ou estabeleceu a Bíblia com seus livros. Essa é a tese do catolicismo romano até hoje, de que a igreja criou a Bíblia e que, portanto, está acima dela. Mas não foi a igreja que deu origem à Bíblia, e sim a Bíblia que deu origem à igreja. A verdade é que a igreja simplesmente reconheceu a autoridade divina daqueles livros. Para nós, protestantes, a Bíblia é a Palavra de Deus não porque a igreja diz que ela é, mas porque o Espírito Santo, falando através desses livros, dá testemunho de sua inspiração e veracidade, autoridade e infalibilidade. Foi a isso que Calvino chamou de "testemunho interno do Espírito Santo", que é o critério final, para nós, de que a Bíblia é a Palavra de Deus.

No século 4, a Bíblia foi traduzida, pelo competente monge Jerônimo, das línguas originais para o latim, versão que ficou conhecida como Vulgata Latina. Jerônimo manteve os 66 livros recebidos como inspirados, mas acrescentou à parte, fora do cânon, alguns apócrifos, para leitura, mas não como revestidos de autoridade e inspirados: Tobias, Judite, 1Macabeus, 2Macabeus, Baruque, Sabedoria e Eclesiástico, e alguns acréscimos aos livros de Ester e Daniel. A Vulgata tornou-se a versão adotada oficialmente pela igreja católico-romana.

O conceito das Escrituras como a única fonte de autoridade para a igreja se perdeu ao longo da Idade Média. A Bíblia assumiu um papel secundário e mesmo abaixo da tradição, passando a ser interpretada pelo Magistério católico e pelo papa infalível. Dessa perspectiva, para o romanismo, a revelação de Deus não está fechada nem contida exclusivamente na Bíblia, mas se desenvolve através da tradição e é interpretada pelo Magistério. A Reforma protestante reagiu a isso, como o lema *Sola Scriptura* deixa claro, e resgatou o cânon de 66 livros como a autoridade maior na igreja cristã. Na Contrarreforma, a Igreja Católica reagiu alterando o cânon bíblico, incluindo no Concílio de Trento (1546) os apócrifos da Vulgata como inspirados.

A igreja cristã precisa ensinar a Bíblia, e os crentes precisam aprendê-la. Precisam aprender acerca de Deus, Jesus Cristo e o Espírito Santo. Precisamos aprender o que ela fala a respeito de nós, pecadores, e como podemos ser salvos de nossos pecados. Precisamos aprender na Bíblia como viver neste mundo, como entendê-lo, bem como as pessoas e os acontecimentos. Precisamos aprender na Bíblia sobre o que ainda virá e de que maneira podemos manter comunhão diária com Deus e seu Filho, Jesus Cristo. Esta é, portanto, a tarefa do pregador: expor a Palavra de Deus, em sua inteireza, com fidelidade, consciente do que é a Bíblia. Mas, para isso, o pregador precisa interpretá-la.

O método histórico-gramatical

A grande maioria dos pregadores não se dá conta de que, ao ler a Bíblia para a preparação de sermões, está de alguma forma praticando algum tipo de método de interpretação. Menos pregadores ainda percebem que existem modelos de interpretação bíblica sendo usados há séculos. Veremos, aqui, os modelos usados hoje que considero mais abrangentes e significativos.

Em primeiro lugar, o método histórico-gramatical. Ele é assim chamado porque considera o texto bíblico do ponto de vista literário (*gramma* = letra, em grego) e de seu contexto histórico. O pressuposto fundamental desse método, que ganhou esse nome após a Reforma protestante, é a inspiração da Bíblia como Palavra de Deus, resultando em sua infalibilidade, inerrância e autoridade. Deus concedeu sua revelação infalível mediante homens inspirados por ele e que viviam em determinado contexto cultural. O método histórico-gramatical reconhece, por isso, tanto a divindade quanto a humanidade do texto bíblico, que embora sujeito às regras de interpretação depende do Espírito para que seu sentido salvador seja revelado.

Ainda que não com esse nome, esse tipo de interpretação, que parte do pressuposto de que a Bíblia contém apenas verdades, e verdades provenientes de Deus, é praticado desde o período pós-apostólico.[1] Basicamente, esse método considera que a Bíblia é sua melhor intérprete; que os textos têm apenas um sentido, aquele originalmente pretendido pelo autor humano inspirado por Deus; que não se deve alegorizar ou espiritualizar um texto a não ser quando requerido, privilegiando o sentido natural, simples e literal em detrimento do figurativo.

Os autores do Novo Testamento fizeram centenas de citações do Antigo em seus textos, o que certamente requereu interpretação das Escrituras hebraicas. Embora não possamos falar de um modelo de interpretação seguido por todos os apóstolos e demais escritores, podemos discernir alguns princípios fundamentais a partir de suas citações do Antigo Testamento. Por exemplo: a consciência da infalibilidade da Palavra de Deus; a preocupação em chegar ao sentido original; a consciência de que a intenção do autor determinava o sentido e aplicação do texto antigo à realidade presente de seus leitores. Salvo algumas exceções, na grande maioria das citações a interpretação observava o contexto e tomava o texto em seu sentido mais natural e óbvio. Não podemos dizer que a interpretação dos autores neotestamentários era histórico-gramatical, mas com certeza podemos dizer que os princípios que orientavam a interpretação apostólica são os mesmos desse método que se desenvolveu após o período apostólico.

Como resultado, o método histórico-gramatical busca, em sua interpretação, encontrar o sentido original pretendido pelo autor do texto sagrado, quando o escreveu. Por isso, concentra-se em descobrir a quem o texto foi destinado, as circunstâncias que levaram o autor a escrever, seu propósito, bem como a data e o local onde isso aconteceu. Também é importante considerar os artifícios retóricos, as características e convenções literárias da época. Embora não consideremos essas coisas como essenciais para chegar ao sentido salvador de um texto, elas certamente

---

[1] A escola de Alexandria, os monges de São Victor, os reformadores, os puritanos etc. Para uma análise de como a Bíblia foi interpretada através da história da igreja, ver meu livro *A Bíblia e seus intérpretes: Uma breve história da interpretação*, 3ª ed. (São Paulo: Cultura Cristã, 2019).

nos ajudam a entender melhor aquilo que foi escrito e como pode ser aplicado a nossos dias.

Essa abordagem do texto sagrado tem sido adotada pelo cristianismo histórico no decorrer dos séculos, e é, hoje, o modelo de interpretação adotado pela grande maioria dos que se consideram reformados. Ela procura manter em equilíbrio a espiritualidade e a erudição no labor interpretativo e na pregação, adotando o binômio *orare et labutare*: *orare* porque a Bíblia é divina; *labutare* porque a Bíblia é humana. Cito aqui Paulo Anglada:

> *Orare* e *labutare* foram palavras empregadas por Calvino para resumir a sua concepção hermenêutica. Com esses termos ele expressou a necessidade de súplica pela ação iluminadora do Espírito Santo e do estudo diligente do texto e do contexto histórico, como requisitos indispensáveis à interpretação das Escrituras. Com o mesmo propósito, Lutero empregou uma figura: um barco com dois remos, o remo da oração e o remo do estudo. Com um só destes remos, navega-se em círculo, perde-se o rumo, e corre-se o risco de não chegar a lugar algum.[2]

O pregador que toma a Bíblia como a infalível Palavra de Deus, mesmo que não esteja consciente da história da interpretação e dos modelos hermenêuticos, será naturalmente inclinado a interpretar o texto em seu sentido óbvio, natural e simples, recebendo o que está escrito como verdadeiro e com autoridade provinda de Deus. Isso fará toda diferença em sua interpretação e preparação do sermão. Eu só tomei conhecimento do método histórico-gramatical durante os anos de estudo no seminário. Entretanto, porque sempre recebi a Bíblia como a inerrante Palavra de Deus, antes de entrar no seminário já procurava interpretar o texto em sua simplicidade e literalidade, buscando entender o sentido natural e como aplicá-lo ao povo. Os estudos teológicos serviram, entre outras coisas, para me tornar consciente do tipo de interpretação que eu já praticava, embora desconhecendo nome e origem.

O método histórico-gramatical traz consigo muitas vantagens para o pregador, entre elas a de evitar a alegorização desenfreada no púlpito, que

---

[2] Paulo Anglada, "*Orare et labutare*: A hermenêutica reformada das Escrituras", in *Fides Reformata* 2/1 (1997).

tem permitido a aparição de doutrinas e práticas alheias ao cristianismo histórico. Esse método defende que a verdade divina do texto bíblico corresponde ao sentido único do texto, que é aquele pretendido pelo autor humano. Assim, rejeita o conceito de que cada texto tem múltiplos e variados sentidos, sendo o mais importante aquele oculto e além da letra. As doutrinas e práticas de seitas e de igrejas ditas evangélicas são hoje defendidas, geralmente, com base na alegorização do texto bíblico.

Além disso, esse método produz não apenas resultados que podem ser pregados mas também grandes pregadores. Se analisarmos o método de interpretação dos grandes pregadores protestantes, da Reforma até hoje, descobriremos que, ao buscarem entender o que a Bíblia quis dizer (exegese) e o que ela quer dizer hoje (aplicação), todos eles têm em comum os pressupostos desse método.

A exemplo do ocorrido na igreja do século 16, retornar ao uso coerente do método histórico-gramatical pode ser crucial para uma reforma no protestantismo brasileiro. A principal ferramenta dos reformadores foi a postura adotada relativamente à Bíblia, cuja leitura rompeu com a quadriga medieval, segundo a qual um texto tinha pelo menos quatro sentidos, sendo o alegórico o mais importante.[3] Foi essa atitude dos reformadores com relação à Bíblia que consolidou a Reforma e permitiu a elaboração de uma teologia bíblica. Essa crise de identidade que vive o evangelicalismo brasileiro tem como uma das principais causas a falta de consistência e coerência no emprego do método de interpretação que sempre acompanhou o cristianismo histórico.

O método histórico-crítico

Vejamos agora, em segundo lugar, o chamado método histórico-crítico. À semelhança do método histórico-gramatical, o histórico-crítico também procura tratar a Bíblia como literatura e, por considerar essencial

---

[3] No início da Idade Média, surgiu dentro do catolicismo o conceito de "quadriga", isto é, que cada texto da Bíblia tinha ao menos quatro sentidos: literal, espiritual, anagógico e moral, sendo o espiritual ou alegórico o mais importante. Os reformadores romperam radicalmente com esse conceito, reafirmando que cada texto tem apenas um sentido, aquele pretendido por seu autor. Ver meu artigo a respeito da posição de Lutero sobre esse assunto: "Lutero ainda fala: Um ensaio em interpretação bíblica", in *Fides Reformata*, 1/2 (1996).

à interpretação do sentido, preocupa-se com os fatores e as fontes que levaram à formação do texto. No entanto, diferentemente do método histórico-gramatical, o crítico parte do pressuposto de que a Bíblia é falível, que contém erros de natureza histórica, geográfica, cultural e mesmo teológica, e que reflete muito mais a religião e as convicções de seus autores do que uma suposta verdade divinamente revelada. Assim, o método crítico se sente à vontade para "criticar" a Bíblia e apontar supostos erros, falhas, omissões e contradições presentes nos textos. Acreditam que é necessário remover os vestígios da cosmovisão mitológica dos autores do Antigo e do Novo Testamento para chegar à verdade dos fatos, ou seja, é necessário um processo de "desmitologização" para alcançar o cerne da mensagem bíblica.

Essa abordagem crítica é resultante do movimento iluminista do século 17 e tomou conta das escolas de teologia, primeiramente na Europa, e depois nos Estados Unidos, chegando finalmente ao Brasil, onde tem seus representantes nos seminários das denominações históricas e nos cursos de teologia das universidades públicas.

Pesquisadores, estudiosos e teólogos críticos sentem que têm uma missão sagrada de despir o cristianismo de seu caráter sobrenatural, por considerar os relatos de milagres como mitos, lendas e fábulas criados pela imaginação de seus autores. São geralmente estudiosos bem-preparados, versados nas línguas originais, em arqueologia, história, literatura e filosofia. Sua alegação de que o único método científico é o histórico-crítico tem servido de atrativo para muitos jovens pastores em busca de preparo teológico, os quais acabam perdendo a fé e a confiança no relato bíblico durante os estudos. Eu quase me tornei um deles enquanto cursava algumas disciplinas de doutorado, numa universidade teológica da Holanda cuja área de Novo Testamento era dominada pelo método histórico-crítico.

Durante cerca de um ano, estudei diversos livros escritos por críticos, para resenhá-los, a pedido de meu orientador. Minha fé sofreu um profundo abalo, pois não só os argumentos eram muito bem organizados como também as evidências pareciam razoáveis. Como resultado, durante um mês não consegui orar. Ajoelhava-me ao lado de minha cama, tentava balbuciar palavras e elevar meu coração a Deus, mas não tinha certeza de que havia alguém do outro lado para me escutar. Foram dias terríveis, uma verdadeira provação para minha fé. Finalmente, com ajuda de meu orientador nos Estados Unidos, um homem muito culto e muito crente, encontrei respostas e descansei a mente e o coração. Mas, confesso, faltou pouco para que eu me desviasse da fé evangélica e me tornasse agnóstico. Somente a graça de Deus me preservou e ainda me preserva. Hoje, posso testemunhar dos danos espirituais que o método histórico-crítico pode trazer a um crente sincero que procura estudar mais profundamente a Bíblia.

Não posso negar que esse método, como todos os demais, tenha seu lado bom. Ele insiste nos estudos mais profundos da história, da cultura e do contexto em que os textos bíblicos foram produzidos, o que nos ajuda a entender a intenção autoral. Contudo, sua falta de compromisso com a inerrância da Bíblia leva seus adeptos a conclusões que podem abalar profundamente a confiança da igreja na veracidade das Escrituras. Não é de estranhar que na Europa e nos Estados Unidos, onde quer que esse método tenha sido aceito, as igrejas esvaziaram e foram tomadas pela secularização. Grandes denominações históricas da Reforma protestante, que sucumbiram a esse método, viram muitas de suas igrejas diminuir e finalmente fechar. Esse fenômeno está acontecendo nos Estados Unidos e já dá sinais muito claros aqui, no Brasil.[4]

As novas hermenêuticas

É preciso ainda mencionar as chamadas "novas hermenêuticas", que surgiram em reação ao racionalismo iluminista e ao método crítico. Esse movimento hermenêutico, que é relativamente recente, acertou em rejeitar alguns pressupostos do racionalismo, mas não nos levou a um método melhor. Ao rejeitar o conceito de verdade absoluta e a possibilidade de encontrá-la por meio de métodos científicos, como é defendido pelo método crítico, as novas hermenêuticas introduziram um relativismo radical na interpretação geral e na interpretação bíblica em particular.

Enquanto o método histórico-gramatical foca o sentido do texto na intenção do autor, e o método histórico-crítico busca-o no processo de formação do texto, as novas hermenêuticas propõem que o sentido do texto é produzido pelo leitor, que lê e interpreta de acordo com sua visão

---

[4] Para os que desejam entender melhor o liberalismo teológico, que deu origem ao método crítico, sugiro a leitura de Gresham Machen, *Cristianismo e liberalismo* (São Paulo: Shedd Publicações, 2012). Ver também meu artigo "O dilema do método histórico-crítico na interpretação bíblica", in *Fides Reformata* X, nº 1 (2005), p. 115-138.

de mundo e crenças, chegando, sempre, a diferentes sentidos para um mesmo texto. De certo modo, trata-se de um retorno à Idade Média, em que se dizia que um único texto possui muitos sentidos.

As novas hermenêuticas produziram métodos de leitura da Bíblia focados no mundo do leitor. Surgiram leituras ideológicas — como a leitura negra, a feminista, a social, a *gay* — cujo conceito comum é a relativização do sentido do texto bíblico, pelo qual cada um o entende de acordo com sua posição na vida, sua raça, cor de pele, orientação sexual, *status* social e financeiro etc. Segundo essa visão, não existe uma única interpretação correta da Bíblia. Toda leitura é relativa. Depende do ambiente vivencial do leitor, o que na prática significa que nenhuma interpretação pode reivindicar que está certa e as demais erradas.

Não é difícil imaginar o caos que essa nova abordagem tem trazido para os estudos bíblicos, e especialmente para a pregação. Já mencionamos a "nova homilética", que é o resultado direto das novas hermenêuticas. O pregador que adota essa postura relativista com relação ao texto bíblico perde sua autoridade para exortar, admoestar e chamar ao arrependimento. Ele não pode repreender o pecado, uma vez que o conceito de certo e errado é relativo. Ele não pode prometer perdão aos que se arrependem e creem em Jesus Cristo, porque cada um entende Jesus de maneira diferente, conforme sua posição. Para os pobres, Jesus é o libertador da pobreza e da opressão. Para as mulheres, Jesus é o libertador do preconceito e do machismo. E assim por diante.

Aqui no Brasil temos um bom exemplo desse tipo de pregação nos defensores da teologia da libertação, ou do evangelho social. Primeiro, descontroem a figura do Jesus histórico, conforme entendido pelo cristianismo histórico, usando ferramentas de análise social, como o marxismo, e também o método crítico. Depois, fazem uma releitura dos textos bíblicos a partir das injustiças sociais e da busca de liberdade financeira. O resultado é uma pregação que mais se parece com o discurso ativista de movimentos sociais, em que não se fala de pecado como algo pessoal de que todos, ricos e pobres, precisam se arrepender. Ser pobre se torna sacramento. A pessoa é salva das estruturas sociais injustas, e por aí vai. O pregador que adota essa abordagem das Escrituras só consegue pregar mensagens sociais, moralistas — que pouco ou nada têm de redenção, justificação e santificação —, em que a esperança escatológica da vida eterna é vista como ópio do povo.

MODELOS DE INTERPRETAÇÃO

Meu primeiro contato com esse tipo de pregação foi no início de meu ministério pastoral, quando meu presbitério teve de confrontar dois pastores, meus contemporâneos de seminário, que haviam adotado a teologia da libertação.[5] Durante uma reunião do presbitério, esse assunto veio à baila. Os dois pastores defenderam uma releitura da Bíblia a partir da opressão dos pobres. O concílio ficou de decidir sobre o assunto no dia seguinte. Naquele mesmo dia, adquiri a obra de Leonardo Boff, *Jesus Cristo libertador*, e varei a noite lendo e resenhando o livro, enchendo folhas e folhas de anotações. No dia seguinte, no debate, apresentei uma análise do pensamento do frei Boff à luz das Escrituras. Mostrei o uso das ferramentas críticas para a desconstrução da história do êxodo e da hermenêutica marxista para a releitura daquele e de outros eventos bíblicos. Pela graça de Deus, o presbitério posicionou-se contra essa hermenêutica, e os dois pastores, posteriormente, pediram a saída da igreja presbiteriana.[6]

A exemplo do que ocorre com o método crítico, as novas hermenêuticas também trazem coisas boas e legítimas, como a conscientização de que não existe leitura neutra — conforme supunham os críticos racionalistas — e a ênfase nos pressupostos do pregador na leitura e transmissão do sentido do texto. Em contrapartida, abriram a porta para a relativização radical da mensagem bíblica, trazendo para a igreja dificuldades de discernimento quanto ao que a Bíblia realmente nos ensina em áreas como moral, ética, salvação, Deus, Cristo, vida eterna etc.

Creio firmemente que não existe outro método tão adequado à natureza da Bíblia e ao chamado do pregador, "prega a Palavra", do que o método histórico-gramatical. Não estou fechado para as coisas boas que podemos aprender com os demais métodos. Examino todas as coisas e procuro reter o que é bom. Mas os efeitos daninhos das pregações de críticos e relativistas, integrantes do liberalismo teológico, por si só são suficientes para estabelecer meu ponto.

---

[5] É importante lembrar que o reitor estava consciente da necessidade de o seminário dar aos alunos uma resposta bíblica para as necessidades dos pobres e oprimidos, como fazia a teologia da libertação, ainda que de maneira errada. Ele propôs ao conselho do seminário a criação de uma disciplina obrigatória, "Diaconia", para tratar esses assuntos, mas o pedido foi, infelizmente, negado.

[6] Essa pesquisa para o debate no presbitério serviu de base para meu artigo "A hermenêutica da Teologia da Libertação: Uma análise de *Jesus Cristo Libertador*, de Leonardo Boff", in *Fides Reformata* 3/2 (1998).

6

Ilustrações no sermão

Ilustrações são como janelas de um quarto. Deixam entrar a luz e nos permitem ver com mais clareza o que há dentro. Iluminam o que estamos tentando dizer e ajudam o ouvinte a perceber mais claramente o que estamos tentando transmitir. Ilustrações transformam o ouvido em olho. São extremamente úteis e devem ser usadas sempre que possível.

Muito embora os grandes pregadores puritanos do passado raramente usassem ilustrações, não se opunham a elas, apenas mostravam-se cautelosos com as ilustrações da vida pessoal do pregador que pudessem destacá-lo em vez de destacar a mensagem. Spurgeon, por exemplo, considerado um dos últimos pregadores puritanos, era um mestre no uso de ilustrações. Seus sermões estão cheios de figuras tiradas da vida real, da natureza, da literatura e das próprias Escrituras. Ele as considerava tão importantes na entrega do sermão que dedicou um capítulo inteiro ao assunto em sua obra *Lições aos meus alunos*.[1]

O uso de ilustrações na Bíblia

O uso de ilustrações para transmitir a Palavra de Deus vem desde os profetas do Antigo Testamento. Seus livros trazem numerosas ilustrações, extraídas da vida cotidiana, da sociedade agrária e pastoril, da cultura e das convenções do antigo Oriente Próximo. Tomemos como exemplo o primeiro capítulo de Isaías, em que o profeta usa bois e jumentos obedientes ao dono (Is 1.3), feridas e doenças incuráveis (Is 1.5-6), cabanas e espantalhos no meio da plantação (Is 1.8) e os acontecimentos em Sodoma e Gomorra (Is 1.9) para ilustrar a decadência espiritual e a desobediência

---

[1] Charles Spurgeon, *Lições aos meus alunos: Homilética e teologia pastoral*, 3 vols. (São Paulo: PES, 2000).

do povo de Israel. Ao final, ele usa também a cor escarlate do carmesim e a brancura da neve e da lã para ilustrar a gravidade do pecado e o poder purificador do perdão divino (Is 1.18).

Às vezes, os profetas também usavam histórias fictícias para ilustrar uma verdade, como aquela contada pelo profeta Natã ao rei Davi a respeito do homem rico que tomou a ovelhinha do pobre. Seu objetivo era ilustrar o pecado de Davi e levar o rei ao arrependimento (2Sm 12.1-7).

João Batista usou ilustrações como o trigo, a palha e o machado que corta árvores (Mt 3.10-12).

O Senhor Jesus era mestre em usar ilustrações, a começar com as parábolas, que consistiam em histórias, inventadas ou não, cujo objetivo era elucidar um ponto de sua mensagem. Suas histórias eram extraídas do cotidiano, como a parábola do semeador, do grão de mostarda, do tesouro no campo, da ovelha perdida, dos pescadores que usavam redes de arrasto. Algumas dessas histórias ele inventou, como a do filho pródigo, do rico que acumulou riquezas e morreu subitamente, do rei que delegou tarefas a seus servos e se afastou por um tempo. Jesus também usava como ilustração os fatos narrados no Antigo Testamento. Por exemplo, ele usou o episódio da viúva de Sarepta e da cura de Naamã, o sírio, para demonstrar que pessoas fora de Israel tinham mais fé que os judeus (Lc 4.22-30). No Sermão do Monte (Mt 5—7) sobejam referências à natureza, como aves do céu, lírios do campo e enchentes.

Os autores do Novo Testamento seguiram na mesma direção. O melhor exemplo talvez seja o de Tiago, cujo livro é cheio de ilustrações extraídas da natureza, praticamente seguindo o exemplo de Jesus: ondas do mar, plantas que se queimam com o sol, o movimento dos astros no céu, cavalos, navios, serpentes, animais, peixes, fontes de água, para mencionar algumas.

Creio que esses exemplos são suficientes para demonstrar quão amplamente as ilustrações foram usadas pelos autores bíblicos.

No entanto, apesar da evidente importância e utilidade das ilustrações no sermão, a tendência dos pregadores expositivos, em geral, é fazer pouco ou nenhum uso da ilustração. Confesso que essa é uma das áreas em que sinto ter grande deficiência. Já houve uma época em que eu me preocupava mais com achar boas ilustrações para meus sermões. Com o tempo, entretanto, e à medida que me dedicava mais e mais a pregar expositivamente, passei a ilustrar as verdades do texto com outros textos da Bíblia, deixando de usar histórias, comparações e ilustrações da vida comum. Não significa que não use ilustrações ou que me oponha a elas, pelo contrário. Creio que acabei me acomodando diante do fato de que a exposição bíblica, sendo bem-feita, é tão clara que parece dispensar a ajuda de ilustrações. A verdade é que, mesmo que uma pregação expositiva seja clara, com boas ilustrações ficará ainda mais clara.

Estou perfeitamente consciente do poder da ilustração. Uma de minhas ilustrações prediletas, quando prego sobre a misericórdia de Deus em Efésios 2, é um episódio ocorrido quando eu evangelizava o interior de Pernambuco, na zona canavieira. Eu morava sozinho na cidade de Gameleira. Depois de ser atormentado por várias noites por um rato bem pequenino, que atacava minha despensa e se recusava a cair na ratoeira, finalmente consegui capturar o malfeitor. Contudo, tomado de uma misericórdia incompreensível, em vez de matá-lo, decidi livrá-lo da ratoeira e deixá-lo ir! Sempre uso essa história para ilustrar a misericórdia de Deus conosco, pecadores apanhados em flagrante e sem nenhuma defesa em nosso favor. Deus, contudo, em sua misericórdia, nos libertou graciosamente, em Cristo, quando merecíamos a morte. Essa ilustração é tão eficaz que muita gente se lembra do meu sermão em Efésios 2 como "aquele do ratinho".

Dada, portanto, a importância da ilustração nos sermões, é preciso que o pregador esteja atento e tenha cautela ao usá-la.

Cuidados com o uso de ilustrações

Primeiro, o pregador deve cuidar para não exagerar no uso de histórias e ilustrações. Ilustrações são tão atraentes que muitos pregadores preenchem seus sermões com elas, a ponto de, no fim, o sermão se tornar um conjunto de histórias e testemunhos pessoais ou de conhecidos, com pouco ou nenhum conteúdo bíblico sólido. Em alguns casos, o pregador não estuda, pesquisa ou elabora um bom sermão e acaba recorrendo às histórias e testemunhos pessoais para preencher o tempo. Esse tipo de pregador é mais um contador de histórias que um pregador no sentido estrito do termo. Ele até pode entreter e agradar sua audiência, mas está lhe sonegando as verdades bíblicas necessárias para o dia a dia.

Segundo, o pregador deve usar de muita cautela ao lançar mão de ilustrações extraídas de sua vida pessoal ou da própria família. Era um cuidado que os pregadores puritanos tinham. Por temor de chamar atenção para si, em vez da pessoa de Cristo, raramente ou nunca contavam histórias de sua vida durante o sermão. Creio tratar-se de um cuidado válido. Quando o pregador começa a falar muito de si mesmo, pode dar a impressão de que está buscando a própria glória. Não considero errado o uso de ilustrações pessoais, apenas penso que sua utilização deve ser cautelosa. Especialmente quando contamos histórias relacionadas com nossas experiências espirituais, o sucesso de nosso ministério, os efeitos positivos de nossa pregação ou, ainda, decisões sábias e éticas tomadas. Inadvertidamente, o pregador pode se exaltar diante da congregação, esquecendo aquele cuidado de Paulo em 2Coríntios 12.5-6: "Não me gabarei de mim mesmo, a não ser das coisas que mostram as minhas fraquezas. No entanto, se eu quisesse me gabar de mim mesmo, isso não seria uma loucura, porque estaria dizendo a verdade. Mas eu não me gabarei, pois quero que a opinião que as pessoas têm de mim se baseie naquilo que me viram fazer e me ouviram dizer" (NTLH).

Nesse texto, Paulo está se referindo a uma experiência extraordinária que ele vivera havia catorze anos. Levado em espírito ao terceiro céu, o apóstolo viu o Senhor face a face e outras coisas que "palavras humanas não conseguem contar" (2Co 12.1-4, NTLH). Paulo levou catorze anos, portanto, para se referir a essa experiência, e quando o fez foi por necessidade e na terceira pessoa do singular, ressalvado pelos versículos citados. Ao contrário de Paulo, muitos pregadores correm para levar ao púlpito toda experiência pessoal que porventura tenham tido durante a semana, sem os devidos cuidados. No final, seu ministério produzirá fãs e não discípulos de Jesus Cristo.

O pregador também precisa ter especial cuidado ao usar ilustrações que envolvam sua família, a fim de não expor indevida e publicamente o cônjuge e os filhos. Confesso que já contei muitas histórias de meus filhos para ilustrar algum ponto de sermão. Alguns episódios foram tão engraçados e ilustrativos que não resisti. Até hoje meus filhos brincam comigo dizendo que foram usados como ilustrações de meus sermões. A minha filha Drika de Vasconcelos, hoje uma palestrante conhecida, recentemente começou sua palestra numa conferência de mulheres com a declaração: "Como filha de pastor, sempre fui usada como ilustração de mensagens. Agora é a minha hora da vingança!", e contou histórias ocorridas com seus três filhos para ilustrar sua palestra!

Não me oponho a contar histórias de nossos filhos em público, desde que não os envergonhemos ou humilhemos. Minha filha costuma contar em suas palestras várias histórias das viagens que fazíamos anualmente de São Paulo a Recife, de carro. Quatro crianças que, durante onze anos, passaram três a quatro dias em um carro estrada afora, certamente guardam muitas memórias e histórias para contar.

Terceiro, o pregador precisa ser extremamente cuidadoso quando pensa contar no púlpito algo ocorrido no gabinete pastoral durante um aconselhamento. A tentação é muito grande. É no gabinete pastoral, escutando as pessoas, que tomamos conhecimento de fatos, histórias, eventos e episódios que ilustram perfeitamente o que a Bíblia tem a dizer acerca da natureza humana e da redenção em Cristo. Pastores são muito tentados a levar essas experiências para o púlpito, o que pode acarretar alguns problemas. Primeiro, porque a congregação descobre que o gabinete pastoral não é assim tão sigiloso. Segundo, porque sua experiência de vida, contada em sigilo ao pastor, pode acabar como ilustração de um sermão, ainda que seu nome seja omitido. Embora o pastor proceda com cautela e omita informações que dificultem a identificação das pessoas envolvidas, sempre existe o risco de ofender os envolvidos, quando percebem que o pregador está se referindo à experiência deles contada em caráter de confidencialidade. Nada afeta mais a credibilidade do pregador diante de sua igreja que o vazamento de confidências feitas em sigilo pastoral.

Quarto, o pregador tem de cuidar para não aumentar, fantasiar e exagerar na ilustração. É conhecida a frase: "Existem três tipos de mentira: a mentira inocente, a mentira perversa e a ilustração de sermão". A frase, infelizmente, traduz uma verdade mais comum do que gostaríamos. No afã de esclarecer o que quer dizer, o pregador pode "adaptar" a história para melhor ilustrar o que ele está explicando. Assim, fatos são exagerados, reações são dramatizadas e realidades são torcidas. No fundo, o pregador se justifica com o pensamento de que foi por uma boa causa, que ele contou não como história, mas como ilustração — uma espécie de "licença homilética", similar ao que chamamos de licença poética.

O quinto ponto é parecido com o anterior. O pregador deve verificar a fonte e a veracidade dos fatos que pretende usar como ilustração de seu sermão. Vivemos numa época em que o tópico *fake news* se tornou extremamente sensível, sobretudo depois do advento das redes sociais. Como é nas redes que o pregador encontra um tesouro de histórias, notícias e opiniões, ele deve checar cuidadosamente a veracidade do que usará no sermão, especialmente porque sua audiência tem acesso a essas mesmas fontes. Hoje é muito comum circular em redes sociais a imagem de alguém conhecido junto com uma frase de efeito, a ele atribuída. Pessoalmente, já encontrei dezenas de *memes* com imagens minhas e frases que eu nunca disse. Talvez a mais conhecida seja a frase "Jesus morreu para tirar o seu pecado, não a sua inteligência". Nunca disse essa frase, embora pudesse perfeitamente tê-la dito. Essa frase chegou a mim estampada em uma camiseta que me foi presenteada pela Aliança Bíblica Universitária da Paraíba há alguns anos. Tirei uma foto com a camiseta e postei no Facebook e... *voilá*, tornei-me seu autor. Se um pregador citar essa frase e atribuí-la a mim estará cometendo um equívoco. O mesmo cuidado vale para frases supostamente atribuídas a personalidades como Martin Luther King, Madre Teresa etc. Por isso é importante checar sua veracidade.

Sexto, o pregador deve usar com sabedoria ilustrações divertidas. Humor é uma ferramenta poderosa para transmitir a verdade. O uso de histórias cômicas e frases engraçadas não são incompatíveis com a seriedade do sermão. Certa vez, quando acusado de contar uma piada no púlpito, Spurgeon disse: "Se você soubesse quantas outras eu deixei de contar, você não teria criticado aquela".[2]

Sarcasmo e ironia precisam de mais cautela ainda. Ocasionalmente, autores bíblicos usaram de ironia, como o profeta Elias diante dos profetas de Baal (1Rs 18.27) ou o apóstolo Paulo ao escrever aos coríntios (1Co 4.8). Pregadores sarcásticos e irônicos acabam provocando a antipatia de membros da congregação. Não à toa Paulo recomenda a Tito: "Tudo que fizer deve refletir a integridade e a seriedade de seu ensino. Sua mensagem deve ser tão correta a ponto de ninguém a criticar" (Tt 2.7-8). Por causa de exageros e do perigo de tornar a pregação leviana, superficial ou jocosa, alguns cristãos se opõem totalmente ao uso de humor no púlpito. Conheci um presbítero, homem de Deus, que detestava o humor no púlpito. O argumento dele era que não há uma única passagem bíblica dizendo que Jesus riu, mas há passagens em que ele chorou. Como ele era presbítero de minha igreja e eu não queria ofender aquele homem piedoso, sempre me policiava ao usar ilustrações engraçadas no sermão. Hoje, na glória, ele deve estar rindo e se alegrando com os salvos e os anjos diante do Pai.

---

[2] C. H. Spurgeon, *Autobiography*, vol. 3 (Londres: Passmore and Alabaster, 1897–99), p. 346.

Em contrapartida, há pregadores especialistas em contar histórias engraçadas em seus sermões, e se tornaram conhecidos por isso. Alguns chegaram a dominar a arte da comédia a ponto de levar sua audiência a ter crises de riso do começo ao fim. Um de meus filhos, quando pequeno, dizia que queria ser pastor. Ele sempre foi muito engraçado e brincalhão. Certa vez, depois de ele não levar a sério alguma coisa que eu tinha dito, resolvi falar seriamente com ele: "Como você quer ser pastor se é brincalhão desse jeito? Ou você é pastor ou é comediante". Algum tempo depois, ele me acompanhou em um congresso no qual eu pregaria, junto com outros colegas. Um deles, homem de Deus, era conhecido por suas mensagens bem-humoradas, a ponto de ser impossível escutá-lo sem dar boas risadas. Meu filho escutou atentamente o sermão dele e, ao final, olhou-me com um grande ponto de interrogação no semblante. A partir daí, comecei a reavaliar melhor as restrições que eu tinha a pastores engraçados. Pregadores podem ser engraçados e cômicos se souberem usar sua habilidade para mostrar aos ouvintes que eles levam a mensagem da Bíblia a sério.

Sétimo, o pregador deve procurar conhecer o contexto da igreja em que pregará, a fim de evitar gafes ou ofensas. Certas brincadeiras, no púlpito, podem soar mal e ofensivas a determinados públicos. O pregador deve ter discernimento e sabedoria ao escolher as ilustrações humorosas que pretende usar fora de seu ambiente eclesiástico habitual. Quando vou pregar em igrejas batistas, por exemplo, procuro tomar cuidado para não brincar com a questão do batismo. Seria loucura contar aquela piada, comum entre os presbiterianos, que os únicos batizados por imersão na travessia do mar Vermelho foram os egípcios. E muito menos, ainda, contar em igrejas pentecostais histórias engraçadas sobre o dom de línguas.

Certa vez, quando fui pregar em uma igreja neopentecostal, a pastora pediu, a certa altura do culto, que cada um cumprimentasse a pessoa ao lado dizendo: "Você é lindo". Olhei para o lado e lá estava um dos homens mais feios que já vi na vida! Dei um sorriso amarelo e apertamos as mãos, em silêncio cúmplice. Guardei o episódio e usei como ilustração, em outra ocasião, quando pregava em outra igreja. Meu ponto era mostrar que não deveríamos colocar no culto atividades não autorizadas pela Bíblia. Quando terminei de pregar, o pastor, encaminhando-se para o final do culto e visivelmente constrangido, mandou que os presentes se cumprimentassem e dissessem uns aos outros: "Jesus te ama!", como fazia em todos os cultos da igreja. Era visível o constrangimento de todos. Se eu soubesse dessa prática da igreja não teria usado a ilustração do irmão lindo.

Fontes para boas ilustrações

Podemos encontrar boas ilustrações em praticamente tudo que conhecemos e experimentamos. Basta ter habilidade e criatividade. Para começar, temos as experiências pessoais. Desde que tenhamos cuidado e moderação, podemos usar na mensagem eventos de nossa vida para ilustrar pontos doutrinários. Em um sermão sobre livramentos de Deus, contei uma história que aconteceu comigo em uma noite de chuva nos canaviais da usina Cucaú, no interior de Pernambuco. Eu e outros jovens ficamos atolados em uma estrada de terra, totalmente inundada e cheia de lama, quando regressávamos do trabalho de evangelização de moradores da usina, na parte mais interior da propriedade, só acessível por trator ou jipe. Nosso jipe atolou e ficamos perdidos no meio da noite e da chuva. Clamamos a Deus por ajuda e, do nada, apareceu um trator dirigido por um trabalhador da usina, que morava ali perto e que tinha ouvido o barulho de nosso jipe quando passávamos por sua casa. Ele pensou: "Esse pessoal vai atolar", e imediatamente foi buscar o trator.

Essa é, sem dúvida, uma boa ilustração para a verdade bíblica de que Deus conhece nossa necessidade antes mesmo de pedirmos. Experiências de respostas, ou não, de orações podem ajudar as pessoas a entenderem melhor esse ponto. Experiências de sofrimento, aflição, provações, doenças, se usadas corretamente, podem ajudar a igreja a entender mais claramente o que a Bíblia ensina sobre o tema do sofrimento do crente.

Como dito acima, a Bíblia está cheia de histórias que podem ser usadas como ilustrações. Aliás, é a fonte mais rica e segura para encontrar comparações úteis ao ensino. O apóstolo Paulo, em 1Coríntios 10, faz uso de episódios da peregrinação de Israel no deserto para ilustrar a necessidade que seus leitores tinham de não tentar a Deus (1Co 10.1-13). Estêvão, em seu sermão diante do sinédrio, reconta a história da constante incredulidade de Israel para ilustrar a incredulidade e a dureza de coração dos judeus de sua época, que vieram matá-lo (At 7.1-60). Tiago usa a paciência de Jó como ilustração da perseverança que seus leitores deveriam ter diante dos sofrimentos (Tg 5.11). O dilúvio e a destruição de Sodoma e

Gomorra são usados pelo Senhor Jesus para ilustrar o juízo repentino de Deus sobre os ímpios (Mt 24.38; 10.15; 11.23-24).

Podemos encontrar ilustrações, também, em acontecimentos locais ou mundiais, dos quais tomamos conhecimento por meio da grande mídia ou das redes sociais. Já mencionei acima que Jesus usou duas tragédias de seus dias para ilustrar a necessidade de arrependimento (Lc 13.1-5). Não só tragédias, mas histórias de sucesso, experiências de livramento, atos de bravura, narrativas de perseverança e superação diante de dificuldades também podem ser usadas como ilustrações, desde que estejamos certos de que não são fabricação de alguém. Como diz a famosa frase, devemos ter a Bíblia em uma mão e o jornal na outra. Ilustrações do cotidiano ajudam os crentes a relacionarem sua fé com a realidade, a doutrina bíblica com os fatos da vida.

Outra fonte de ilustrações são os livros, dos quais podemos extrair frases e declarações para ilustrar pontos de nosso sermão, sempre tendo o cuidado de atribuir o crédito devido a seus autores. O pregador deve evitar o plágio. Infelizmente, já nos seminários há casos de alunos que plagiam trabalhos alheios. Como professor e diretor de seminário teológico durante anos, tive de lidar com casos assim. Estudantes de teologia que aprenderam a plagiar trabalhos e monografias não terão dificuldades, como pastores, em usar em seus sermões frases e declarações de outros tomadas como suas.

Por fim, cito ainda os livros de ilustrações. Existem muitos em português. Geralmente são organizados por tópicos e trazem um índice das passagens bíblicas relacionadas com a ilustração. Embora sejam muito úteis para quem não tem tempo de pesquisar ilustrações, é preciso cuidado para não parecer algo mecânico e formal. Ilustrações que nós mesmos experimentamos certamente dão mais vida ao sermão.

7

Intelecto e espiritualidade

Durante um sermão em sua igreja local na Capela de Westminster, na Londres de 1969, o dr. Martyn Lloyd-Jones definiu a pregação como "lógica em chamas". Segundo ele, na pregação são necessários lógica e fogo, pois ela envolve tanto o intelecto do pregador como a ação do Espírito Santo em sua vida. Esses dois aspectos, juntos, contribuem para que a pregação seja eficaz na salvação de pecadores e na edificação do povo de Deus. Não podemos prezar um desses aspectos em detrimento do outro. O que Deus uniu, o homem não separe.

Relação entre intelecto e espiritualidade

Quando dizemos que a pregação envolve o intelecto, estamos nos referindo ao fato de que o pregador, ao expor a Palavra de Deus, desenvolve raciocínios, apresenta argumentos, traz deduções e faz implicações lógicas com o objetivo de informar, convencer e persuadir sua audiência, tendo como base exemplos, explicações e exegese do texto. Ou seja, seu intelecto está completamente envolvido no exercício da exposição bíblica. Não é sem razão que Paulo emprega verbos como "ensinar" (1Co 4.17; Cl 1.28), "advertir" (que significa colocar algo dentro da mente das pessoas, 1Co 4.14) e "instruir" (que envolve entendimento intelectual, 1Co 14.19) para se referir a sua pregação. Além disso, ele também usa o verbo "aprender" (que significa "dirigir a mente para um alvo", Rm 16.17; 1Co 4.6 etc.) para referir-se ao propósito de sua mensagem. Já mencionamos o exemplo da pregação de Paulo em Tessalônica, que envolveu um intenso exercício intelectual descrito como discutir, explicar e provar (At 17.1-3).

Argumentar, demonstrar, explicar, convencer, usando argumentos lógicos e raciocínios claros, tudo isso demanda o uso do intelecto pelo pregador. Menos que isso, a pregação se transforma em declarações superficiais, afirmações vazias que podem fazer bem às emoções, mas deixam a mente infrutífera. De certa maneira, foi esse o argumento usado por Paulo em sua primeira carta aos coríntios para mostrar a necessidade de interpretação das línguas no culto: "Portanto, quem fala em línguas deve orar pedindo também a capacidade de interpretar o que é dito. Pois, se oro em línguas, meu espírito ora, mas eu não entendo o que estou dizendo. Então, o que devo fazer? Orarei no espírito e também orarei em palavras que entendo. Cantarei no espírito e também cantarei em palavras que entendo" (1Co 14.13-15). As palavras do apóstolo deixam clara a necessidade do engajamento do intelecto durante o culto. Não é sem razão que ele se refere ao culto como sendo *logikos*, "racional" (Rm 12.1, NAA).

Infelizmente, por diversos motivos, entre os quais a aridez intelectual de muitos pregadores cultos, desenvolveu-se em alguns círculos evangélicos a ideia de que a intelectualidade, o academicismo e o preparo cultural do pregador acabam por "esfriá-lo" e roubar-lhe a unção do Espírito Santo na pregação. Uma das passagens prediletas de quem defende esse conceito é 2Coríntios 3.6, "a letra mata, mas o Espírito vivifica" (NAA). De acordo com essa interpretação, o apóstolo Paulo estaria contrapondo o intelecto à espiritualidade, optando, naturalmente, pela espiritualidade, que produz vida. Contudo, basta uma leitura atenta ao contexto da frase e ficará claro que Paulo não está contrapondo essas duas coisas, mas fazendo um contraste entre a antiga aliança, caracterizada pela entrega da Lei, e a nova aliança em Cristo, caracterizada pelo derramamento do Espírito Santo. Logo, não existe esse contraste entre intelecto e espiritualidade, mente e coração — o contraste é entre as duas alianças.

No Antigo Testamento temos o exemplo de Salomão, um rei piedoso e temente a Deus apesar de suas falhas, que poderia ser considerado um dos homens mais cultos daquela época. Salomão tinha amplo conhecimento e escreveu sobre plantas e animais, além de ter composto milhares de provérbios e canções (1Rs 4.29-34). A ele são atribuídos os livros de Provérbios, Eclesiastes e Cântico dos Cânticos, além do salmo 127. Tomemos ainda como exemplo o próprio apóstolo Paulo. Dificilmente haveria alguém mais preparado que ele no ambiente judaico cristão do primeiro século. Paulo foi treinado por Gamaliel, um dos mais renomados mestres da lei da época, e era muito versado na cultura e nas tradições hebraicas. Além disso, por ser um judeu da Dispersão, Paulo foi educado na cultura grega. Sua cidade natal, Tarso da Cilícia, era conhecida por ser um centro cultural. Paulo era também cidadão romano por nascimento, versado, portanto, nos costumes, na literatura e na cultura do Império Romano. No entanto, embora sua cultura transpareça em suas cartas, nunca deixou que seu vasto conhecimento se tornasse uma pedra de tropeço em seu ministério. Ao contrário, colocou seu poderoso intelecto, unido a uma profunda espiritualidade, a serviço do reino de Deus, demonstrando que intelecto e espiritualidade podem operar, unidos, em uma mesma pessoa.

A preparação do intelecto pelo pregador — que inclui estudo, pesquisa, leitura da Bíblia e de outros livros, e participação em cursos, sejam ou não teológicos — tem algumas vantagens e muitos benefícios. Primeiro, satisfaz nossa necessidade inata de conhecer e saber a razão das coisas. Segundo, demonstra que nossa fé não é algo irracional. Terceiro, ajuda a expurgar nossa fé de crendices, superstições e misticismos que infestam o mundo evangélico e não possuem nenhum fundamento na Palavra de Deus. Em outras palavras, um intelecto bem preparado evita que o pregador caia no emocionalismo, no pragmatismo e em um cristianismo centrado em experiências, em vez de no sólido fundamento da Palavra de Deus.

Em contrapartida, o reconhecimento de que somente o Espírito Santo é capaz de usar o conhecimento de maneira salvadora e de que ele usa pregadores cheios de fé e confiança em Deus serve para manter o intelecto do pregador submisso à obediência de Cristo (2Co 10.5). Existe o risco real de que o pregador acabe adotando uma forma de deísmo evangélico,[1] em que racionaliza a falta de resultados de sua pregação e a falta de respostas a suas orações. Esse tipo de deísmo não vê valor na oração para conversão de pecadores e para a edificação da igreja por meio da pregação, e entende o ministério e seus resultados como consequência lógica da aplicação dos meios apropriados.

Em contraste, o pregador cheio do Espírito Santo está aberto à ação sobrenatural de Deus mediante sua pregação e humildemente reconhece

---

[1] Deísmo foi um movimento teológico do século 17 que, embora defenda a existência de Deus e a criação do mundo por suas mãos, alega, por influência do naturalismo e do racionalismo, que Deus já não atua no mundo, deixado para funcionar, por si só, sob o controle das leis naturais. O deísmo rejeita, portanto, os milagres bíblicos, o conceito de revelação e de inspiração das Escrituras, e qualquer forma hoje de sobrenaturalismo.

que quaisquer resultados obtidos por meio de seu labor vêm da ação poderosa do Espírito Santo, e assim sempre dará toda glória a Deus.

Quando falamos da ação sobrenatural do Espírito Santo na pregação nos referimos à iluminação da mente do pregador para entender o sentido salvador do texto bíblico e ao poder espiritual que o capacita a transmiti-lo com ousadia e convicção. Creio que isso foi o que Jesus prometeu a seus discípulos no sermão escatológico, quando fossem presos e julgados pelas autoridades: "Falem apenas o que lhes for concedido naquele momento, pois não serão vocês que falarão, mas o Espírito Santo" (Mc 13.11). Antes, o Senhor já havia prometido aos discípulos que o Espírito Santo "lhes ensinará todas as coisas e os fará lembrar tudo que eu lhes disse" (Jo 14.26). Isso inclui trazer à mente do pregador conexões com outras doutrinas bíblicas que ele não havia percebido durante a preparação. Estêvão, cheio do Espírito Santo, pregava em Jerusalém de forma que nenhum de seus adversários "era capaz de resistir à sabedoria e ao Espírito" pelo qual ele falava (At 8.10). Pelo Espírito, o pregador pode contar com percepções imediatas que tornem sua pregação adequada às necessidades dos ouvintes. Não é raro assim escutar ao fim de um culto: "Pastor, a sua pregação hoje foi exatamente o que eu estava querendo e precisando ouvir!".

Com isso não estou querendo dizer que o Espírito Santo ensinará ao pregador, miraculosamente, gramática grega e hebraica, ou que lhe transmitirá diretamente conhecimento de história, arqueologia e literatura. Isso se obtém pelo estudo, pelo preparo do intelecto, como já mencionamos. Quero dizer que o Espírito capacita o pregador a organizar os pensamentos, a escolher as palavras, a argumentar claramente a fim de que a mente e o coração dos ouvintes sejam persuadidos e ganhos para a fé em Cristo. Quantas vezes tenho experimentado isso nesses anos de pregação! Clareza de mente, fluência, palavras certas, argumentos convincentes — nada que eu houvesse planejado de antemão ou me preparado com antecedência, mas que simplesmente me veio à mente no ato da entrega da Palavra de Deus. Creio que todo pregador da Palavra já sentiu isso também. É o tipo de experiência que nos leva, ao final do sermão, a dar glória a Deus, em vez de nos autocongratular.

Definidos os extremos, vejamos agora os perigos que cada um deles pode trazer quando dissociado de sua contraparte. Os riscos do intelecto sem espiritualidade são muitos, a começar da dependência carnal do próprio conhecimento. Como Paulo advertiu: "o conhecimento leva ao orgulho" (1Co 8.1). Ele preveniu Timóteo acerca daqueles que "querem ser conhecidos como mestres da lei, mas não sabem do que estão falando, embora o façam com tanta confiança" (1Tm 1.7). Não estou dizendo que todo pregador que obteve conhecimento, inclusive graus acadêmicos como mestre e doutor, seja necessariamente arrogante e vaidoso. Estou apenas dizendo, por experiência própria, que a tentação sempre estará lá. Outro risco do intelecto sem espiritualidade é a transformação do sermão em estudos acadêmicos, defesas de tese, artigos teológicos, como se o púlpito fosse uma mesa e a congregação a banca de examinadores. Pregadores assim são merecidamente apelidados de "teólogos de gabinete".

Há pregadores obcecados com a precisão teológica. Embora ela seja necessária, isso os leva a permanecer em seu gabinete, mostrando pouco interesse pelo lado prático e experimental do cristianismo, envolvendo-se com metodologias complexas, seguindo a letra de sua teologia sistemática e confissão de fé, pouco conhecendo do Espírito que iluminou a composição de tais documentos. Pregadores que assim desfilam seu vasto conhecimento teológico trazem coisas incompreensíveis a seu público, e seus sermões, monótonos e longos, não produzem nenhum efeito prático na vida daqueles a quem foram confiados. Já mencionamos que é um dom raro a capacidade do pregador erudito de trazer ao púlpito comida palatável, e de antemão preparada, para seu povo.

A ciência moderna também constitui um desafio para o pregador que deseja maior instrução acadêmica, a fim de preparar o intelecto para o serviço de Deus. Não são poucos os pregadores que, na busca por qualificação em cursos de teologia, acabaram sucumbindo às pretensões da chamada ciência moderna, passando a acreditar, por exemplo, na evolução darwinista como o mecanismo usado por Deus para a criação do mundo, e sendo levados, assim, a alegorizar os primeiros capítulos de Gênesis. Na realidade, não existe conflito verdadeiro entre a ciência e a fé cristã. O conflito existe entre o cientificismo materialista atual e o relato bíblico da criação.

A ciência moderna, por assim dizer, teve origem na Europa da Idade Média, nas pesquisas de cristãos comprometidos com as Escrituras que desejavam aprender mais sobre Deus no livro da criação ao estudar a natureza e as leis que a regiam. Foram eles que nos deram os modernos ramos da ciência. Segundo pesquisas citadas por Alister McGrath, realizadas em Paris nos primeiros séculos posteriores à Reforma protestante, em uma população constituída de 60% de católicos e 40% de protestantes, somente 18% dos membros da Academia de Ciências de Paris eram católicos, contra 82% protestantes. Em Londres, na mesma época, a Sociedade Real de Ciências era dominada por pastores e pesquisadores puritanos. As pesquisas indicam que, durante os séculos 16 e 17, tanto as ciências físicas quanto as biológicas eram controladas por calvinistas.[2]

Todos esses pesquisadores e cientistas haviam sido influenciados pela Reforma protestante, especialmente pela obra de João Calvino. Somente depois da invasão do materialismo naturalista e evolucionista na academia é que os pressupostos cristãos do conhecimento foram abandonados, embora até hoje a ciência moderna se aproveite de seus resultados. Infelizmente, pregadores sem espiritualidade em busca de intelectualidade acabam se tornando presa fácil do apelo da falsa ciência e acabam por negar os fatos bíblicos. Os heréticos que se infiltravam na igreja de Colossos tinham como chamariz para seus falsos ensinos a alegação de serem racionais, filosóficos e lógicos, querendo assim enredar a mente dos crentes da cidade. Paulo teve de avisá-los nestes termos: "Não permitam que outros os escravizem com filosofias vazias e invenções enganosas provenientes do raciocínio humano, com base nos princípios espirituais deste mundo, e não em Cristo" (Cl 1.8).

Não é incomum que pregadores, crentes verdadeiros, esfriem na fé durante os estudos teológicos. Já mencionei o receio que tive de entrar no seminário e perder o fervor evangelístico. Durante anos como professor de teologia, observei o esfriamento gradativo do fervor e da dedicação de jovens seminaristas — recém-oriundos de suas igrejas, onde eram líderes dos adolescentes e da mocidade — à medida que liam livros teológicos e realizavam pesquisa acadêmica rigorosa, trabalhos extensos e monografias em tópicos teológicos dos mais diversos, complexos e difíceis. Alguns abandonaram o seminário. Outros, até mesmo a igreja. E, ainda, dos que chegaram ao final, alguns saíram do seminário bastante diferentes de como entraram no que se refere à sua devoção a Deus, às disciplinas espirituais e à busca da plenitude do Espírito Santo.

Não estou dizendo que se trata de uma relação inevitável de causa e efeito. Seminários não roubam necessariamente o fervor dos alunos. Posso testificar que muitos seminaristas cresceram e se desenvolveram tanto acadêmica como espiritualmente durante os anos do seminário, e

---

[2] Ver Alister McGrath, *A vida de João Calvino* (São Paulo: Cultura Cristã, 2009), p. 286.

saíram para os campos de trabalho cheios de fervor e de zelo pela causa de Deus. Estou apenas dizendo que os estudos teológicos, se não conduzidos corretamente, podem produzir uma intelectualidade árida e sem espiritualidade. Por isso é importante que cada estudante de teologia tenha como tutor eclesiástico um pastor experiente, que o acompanhe, ore com ele e converse com ele constantemente para averiguar seu estado espiritual.

Dou graças a Deus que essa prática era adotada no seminário onde cursei o bacharel em teologia. Na verdade, o então reitor do seminário, pastor Francisco Leonardo, havia instituído a prática de elegermos alunos como responsáveis por outros alunos, tanto pela vida acadêmica quanto espiritual, devendo prestar relatórios constantes à diretoria. Eles eram chamados de *gregoronos*, do termo grego que significa vigiar, guardar. Foi uma prática abençoada, que nos ensinou a cuidar uns dos outros para evitar que caíssemos no intelectualismo árido e no conhecimento sem espiritualidade. Lembro-me das reuniões de oração, das vigílias e dos encontros para estudos bíblicos entre nós, alunos, que serviram para me manter firme no desejo de servir a Deus, cheio do Espírito Santo.

Vejamos agora o outro lado, a espiritualidade que despreza o intelecto. Muita gente confunde espiritualidade com emocionalismo, com experiências envolvendo os sentidos, com manifestações extraordinárias de dons espirituais. Embora não neguemos que tais coisas possam acontecer como resultado da ação direta do Espírito Santo na vida de alguém, seria equivocado sempre associá-las com a genuína espiritualidade. Para alguns pregadores, um sermão nada mais é do que emocionalismo. Levantar a voz torna-se um sinal da unção. Em vez de se dedicarem a expor o texto bíblico, fazem aplicações e mais aplicações sobre a necessidade de sentir algo, um calor, calafrios, reações físicas (como cair no Espírito). Se não houver gritaria e emoções, o sermão foi "frio" e sem unção.

A igreja de Corinto se gabava de sua espiritualidade porque durante os cultos havia manifestações de dons espirituais, como línguas e profecias, o que a levava até mesmo a se considerar mais espiritual que o próprio apóstolo Paulo. Entretanto, na primeira carta que Paulo lhes escreveu, ficou claro que a igreja era carnal: havia divisões entre os membros, imoralidade, indisciplina, disputas internas sobre questões de liberdade de consciência e até mesmo um grupo que negava a ressurreição dos mortos (1Co 3.1-3).

Em nossos dias, muitos pregadores se mantêm ignorantes em história da igreja, em teologia, estudos bíblicos e exegéticos, e em todos os tesouros do conhecimento adquiridos durante dois mil anos de existência da igreja cristã. Em nome da unção do Espírito Santo, desprezam o que o Espírito Santo vem ensinando aos servos fiéis de Jesus Cristo ao longo de dois milênios. O que se observa na prática é a dolorosa realidade de que o pregador que enfatiza somente a espiritualidade prega sermões superficiais, em que confunde gritaria com espiritualidade e frases de efeito com verdade bíblica. Por falta de preparo teológico e de um estudo mais aprofundado da história da igreja e da doutrina cristã, muitos pregadores são incapazes de ajudar os crentes a enfrentar os falsos profetas infiltrados nas igrejas evangélicas e de discernir quem está dizendo a verdade ou não.

Costumo ilustrar isso com um tuíte que recebi certo dia de uma mulher que dizia: "Meus dois pregadores prediletos são Edir Macedo e Augustus Nicodemus". A falta de discernimento da irmãzinha era evidente, e ela é apenas um exemplo de milhares de outros crentes em nosso país que não conseguem discernir entre correntes teológicas e visões bíblicas diferentes por lhes faltarem pastoreio, doutrinação, discipulado e ensino por parte de pastores que, em seu púlpito, bradam contra doutrina e teologia, dizendo que "a letra mata".

Em resumo, o intelecto deve ser usado para descobrir, entender e organizar o conhecimento de Deus e do mundo, conforme nos está revelado nas Escrituras e na criação. A espiritualidade nos mantém humildes e desejosos de usar esse conhecimento para a glória de Deus e o bem do próximo. O poder do Espírito nos capacita a pregar a Palavra de Deus com entendimento e sabedoria.

O uso de citações de outros autores

Ainda dentro de nosso tema sobre intelecto e espiritualidade, examinemos uma das evidências de preparo intelectual: a citação, na pregação, de diferentes autores sobre determinado tema. Embora o pregador possa citar nominalmente em seu sermão autores e teólogos conhecidos, não deve fazê-lo de modo a deixar a impressão de que todo seu argumento repousa sobre a autoridade deles. Uma das coisas que impressionou os judeus da época de Jesus foi exatamente o fato de que ele pregava diferentemente dos mestres rabinos e escribas. Enquanto estes, para provar seu argumento, faziam citações incontáveis de rabinos famosos em suas falas nas sinagogas, o Senhor Jesus falava por autoridade própria, autoridade que vinha de Deus (Mt 7.29). Reitero, contudo, que não estou descartando citações de outros autores, apenas recomendando muito cuidado ao fazê-lo.

Pregadores de linha reformada são conhecidos, no geral, por gostarem muito de ler livros de teologia sistemática, teologia bíblica, história da igreja e sobre outros tópicos doutrinários. É inevitável que o conhecimento adquirido em suas leituras acabe, de alguma forma, permeando os sermões. A tentação de usar o argumento da autoridade é muito grande. Não é raro ouvirmos pastores reformados fazerem, em seus sermões, citações intermináveis de frases de reformadores ou de puritanos, ou ainda trechos das grandes confissões reformadas. Se, por um lado, essa prática serve para mostrar que a doutrina do pregador é reformada, por outro, a autoridade de seu sermão repousará sobre o que esses autores e documentos dizem. Se, porém, o pregador fizer seu dever de casa, interpretar o texto com clareza, expor seu sentido à igreja e só então fizer algumas citações de apoio a seu trabalho, não vejo problemas nelas.

A tentação é particularmente aguda para os pregadores que estão fazendo mestrado ou doutorado. Certa vez, Martin Lloyd-Jones disse que uma das características dos autores reformados é a grande quantidade de notas de rodapé em suas obras, indicativas de quanto leram e se prepararam para escrever. O risco, porém, é o pregador reformado não conseguir fazer distinção entre um trabalho acadêmico, cheio de notas de rodapé com citações, e uma exposição bíblica feita no culto de sua igreja, onde haverá pessoas simples e sem a mesma instrução. Geralmente os crentes vão à igreja para ouvir o que os autores bíblicos querem dizer, por isso o pregador deve usar com parcimônia citações de pregadores e autores extrabíblicos. Mais uma vez, podemos aprender com o exemplo do apóstolo Paulo, que além de usar referências de outros autores de maneira econômica, não cita nomes — como Aratus, Cleantes (At 17.28), Epimênides (Tt 1.12) e Menander (1Co 15.33), autores e filósofos conceituados de sua época.

A questão está em se a citação nominal de autores lidos pelo pregador pode contribuir para a eficácia do sermão. Muitos pregadores fazem citações de autores famosos e conhecidos para se valer do chamado "argumento da autoridade". Em outras palavras, quando você faz citações de um autor respeitado, cuja autoridade seja reconhecida, que corroboram suas afirmações, você está, por assim dizer, encerrando o assunto. Funciona mais ou menos assim: o pregador apresenta um ponto e em seguida acrescenta citações corroborativas de teólogos famosos, de modo que o argumento maior para que as pessoas aceitem as afirmações do pregador está não tanto em sua argumentação e capacidade de convencimento, mas na autoridade de outras pessoas.

O problema com esse tipo de argumento é que ele corta dos dois lados. Pessoas de pensamento contrário também poderiam citar teólogos e autores famosos que pensam de maneira diferente. Se alguém me disser que o batismo por imersão é o correto porque John Piper acredita assim, posso tranquilamente responder que o certo é por aspersão, pois assim o acreditam Timothy Keller e R. C. Sproul. E agora? Portanto, é bom não usar em demasia citações de autores e teólogos conhecidos. Além disso, boa parte de nossa congregação provavelmente não conhece esses nomes, o que torna esse apelo inócuo.

Creio que esta discussão é oportuna para voltar a tratar da questão do uso de bagagens extrabíblicas na pregação, para muitos uma prática inaceitável. Embora não veja problema nisso, creio que existem algumas regras que precisam ser observadas. Primeiro, é necessário que o pregador lembre sua audiência do conceito de graça comum, ou seja, que Deus abençoa com virtudes, habilidades, conhecimentos e verdade pessoas que nem ao menos aceitam sua existência. Assim, o ateísmo de alguém que escreveu uma verdade não impede que eu a cite. Toda verdade é de Deus, ainda que na boca de um ateu. Poucos anos atrás, fiz uma avaliação do livro *Mind and Cosmos* [Mente e cosmos], cujo subtítulo provocante poderia ser assim traduzido: "Por que a concepção neodarwinista materialista da natureza é quase que certamente falsa".[3] Seu autor, Thomas Nagel, filósofo ateu professor da Universidade de Nova York, aponta as fragilidades do materialismo naturalista que serve de fundamento para as pretensões neodarwinistas de construir uma teoria do todo. Em outras palavras, Nagel detona o evolucionismo darwinista, sem, contudo, abraçar a existência de Deus e o criacionismo.[4] Muitos dos argumentos dele

---

[3] Thomas Nagel, *Mind and Cosmos: Why the Materialist Neo-Darwinian Conception of Nature Is Almost Certainly False* (Oxford: Oxford University Press, 2012).
[4] Ver minha análise em "Coisas que até um ateu pode ver", *O Tempora! O Mores!* (blog), 30 de janeiro de 2013, <http://tempora-mores.blogspot.com/2013/01/coisas-que-ate-um-ateu-pode-ver.html>. Acesso em 27 de fevereiro de 2023.

contra o evolucionismo darwinista são os mesmos defendidos pelos criacionistas ou adeptos do *design* inteligente. Eu não teria problema em citar Nagel em um de meus sermões, se essa citação servisse para mostrar que existem coisas que até um ateu pode ver. Provavelmente faria, antes, uma breve alusão à doutrina da graça comum para aliviar o desconforto de alguns, e faria a ressalva óbvia, e necessária, de que a citação não implica concordância com o restante do livro ou com o pensamento desse autor. Esse cuidado é importante. O pregador precisa ser sábio, por exemplo, para evitar citações de ou menção a nomes polêmicos em épocas de crise política. Políticos podem dizer verdades, mas o nome deles geralmente está associado a determinadas agendas que dividem até mesmo as igrejas.

Confesso que, pessoalmente, mesmo com todos os cuidados mencionados, sinto-me desconfortável em fazer citações de pessoas descrentes reconhecidamente imorais, corruptas, incrédulas, violentas ou consideradas cristãs mas de péssima teologia. Mas, como já disse, observados os devidos cuidados, não há impedimentos. Acredito que se trata de algo de foro íntimo, de pregador que não deseja dar nenhum motivo de ofensa ou desviar o foco da pregação. Quando pregadores citam, por exemplo, frases de Frei Betto ou de Leonardo Boff sem deixar claro que não se alinham com a teologia deles, pode ficar a impressão de que concordam com a teologia da libertação.

Em busca de humildade

Creio que este é o momento correto para tratar dessa temática, já que estamos falando de intelectualidade e de seus perigos, que inclui a soberba. O fato mais interessante a respeito da humildade é que ela não se reconhece. Uma pessoa humilde não percebe que é humilde. Por isso muitos estudiosos do Antigo Testamento consideram que a referência a Moisés em Números 12.3 ("Ora, Moisés era muito humilde, mais que qualquer outra pessoa na terra") não poderia ter sido escrita por ele, mas trata-se de uma interpolação de algum revisor do Pentateuco, durante o processo de transmissão do texto.

A verdade é que talvez não exista um lugar onde a tentação para a vaidade seja maior do que o púlpito. O pregador ocupa naturalmente um lugar de visibilidade, uma posição de autoridade, o que acarreta elogios, agradecimentos, submissão e admiração de muitos. A tentação de o pregador se julgar alguém diferenciado e superior é constante, sobretudo se está consciente de que realmente prega bem, melhor que a média dos demais pastores (aliás, nunca conheci um pregador que não pensasse assim a seu respeito). É conhecida a história atribuída a Spurgeon — não sei se é verdadeira — de que, ao término de uma de suas pregações, ao receber o seguinte elogio de uma pessoa à saída da igreja: "O senhor é o maior pregador do mundo", ele teria respondido: "Eu sei, foi a primeira coisa que o diabo me disse quando desci do púlpito".

Todo pregador sabe que a humildade é uma virtude apreciada e requerida pelas igrejas onde prega. Assim, a tentação de parecer humilde sempre estará presente. A falsa humildade é, porém, uma realidade. Paulo menciona aqueles que "insistem em uma humildade fingida" (Cl 2.18). Lembro-me de uma história (não posso afirmar sua veracidade) sobre um pastor muito humilde que recebeu uma medalha de sua igreja contendo os dizeres: "Honra ao mérito em humildade". No domingo seguinte, o pastor pendurou-a no pescoço, o que levou a congregação a tomá-la de volta! A falsa humildade se esconde atrás da aparência de piedade, de comparações desfavoráveis com outros pregadores e da negação de suas reais virtudes. É como o diálogo em que a irmã diz: "Pastor, o senhor prega muito bem!", ao que o pastor responde: "Que nada, irmã, é generosidade sua", mesmo estando ciente de que é realmente um bom pregador. A falsa humildade cedo ou tarde é desmascarada. Não conseguimos fingir por muito tempo o que não somos. O assunto é sério, pois a arrogância e a vaidade são as principais causas da queda de pregadores. "O orgulho precede a destruição; a arrogância precede a queda" (Pv 16.18).

A humildade não consiste em negar nossas virtudes e habilidades concedidas pelo Espírito Santo, mas em ter uma autoavaliação justa e correta, como pregadores, e atribuir o mérito e a glória a Deus naquilo em que somos mais excelentes que os outros. Em resposta aos coríntios, que faziam comparações entre ele, Apolo e Pedro, o apóstolo Paulo escreveu: "O que vocês têm que Deus não lhes tenha dado? E, se tudo que temos vem de Deus, por que nos orgulharmos como se não fosse uma dádiva?" (1Co 4.7).

Estou consciente de que Deus me deu habilidade de expor a Bíblia com profundidade e clareza, provavelmente de forma mais eficiente que uma parte de meus colegas pregadores. Se eu negar isso, entristecerei o Espírito Santo que me capacitou com seus dons. Serei ingrato com a providência de Deus, que me permitiu estudar em excelentes escolas de teologia e me cercar de tutores e mestres sábios. Ofenderei o Cristo que me agraciou com o dom de mestre, como ele fez com tantos outros irmãos. Estou consciente de que existem outros pregadores mais hábeis que eu. Procuro diariamente agradecer a Deus por eles e orar por seu ministério. Isso evita em grande parte a tentação da comparação, e a consequente inveja.

Algumas pessoas comentam nas redes sociais que me consideram uma pessoa humilde. Francamente, elas não me conhecem. Conhecem apenas meus sermões e textos. Se perguntassem à minha esposa, teriam uma avaliação mais correta de mim! Elas desconhecem que, se há alguma humildade em mim, é porque Deus diariamente me recorda quem eu sou — um pecador indigno, salvo pela graça — mediante sofrimentos, provações, derrotas e tristezas, algo parecido com o que ele fez com o apóstolo Paulo: "para evitar que eu me tornasse arrogante, foi-me dado um espinho na carne, um mensageiro de Satanás para me atormentar e impedir qualquer arrogância" (2Co 12.7).

Em luta contra a vaidade

Falamos sobre humildade, falsa humildade e soberba. Agora queria voltar-me à questão prática: como o pregador pode se manter humilde diante de Deus e dos homens? As sugestões que aqui ofereço não são de alguém que conseguiu, mas de alguém que tem lutado por isso durante seus quarenta anos como pregador. Trata-se muito mais de um testemunho que um sermão.

Primeiro, se você ainda não é casado, case com uma mulher que não esteja impressionada com seus dons de pregador e que seja honesta o suficiente para lhe dizer a verdade sobre seus sermões. Meu sogro costumava dizer aos alunos do seminário que todo pregador sofre de "balonite aguda" — doença crônica que o faz inchar pela empáfia, na crença de ser o melhor pregador da região. Bem-aventurado é aquele que se casa com uma esposa que já vem armada com um alfinete, ferramenta indispensável para furar o balão de seu marido pregador no caminho de volta para casa, depois do culto. Agradeço diariamente a Deus pela esposa que me deu. Inúmeras vezes, quando voltamos para casa, inflado pela consciência de ter pregado um excelente sermão, pergunto a ela o que achou da mensagem, esperando ouvir um elogio que venha massagear meu ego.

Invariavelmente, sua resposta é algo como "já ouvi melhor", ou "foi mais ou menos", ou, ainda, "você poderia ter dito também isso ou aquilo", ou simplesmente "foi bom", ou "não foi tão ruim". *Puffff...* apesar de ficar chateado, recobro o bom senso e caio na real.

Segundo, ore muito ao Senhor pedindo que ele não permita que a vaidade domine sua vida, mas que o mantenha humildemente em seu lugar. Se sua oração for sincera, esteja preparado para alguns dos métodos que Deus usa para responder a esse tipo de oração, que incluem sofrimento e dor, embora não exclusivamente. Quando Manassés, rei de Judá, se exaltou diante de Deus, o Senhor enviou inimigos que o capturaram e levaram com ganchos para a Babilônia. Lá, "em sua angústia, Manassés buscou o Senhor, seu Deus, e se humilhou com sinceridade diante do Deus de seus antepassados". Deus, então, teve misericórdia dele e o levou de volta a Judá (2Cr 33.12-13).

Doenças, dificuldades financeiras, tragédias, oposição ao ministério, críticas e calúnias costumam abater o pregador, jogá-lo no pó e na cinza, e fazê-lo reconhecer sua pecaminosidade e depender somente do Senhor. Pouca gente sabe que Spurgeon, considerado um dos maiores pregadores que o mundo já teve, sofria de profunda depressão, que o abatia e prostrava no leito.[5] Muitas vezes ele foi pregar carregado por seus fiéis diáconos, e assumiu o púlpito em grande fraqueza, temor e tremor. Por mais doloroso que tenha sido, o sofrimento serviu para mantê-lo humilde em seu extraordinário ministério. Deus podia usar um Spurgeon abatido, mas humilde. No entanto, não poderia usar um Spurgeon alegre, mas vaidoso. Em muitos casos, a escolha está entre um e outro — nem sempre podemos ter o melhor dos dois mundos: paz e humildade.

Terceiro, ore por outros pregadores que você sabe serem grandemente usados por Deus. Agradeça a Deus pelo ministério deles. Interceda para que Deus continue a usá-los poderosamente. Peça que o Senhor os livre da queda. Rejeite toda e qualquer tentação de comparação. Uma das mais comuns é comparar o número de seguidores nas redes sociais. Confesso que já fiz isso e recebi merecida repreensão da minha esposa vigilante. Melhor é agradecer ao Senhor pelo privilégio de ser um dos muitos pregadores que ele tem levantado e lembrar o que Paulo disse sobre seus

---

[5] Ver Zack Eswine, *A depressão de Spurgeon: Esperança realista em meio à angústia* (São José dos Campos, SP: Fiel, 2021).

colegas pregadores em 1Coríntios 3.5-7: "Afinal, quem é Paulo? Quem é Apolo? Somos apenas servos de Deus por meio dos quais vocês vieram a crer. Cada um de nós fez o trabalho do qual o Senhor nos encarregou. Eu plantei e Apolo regou, mas quem fez crescer foi Deus. Não importa quem planta ou quem rega, mas sim Deus, que faz crescer".

Quarto, tenha sempre a cruz de Cristo diante de você. Leia e medite em seus sofrimentos vicários. Leia e medite em sua ressurreição. Reflita e tome posse da verdade bíblica de que estamos unidos com ele em sua morte e ressurreição. Essa é a fonte do poder espiritual para mortificar o orgulho, viver em humildade e pregar a Palavra com poder. Já disse que comecei a pregar bastante cedo, logo após minha conversão. Antes de entrar no seminário eu já pregava em congressos de confederação de jovens, encontros de pastores, eventos com pregadores conhecidos da época. Eu era um bom pregador e infelizmente sabia disso. Vivia uma luta constante contra a vaidade. Recentemente, estive lendo com minha esposa as cartas que trocamos durante o tempo em que éramos namorados — a mesma época em que entrei no seminário. Em muitas das cartas eu confidenciei a ela minha luta contra a vaidade e o orgulho. Por mais que me esforçasse, nem sempre conseguia esconder a soberba do meu coração. Um dia, o reitor do seminário, pastor Francisco Leonardo, me chamou ao seu gabinete. Entrei tremendo. Eu estava no primeiro ano do seminário e namorava a Minka, uma de suas filhas! Sentamos e ele começou a me fazer algumas exortações de que não me recordo direito. De repente, ele pediu que eu lesse os dizeres de um quadrinho, do tamanho de um telefone celular, que estava pregado na soleira atrás da porta, cerca de um palmo de altura do chão. Como sou alto, tive de me ajoelhar para poder ler. Era um quadro que havia sido feito em Uganda durante o avivamento espiritual influenciado pelo movimento de Keswick e que trazia as palavras de Paulo em Gálatas 2.20: "Não sou EU quem vive, mas CRISTO vive em mim".[6]

---

[6] Durante o grande avivamento espiritual ocorrido em Uganda na década de 1930, no qual milhares de pessoas se converteram, a conhecida autora holandesa Corrie ten Boom visitou o país para descobrir o segredo daqueles cristãos e de uma igreja que, apesar de perseguida e martirizada, crescia e transbordava de crentes fiéis. A resposta que ela obteve de um dos líderes foi o texto de Gálatas 2.20: "Não eu, mas Cristo". Aquela igreja aprendera o significado da morte para o eu. Para que Cristo viva plenamente em nós, é necessário que renunciemos a nós mesmos. Milhares de quadrinhos com esse desenho e a frase de Paulo foram impressos e distribuídos durante o avivamento.

A letra E de "eu" representava um homem em pé, cabeça erguida em orgulho e cerviz endurecida. A letra C de "Cristo" era as costas de um homem curvado de joelhos. O contraste era claro e a mensagem também: eu deveria mortificar meu ego arrogante mediante a comunhão com o Cristo que se humilhou por mim. Enquanto eu refletia, ajoelhado ali, por alguns segundos sobre o que estava vendo, senti as mãos do pastor Francisco sobre minha cabeça, e ele começou a orar a Deus, para que me fizesse um servo humilde como Cristo e me livrasse de uma cerviz endurecida. Aquela experiência foi marcante para mim e para muitos outros seminaristas que foram chamados ao escritório do reitor. Guardo uma cópia desse quadro comigo até o dia de hoje.

Quinto, o pregador deve ter cuidado com o uso de ilustrações pessoais em seus sermões, especialmente aquelas que falam de vitórias, sucesso e crescimento, a fim de não dar a impressão de estar se vangloriando. Se vamos falar de nós mesmos, que seja com modéstia. Pregadores que enchem seu sermão com referências pessoais inevitavelmente darão essa impressão. Como já vimos no capítulo sobre ilustrações, existem muitos outros lugares de onde podemos tirar as histórias que ilustrarão nossa mensagem.

O pregador também deve usar com cuidado sua habilidade retórica. Há pregadores tão hábeis no falar que chamam atenção muito mais para si do que para o Senhor Jesus, o assunto de sua mensagem. É interessante que a Bíblia mencione apenas um pregador como "eloquente", Apolo de Alexandria (At 18.24). A eloquência de Apolo talvez justificasse a criação de um fã-clube em Corinto (1Co 1.12). Não estou nem por um momento sugerindo que ele fosse um exibicionista de sua oratória. Sua eloquência devia ser um dom natural, desenvolvido por sua educação em Alexandria.[7] Era inevitável que chamasse a atenção e fosse admirado. Moisés, em contrapartida, se referiu a si mesmo desta forma: "Não consigo me expressar e me atrapalho com as palavras" (Êx 4.10). Contudo, seus sermões ao povo de Israel antes da entrada dos judeus na terra prometida, registrados em Deuteronômio, são eloquentes, vigorosos, poderosos e cheios

---

[7] A cidade de Alexandria era conhecida pela valorização das artes, da cultura e da retórica. Foi lá que mais tarde surgiu a escola cristã de Alexandria, uma espécie de escola preparatória para pregadores, caracterizada pela interpretação alegórica das Escrituras, da qual Orígenes é seu representante mais conhecido.

de autoridade. A eloquência e a retórica são valiosas e podem ser postas a serviço do pregador, desde que não se tornem um fim em si mesmas, uma exibição de oratória.

Sexto, o pregador pode tirar muito proveito da meditação nas grandes doutrinas da graça, como depravação total, eleição incondicional e chamado irresistível. Essas doutrinas, que são parte dos chamados "cinco pontos do calvinismo",[8] quando entendidas corretamente, têm o efeito de humilhar profundamente o pregador — na verdade, os cristãos em geral. Não quero dizer com isso que não calvinistas não podem ser humildes, mas que as doutrinas calvinistas, se corretamente pregadas, tendem a humilhar o homem e exaltar a Deus. Quando aceitei a doutrina da eleição incondicional, cerca de dois anos após minha conversão, senti profunda humilhação diante de Deus. Percebi claramente que fui salvo somente pela graça dele, e não por alguma coisa que houvesse em mim. Particularmente humilhante foi entender não só que Deus não precisava ter me escolhido entre outros, mas que não sei que razões o levaram a isso. Atribuo minha justificação e regeneração tão somente à ação soberana do Senhor. Não conheço outras doutrinas que mais nos deixem humilhados que essas.

Um pregador reformado arrogante é uma contradição em termos. Sei que há nas redes sociais muitos reformados arrogantes, vaidosos e exibidos, que olham com desprezo para "os pobres ignorantes" que não têm conhecimento dessas doutrinas elevadas. Aborreço esse tipo de atitude, que serve apenas para dar razões aos detratores do evangelho em geral e da fé reformada em particular.

Sétimo, cuidado especialmente com os elogios. Se você é um bom pregador, certamente receberá elogios das pessoas que o ouvem. Elas fazem isso com sinceridade, gratas por terem sido abençoadas por sua pregação. Muitas delas não fazem ideia da tentação que elogios podem representar para o pregador, especialmente para aquele que é popular, conhecido e vive ouvindo elogios, quer presencialmente, quer em comentários nas redes sociais. O sábio escreveu, com base em sua experiência e observação, que "o fogo prova a pureza da prata e do ouro, mas a pessoa é provada pelos elogios que recebe" (Pv 27.21). Significa que a reação da pessoa aos elogios

---

[8] Na verdade, não foi João Calvino quem elaborou esses cinco pontos, mas os calvinistas do século 17, no Sínodo de Dort, em resposta aos cinco pontos dos Remonstrantes, discípulos de Tiago Armínio.

recebidos mostra a realidade de seu coração, se é humilde ou vaidosa. O pregador humilde de coração receberá os elogios, ficará grato e dará toda a glória a Deus. Ele sabe que é somente pela misericórdia de Deus que suas mensagens são instrumentos de salvação e edificação de pessoas. Mas aquele que é vaidoso ficará cheio de autossatisfação, acariciando no íntimo seu ego e agindo como se, de fato, fosse o melhor pregador do mundo. A melhor maneira de lidar com elogios é agradecer sinceramente e dar toda glória ao Senhor, mortificando qualquer sentimento de autoexaltação.

Por último, mas não menos importante, o pregador deve manter comunhão constante com Deus pelos meios de graça, a saber, leitura da Bíblia e oração. O contato constante com a grandeza, a santidade e o poder de Deus nos coloca em nosso devido lugar. Não foi esse o efeito da visão que Isaías teve da santidade de Deus? "Estou perdido! É o meu fim, pois sou um homem de lábios impuros e vivo no meio de pessoas de lábios impuros. Meus olhos, porém, viram o Rei, o Senhor dos Exércitos!" (Is 6.5). Não foi esse, igualmente, o efeito que a percepção da glória de Cristo causou em Pedro? "Por favor, Senhor, afaste-se de mim, porque sou homem pecador" (Lc 5.8). Viver *coram Deo*, na presença de Deus, nos mantém humildes e submissos.

Evitar o profissionalismo

Existe um senso comum de que pregador é uma profissão, se entendemos profissão como aquilo que escolhemos ser e fazer na vida. Nesse sentido, ser pregador é uma profissão como outra qualquer. Eu estava no último ano do curso de desenho industrial na Universidade Federal de Pernambuco. Havia decidido, depois de ter desistido do curso de engenharia elétrica, que seria um *designer* na área da indústria. E essa teria sido minha profissão, se Deus não tivesse me chamado para pregar o evangelho. Após minha conversão, descobri que pregar era o que eu queria fazer na vida. Ser um pregador tornou-se o alvo da minha existência. A isso venho me dedicando há mais de quarenta anos. É minha profissão.

Também usamos o termo "profissionalismo" como excelência e capacidade naquilo que fazemos. Existe uma diferença entre o serviço de um profissional e o de um "curioso", por exemplo, quando você precisa regular o motor do seu carro. O que se espera de pregadores, especialmente daqueles que fizeram cursos preparatórios, desde o bacharelado até o doutorado em teologia, é que sejam bons no que fazem. Que conheçam o assunto, que conheçam a literatura sobre o assunto, que sejam bons intérpretes e pesquisadores da Bíblia, que saibam como preparar um sermão e, mais ainda, como pregá-lo de maneira clara e convincente à sua audiência. A questão é que um pregador pode fazer tudo isso sem nem ao menos ser crente em Cristo, sem nunca ter nascido de novo. Ele pode seguir a rotina semanal de trabalhos de sua igreja, preparar sermões, consultar comentários, elaborar bons esboços e não experimentar realmente em seu coração aquelas coisas que anuncia do púlpito.

Usarei o termo "profissionalismo", portanto, com esse sentido negativo de um pregador que faz seu dever de casa por outros motivos que não sua vocação, seu amor a Deus e ao próximo. Ele pode ser um excelente pregador, um eficiente pastor, um acadêmico competente, mas falta algo em sua ministração, falta aquele fogo que Lloyd-Jones mencionou ao definir pregação como "lógica em chamas". Confesso que muitas vezes subi ao púlpito para pregar com o coração frio e sem sentir absolutamente nada daquilo que pregaria. Mas essas ocasiões eram e são exceção. Pregadores também têm seus dias maus. Problemas de todos os tipos podem afetá-los antes de subir ao púlpito. Mas não me refiro a isso, e sim ao estado constante de aridez espiritual que marca o ministério de não poucos pregadores. O que se espera de quem vai pregar as grandezas da pessoa e obra de Cristo, do ser glorioso de Deus e do poder de seu Espírito é que o faça também com o coração. Que a igreja perceba que ele está falando daquilo em que ele mesmo crê. Que ele está igualmente maravilhado diante do amor de Deus revelado em Cristo. Se a mensagem não aquece seu coração, não aquecerá o coração de mais ninguém.

Existem vários fatores que podem levar ao profissionalismo no púlpito. Primeiro, é possível que alguns "profissionais" nunca se converteram de fato, e entraram no ministério pastoral por motivos errados. Acho que ficaríamos surpresos se pudéssemos saber a quantidade de pregadores não convertidos que estão em atividade. Alguém pode perguntar como isso é possível. A verdade é que poucas igrejas evangélicas tomam cuidados e precauções sérias e radicais para evitar que não convertidos acabem por assumir a liderança de igrejas e finalmente o púlpito. Em alguns casos, novos convertidos são encorajados a pregar e dar testemunho, e em seguida encarregados de dirigir estudos bíblicos, por exemplo, sem que tenham dado mostras consistentes de novo nascimento. Seminários teológicos focam muito mais o preparo intelectual e acadêmico dos alunos do que a piedade e a prática da vida cristã. Além disso, a demanda por obreiros pode levar uma denominação a colocar aleatoriamente em posição de liderança aqueles que se sobressaem como líderes e demonstram alguma habilidade de falar em público.

Pessoas não convertidas a Cristo podem ter sentimentos religiosos, como as grandes religiões mundiais provam. Pessoas não convertidas têm habilidades de oratória e de interpretação de texto, como a existência de falsos profetas demonstra. Fui escolhido orador da minha turma na Escola Primária Batista, no Crato, Ceará, quando tinha cerca de 12 anos. Já era líder de um grupo de motociclistas bem antes da minha conversão a Cristo. Tinha uma facilidade natural de falar em público e de liderar. Na minha conversão, Deus direcionou essas habilidades para o fim correto, que é a glória dele.

São muitos os casos de pregadores que apostataram e abandonaram a fé em Cristo depois de anos de carreira, demonstrando assim que nunca foram de fato crentes em Cristo. Foi isso que o apóstolo João disse acerca dos falsos profetas de sua época, que um dia haviam declarado fé em Jesus Cristo, mas que haviam seguido as doutrinas pré-gnósticas, negando a encarnação: "Eles saíram de nosso meio, mas, na verdade, nunca foram dos nossos; do contrário, teriam permanecido conosco. Quando saíram, mostraram que não eram dos nossos" (1Jo 2.19). Tive colegas de seminário que depois de um tempo no pastorado o deixaram e hoje são ateus. Portanto, não é exagero dizer que uma possível causa do profissionalismo no púlpito seja a falta de um coração regenerado.

Segundo, é possível que pessoas realmente convertidas tenham se tornado pregadores pelos motivos errados e por uma visão errada do que é o ministério pastoral. É uma graça da parte de Deus quando fazem essa descoberta ainda no seminário e desistem dos planos de se tornarem pregadores. O pastor Francisco Leonardo, reitor do seminário onde me formei, costumava orar para que Deus mandasse para o seminário homens realmente vocacionados e que lhe desse a graça, como reitor, de afastar aqueles que não eram. Trataremos mais extensamente da vocação e do salário do pregador adiante. No momento quero deixar apenas a menção de que é possível alguém almejar ser pregador pelos motivos errados, sendo o mais comum o de ter um meio de subsistência. Não são poucos os que encaram o ministério da Palavra como uma profissão de fato, não só para ganhar o pão de cada dia mas também, se possível, para fazer um pé de meia.

Jovens evangélicos que nunca conseguiram passar no vestibular podem se ver tentados a entrar no ministério como um meio mais fácil de ganhar a vida. Afinal, o vestibular do seminário é bem mais fácil que o vestibular de uma boa universidade. Iludem-se pelo fato de alguns pastores ganharem bem e o trabalho pastoral de pregação, aconselhamento e visitação não ser algo tão difícil de realizar. Ademais, o púlpito é um lugar de destaque, e o pregador, em geral, o centro das atenções. Muitos desejam ser conhecidos, reconhecidos e se tornar "alguém", e para alguns deles ser pregador pode parecer o caminho mais rápido e fácil. Todas essas coisas podem levar alguém a se tornar um pregador cujo alvo na vida seja fazer o seu trabalho o melhor que puder em troca de salário, reconhecimento e aplauso. É notório que há pregadores que parecem viver muito mais um cristianismo intelectual que um cristianismo que reflete uma espiritualidade viva e pujante.

Terceiro, o liberalismo teológico pode roubar a vitalidade do ministério do pregador. Liberais não acreditam que a Bíblia é a Palavra de Deus inspirada e inerrante, mas muito mais um texto antigo a ser explicado que uma mensagem divina a ser compartilhada. O liberalismo teológico desveste o evangelho de seu caráter sobrenatural e o transforma em um código moral e ético. Seus pregadores não falam sobre a pecaminosidade inata do ser humano, não chama pecadores ao arrependimento, não avisa dos horrores do inferno. Sua mensagem é muito mais um ensaio sobre temas atuais, como opressão econômica, corrupção política e cuidado com os pobres do que a proclamação das grandes verdades do evangelho, como a justificação pela graça mediante a fé em Jesus Cristo. O foco está mais em debates, conversas, conferências e discussões intelectualoides do que em um real relacionamento pessoal com Jesus Cristo. Não estou aqui sugerindo que assuntos como opressão, justiça e corrupção não sejam importantes. Eles são, sim. Contudo, não representam o que o evangelho é em sua totalidade. Temas sociais devem vir atrelados aos temas que explicam a origem dos problemas humanos e a solução divina para eles, como as doutrinas da corrupção total, justificação pela graça, regeneração do coração humano e suas consequências individuais e coletivas.

Muitos pregadores dependem de suas atividades ministeriais para sobreviver. Isso pode contribuir para que ele as veja como nada mais que seu ganha-pão. Confesso que por vezes exerci minhas atividades como pregador e pastor simplesmente porque era minha obrigação e havia a expectativa da igreja de que eu fizesse meu trabalho — afinal, eu era pago para isso. Mas, pela graça de Deus, essas ocasiões foram raras. Até hoje o trabalho pastoral e de pregador são coisas que me enchem a alma, animam o coração e renovam o espírito. Ainda assim, sei que é possível o pregador cair na rotina de atividades e perder o primeiro amor e a paixão pela pregação e conversão de pecadores e pela edificação dos santos. Para mim, a melhor maneira de evitar isso é guardar comunhão diária com Deus pela leitura das Escrituras e meditação nelas, em oração, mantendo acesa a chama da paixão pela Palavra, como disse o profeta Jeremias: "Sua palavra arde como fogo em meu coração; é como fogo em meus ossos" (Jr 20.9). A leitura de biografias de homens de Deus também ajuda muito, bem como de relatos dos avivamentos espirituais históricos.

O emocionalismo no púlpito

O outro lado do intelectualismo árido é o emocionalismo no púlpito. Se, por um lado, há pregadores que se perdem em seu ego intelectual, há por outro os que se perdem na exacerbação das emoções durante a pregação. Isso levanta a questão legítima acerca dos limites do emocionalismo na pregação. Devemos começar lembrando que as emoções são legítimas e fazem parte do que somos, juntamente com o intelecto, a vontade, a consciência. O problema não está nas emoções, como alegria, deleite, êxtase, tristeza, choro, mas no uso errado delas por parte do pregador. Davi e os demais autores do livro de Salmos registraram inspiradamente momentos de intensa tristeza, choro e angústia, assim como de alegria, júbilo, exaltação e profundo regozijo diante de Deus e dos homens. Enquanto os chamados salmos de lamento (p. ex., 12, 44, 58, 60, 74, 79, 80) expressam tristeza, abatimento e desânimo, os salmos de louvor, gratidão e exaltação (p. ex., 18, 21, 30, 34, 92) transbordam alegria.

Um bom exemplo de pregador veterotestamentário é o profeta Jeremias, conhecido como o "profeta chorão", dada a frequência com que entremeia suas profecias com choro e lágrimas por Israel.

> Quem dera minha cabeça fosse um represa,
>   e meus olhos, uma fonte de lágrimas!
> Choraria dia e noite
>   por meu povo que foi massacrado.
>
> Jeremias 9.1

E, se ainda assim não quiserem ouvir,
   chorarei sozinho por causa de seu orgulho.
Lágrimas amargas se derramarão de meus olhos,
   pois o rebanho do SENHOR será levado para o exílio.

Jeremias 13.17

Noite e dia, meus olhos se enchem de lágrimas;
   não consigo parar de chorar,
pois minha filha virgem, meu povo precioso,
   foi derrubada e está mortalmente ferida.

Jeremias 14.17

Minhas lágrimas correm sem parar;
   não cessarão
até que o SENHOR se incline
   dos céus e veja.

Lamentações 3.49-50

As lágrimas derramadas por Jeremias enquanto proferia suas profecias diante do povo eram fruto da visão recebida da parte de Deus do futuro castigo de Israel por causa da idolatria. A Palavra de Deus de tal maneira moveu o profeta que seu amor pelo povo do Senhor se derramou em abundante choro. Lágrimas resultantes da compreensão da Palavra de Deus sempre são bem-vindas, para o pregador e sua audiência. Como poderemos ser contra as emoções no púlpito, se encontramos abundante registro delas na própria Palavra de Deus? O problema, então, não está nas emoções, mas sim, mais uma vez, no uso errado delas. Podemos viver, sentir e experimentar a vitória sobre as tentações interiores e exteriores. Sentimos e experimentamos grande satisfação, alegria e deleite nas coisas de Deus. Acredito que reações físicas como tremer, chorar, emocionar-se são perfeitamente válidas, se resultantes da pregação da Palavra de Deus na mente e no coração.

Alguns tendem a considerar toda manifestação religiosa emocional como pentecostalismo, esquecidos de que a tradição reformada à qual dizem pertencer reconhece que a ação graciosa do Espírito por vezes produz efeitos profundos em nossa estrutura emocional. Já chorei de alegria diante de Deus ao meditar em sua graça, já solucei amargamente, prostrado, por causa de meus pecados, já senti uma paz que ultrapassa qualquer descrição ao enfrentar grandes tentações. O processo de santificação inevitavelmente passa pelas emoções, e não apenas pela mente. Não compactuo com o emocionalismo, a manipulação e a exploração das emoções, mas não sou contrário às emoções em si.

Então, até que ponto o pregador pode demonstrar emoções no púlpito, como alegria, tristeza, choro? Creio que o maior risco é o pregador tentar demonstrar emoções que não esteja sentindo verdadeiramente, apenas com o objetivo de emocionar sua audiência. Não sou uma pessoa que chora e se emociona com facilidade. Não me lembro de ter chorado alguma vez no púlpito, por mais que tenha sentido em meu coração o poder da Palavra de Deus durante a pregação, mas conheço colegas que choram, genuinamente, com relativa frequência em seus sermões. Sua igreja reconhece e aceita com naturalidade essa expressão do pregador. O problema, como eu disse, é quando o pregador finge estar emocionado com o propósito de afetar sua audiência, ou quando finge estar em êxtase, em profunda elevação espiritual. Outros pregadores erguem a voz, geralmente rouca, gritam frases de efeito, conclamam os ouvintes a levantar as mãos, pular, dançar, gritar, na tentativa de provocar emoções no povo.

Considero esse tipo de procedimento manipulação psicológica indevida. Por trás desse estratagema está a ideia errada de que a presença do Espírito Santo se manifesta na pregação mediante agitação emocional do pregador e da audiência. Quanto mais expressiva a demonstração emocional, mais cheio do Espírito ele supostamente estará, e consequentemente mais poderosa será sua mensagem.

Durante o grande avivamento do século 18 na Nova Inglaterra, ocorreram casos de intensa emoção entre os crentes, durante os cultos. Não eram induzidos ou provocados pelos pregadores, puritanos extremamente sérios, como Jonathan Edwards. Os excessos, fenômenos estranhos e, às vezes, um emocionalismo descontrolado permearam o movimento religioso causando medo, dúvidas e a eventual rejeição do avivamento por alguns ministros. Jonathan Edwards ficou tão preocupado com a possibilidade de serem emoções meramente humanas, quando não induzidas por espíritos malignos, que escreveu um livro, que se tornaria clássico no assunto, sobre as emoções religiosas.[9] Nessa obra, Edwards registra alguns desses casos, como a dificuldade em ficar em pé e falar, o choro pelo pecado,

---

[9] Ver Jonathan Edwards, *Afeições religiosas* (São Paulo: Vida Nova, 2018).

desmaios diante do terror do castigo ou da glória divina, aceleração do coração, lágrimas, tremores e convulsões.

Para Edwards, algumas manifestações não passavam de mero emocionalismo. Outras, o desabar da natureza humana que não conseguia encarar a glória de Deus sem abalar-se. O critério principal usado por ele e outros pregadores para fazer a distinção entre o emocionalismo humano e as verdadeiras emoções era o arrependimento e a mudança de vida da pessoa, uma vez passadas as emoções. É possível que aquela pessoa que durante a semana vive uma vida em pecado seja a mesma que no domingo esteve na igreja chorando durante a pregação ou cantando de olhos fechados.

O alvo do pregador deve ser, antes de tudo, a mente de seus ouvintes, fazer as pessoas entenderem a gravidade do pecado, por exemplo, e o horror do inferno e da ira de Deus. Se entenderem, elas por si mesmas sentirão emoções como medo, anseio, tremor, prostração e lágrimas, que precedem e levam ao arrependimento do pecado e à busca do perdão de Deus em Cristo Jesus. O pregador deve buscar convencer e não comover. Se a pessoa for realmente iluminada, convencida e tocada pela exposição da Palavra, as emoções virão com naturalidade. Não estou dizendo que o pregador não deva buscar tocar o coração dos ouvintes, mas apenas sugerindo que isso deve acontecer na sequência certa. Certa vez ouvi uma ilustração que me ajudou a entender isso. O fato, a fé e a emoção caminhavam em fila, nessa ordem, sobre um muro. Enquanto a fé manteve os olhos no fato, a emoção a seguia, e ambas caminhavam seguras no muro. De repente, a fé tirou os olhos do fato e olhou para trás, para ver se a emoção a seguia. Como resultado, ambas caíram do muro. Isso lembra um pouco a história de Pedro se afogando no mar revolto depois de ter tirado os olhos de Jesus e fitado o bramir das ondas.

O pregador deve tocar o coração dos ouvintes por meio da exposição da Palavra, colocar-lhes os fatos bíblicos e, pela argumentação e comprovação, persuadi-los a crer neles. Como resultado, a emoção seguirá a fé, que está firmada nos fatos bíblicos. Tentar atingir as emoções diretamente, passando por cima do intelecto, poderá produzir resultados espúrios, humanos. Portanto, não somente a pregação como o próprio culto, o ambiente de culto, os louvores e a música devem ser cuidadosamente usados para evitar emocionalismo. Que bênção quando pessoas choram no culto porque caíram sob convicção de pecado e viram quanto ofenderam a Deus! Que bênção quando exultam, se regozijam e cantam de alegria quando recebem o perdão de Deus em sua vida! Que bênção quando se ajoelham silenciosas, lágrimas descendo pelo rosto, maravilhadas diante da majestade de Deus e de Cristo!

O que aconteceu em Jerusalém, após o retorno dos judeus do cativeiro babilônico, é um exemplo disso. Esdras e Neemias lideraram os exilados que retornavam, em uma renovação da aliança com Deus. Durante sete dias, todo o povo se reuniu na cidade enquanto Esdras e os levitas liam e explicavam a Lei de Deus. O resultado foi profundo choro de tristeza pelos pecados, seguido de alegria pelas promessas de Deus.

> Esdras estava sobre a plataforma, à vista de todo o povo. Quando o viram abrir o Livro da Lei, todos se levantaram. [...]
>
> Em seguida, os levitas [...] instruíram o povo acerca da Lei, e todos permaneceram em seus lugares. Liam o Livro da Lei de Deus, explicavam com clareza o significado do que era lido e ajudavam o povo a entender cada passagem. [...] todo o povo chorava enquanto ouvia as palavras da Lei. [...]
>
> Então o povo saiu para comer e beber numa refeição festiva, para repartir o alimento e celebrar com grande alegria, pois tinham ouvido e entendido as palavras de Deus.
>
> Neemias 8.5,7-8,9c,12

Os exilados choraram por seus pecados e se alegraram pelo perdão. Essas santas emoções foram suscitadas pela escuta da Lei de Deus e pelo entendimento de seu significado. É disso que estamos falando.

É importante também mencionar, neste ponto, a atuação dos grupos de louvor. Preguei em igrejas em que me senti profundamente constrangido, antes da pregação, com os esforços do dirigente do louvor em levar a igreja a um estado emocional que ele considerava ideal para ouvir o sermão. Ordens para bater palmas, ficar em pé, fazer declarações às pessoas ao lado, ao mesmo tempo que cantavam com voz embargada, olhos fechados, expressão de choro ou de êxtase, revirando os olhos, levantando as mãos e elevando a voz. O mais grave era que, findo o momento do louvor, o grupo deixava o templo para conversar do lado de fora, e alguns nem sequer retornavam ao culto, dando a impressão de que toda aquela emoção fora mero teatro.[10]

Não creio que seja responsabilidade do dirigente do louvor induzir a congregação a um estado emocional em que as barreiras e resistências psicológicas sejam derrubadas a fim de os crentes ficarem mais receptivos a receber a pregação.[11] Igualmente, não é responsabilidade dele exercer o papel do Espírito Santo após a pregação, levando a audiência a tomar decisões por meio de música de fundo e apelos emocionados.

Talvez aqui seja o momento de também tocar no tema da teatralidade na pregação. Acho que o pregador deve ser o mais natural possível no púlpito. Deve ser ele mesmo. Conheço colegas que, quando começam a pregar, mudam imediatamente o tom da voz. Qualquer impressão de fingimento, falsidade, teatralidade acabará por prejudicar a credibilidade do pregador. Isso vale também para a postura no púlpito. Existem pregadores que são extremamente comunicativos e sabem tirar proveito da postura e da gesticulação. Um caso conhecido é o de John Piper. Se você fizer uma busca na internet por fotos de Piper pregando, dificilmente encontrará alguma em que ele não esteja com os braços no ar! Ele e outros "ilustram" o que estão dizendo com o corpo e as mãos. Trata-se de uma habilidade natural muito útil que nada tem a ver com a teatralidade que mencionei.

Não creio que gesticulações sejam indispensáveis para a eficácia do sermão. Mas ajudam a audiência a "ver" o que você está dizendo. Contudo, a tentativa estudada e proposital de gesticular acaba por envolver o sermão em uma aura de superficialidade. O mesmo poderia ser dito das técnicas de oratória. Em si, podem ser úteis, mas não quando usadas erroneamente para chamar atenção para o pregador e suas habilidades. Em certo sentido, todo pregador é um orador, mas é possível alguém enfatizar tanto a entrega do sermão que acabe por diminuir seu conteúdo. Ao final

---

[10] Ver carta fictícia que escrevi a um jovem pastor sobre o grupo de louvor de sua igreja em *O Tempora! O Mores!* (blog), 10 de julho de 2006, <http://tempora-mores.blogspot.com/2006/07/conselhos-um-jovem-pastor-sobre-o.html>. Acesso em 27 de fevereiro de 2023.

[11] Ver meu artigo "Discípulos ou consumidores", sobre a origem dessa prática nos cultos: <https://thirdmill.org/portuguese/36865~9_19_01_10-01-56_AM~Disc%C3%ADpulos_Ou_consumidores.html>.

de seu sermão as pessoas dirão "que pregador maravilhoso!" em vez de "que Salvador maravilhoso!"

Em resumo, o pregador pode emocionar-se profundamente durante a entrega de sua mensagem, se a emoção resultar do sentir o peso e a glória das verdades que está transmitindo. Contudo, nunca deve fingir estar emocionado, quer chorando quer exultando, pois Deus não honra a mentira e o fingimento. Ao contrário, ele deve evitar provocar emoções na audiência frutos de meras reações humanas a sua retórica, postura, entonação e narrativa de experiências que lidem com o emocional.

Lidar com a tietagem

Um fenômeno já antigo e que tem se tornado cada vez mais comum com o advento das redes sociais é o conhecido como "tietagem". "Tiete", ou fã, é a pessoa que mostra grande admiração por uma celebridade — artista, político, atleta, entre outros. As demonstrações de admiração, em alguns casos, chegam a extremos. Ao assistir ao vídeo de uma apresentação dos Beatles nos Estados Unidos em meados da década de 1960, chamaram minha atenção os gritos e desmaios de moças. Recentemente, em passagem por aqueles países, fui a um *show* de Paul McCartney, no qual ele pediu às mulheres presentes em meio ao público que lotava o estádio que gritassem como faziam na época dos Beatles. Foi uma gritaria quase insuportável!

Numa escala menor, naturalmente, o fenômeno tem chegado ao meio evangélico. Estive em congressos nos Estados Unidos com pregadores como John Piper, R. C. Sproul, John McArthur, Paul Washer e outros, onde igualmente lhes era impossível andar normalmente no meio do povo. Todos queriam uma foto, um autógrafo, um aperto de mão, uma oração. Em eventos menores, os preletores por vezes são solicitados a ficar numa mesa para tirar fotos e assinar seus livros após as palestras. Não poucas vezes, filas enormes se formam para aqueles que desejam uma foto ou assinatura do pregador conhecido.

As pessoas têm diferentes motivos para "tietar" pregadores famosos. Algumas desejam uma foto com aquele pregador que Deus usou em sua vida, uma forma de gratidão e recordação. Outras querem a foto para postar em seu Instagram e enciumar os amigos. Outras, ainda, apenas querem postar nas redes sociais para ganhar mais *likes*. Alguns talvez nunca lerão o livro autografado pelo pregador, mas certamente o exibirão aos amigos. O fato é que o pregador não sabe a motivação das pessoas que o cercam ao final do culto para pedir fotos ou autógrafos, ou apenas um ou dois minutos de atenção para responder a uma pergunta ou ouvir o testemunho delas.

A tietagem traz diversos desafios para o pregador. Primeiro, como lidar com os irmãos e irmãs que desejam fotos e autógrafos depois do culto? Alguns pregadores gostam e aceitam atender, após o culto, até o último fã — às vezes, esse momento estende-se por uma ou duas horas mais. Outros preferem não fazer isso, por motivos pessoais: cansaço depois do culto, necessidade de chegar em casa para descansar ou receio de promover o culto à personalidade, e assim diminuir a glória de Deus. É, de fato, uma decisão complicada e difícil. Às vezes, o pastor da igreja onde o pregador ministrou não percebe o dilema do pregador e anuncia que, ao final, o pregador estará à porta para conversar, tirar fotos, assinar livros etc.! Um pregador internacional famoso esteve algum tempo atrás no Brasil para algumas conferências e começou sua participação anunciando que a missão à qual ele pertencia o proibia de tirar fotos depois das palestras. Não pegou muito bem, mas pelo menos resolveu o problema.

Guardadas as devidas proporções quanto às celebridades mencionadas, já passei por situações engraçadas. Já me refugiei no gabinete pastoral, ao final do culto, mas foi invadido pelos irmãos em busca de fotos. Uma vez, depois de finalmente conseguir entrar no carro para ir embora, tive de frear, pois um irmão entrou pela janela para tirar uma *selfie*! Saindo do local da conferência, cercado por diáconos que procuravam manter os queridos irmãos mais afastados, três ou quatro deles pularam ao meu lado para tirar uma *selfie* enquanto caminhávamos. Isso ocorreu mais de uma vez. Imagino como não deve ser complicado para pregadores realmente famosos!

Outro perigo da tietagem para o pregador é ele se acostumar com isso e até mesmo desenvolver uma apreciação pelas manifestações de admiração. Como já vimos no livro de Provérbios, o homem é provado pelos louvores que recebe. A tietagem pode se tornar um grande teste do caráter do pregador e de suas motivações. É inegável que a tietagem nos traz uma sensação gostosa de ser apreciado, querido e admirado, pois indica que estamos fazendo bem nosso trabalho de pregador. Em contrapartida, podemos nos envaidecer e ser levados a tomar para nós a glória que pertence somente a Cristo. Em todo o tempo, o pregador precisa lembrar do lema de vida de João Batista, o maior nascido de mulher, com referência a Jesus Cristo: "Ele deve se tornar cada vez maior, e eu, cada vez menor" (Jo 3.30).

Um cuidado que pode ser tomado é acertar antecipadamente com os organizadores do evento ou com o pastor da igreja onde se vai pregar a reserva de um local fora do salão de cultos para o período de fotos e autógrafos. Pode parecer algo pequeno, mas serve para dissociar o impacto do culto daquele outro impacto do pregador cercado de gente para tirar *selfies*. Muitos irmãos estranham isso e até chamam de idolatria.

Não tenho problemas com as pessoas que desejam tirar *selfies* comigo ou que eu autografe os livros de minha autoria que elas trazem consigo. Faço com prazer. Não creio que os evangélicos estejam cometendo idolatria ao manifestar apreço por seus líderes. Sei que muitos guardam uma gratidão sincera a Deus pelo meu ministério de pregador. Não custa nada fazer uma breve dedicatória no livro deles. Entretanto, tanto o pregador quanto aqueles que o admiram devem evitar o culto à personalidade, como aquele prestado pelos membros da igreja de Corinto aos pregadores da história recente da igreja, Paulo, Pedro e Apolo. Os coríntios haviam formado grupos em torno desses pregadores a ponto de dizerem: "Eu sou de Paulo", "Eu sou de Apolo", "Eu sou de Pedro" (1Co 1.11, NVI). Chegaram a discutir entre si e a fazer comparações sobre qual seria o melhor pregador. Paulo reprovou seriamente essa atitude dos coríntios envolvendo os pregadores e os considerou uma igreja carnal (1Co 3.1-4). Paulo, Pedro e Apolo nada fizeram que estimulasse esse tipo de tietagem. Paulo chegou mesmo ao ponto de não batizar muita gente na cidade, a fim de evitar a formação de um fã-clube em torno de seu nome (1Co 1.14-15). Mas o culto à personalidade era algo que os coríntios haviam trazido para a igreja, de seu passado de tietagem com os grandes oradores, filósofos e sofistas gregos.[12]

Embora seja muito fácil os cristãos transferirem para seus pregadores prediletos a mesma atitude de fã que desenvolveram com seus atletas, artistas e cantores prediletos, há uma grande diferença: o sucesso do pregador não se deve a seus méritos e esforços, como no caso de um atleta,

---

[12] Ver uma análise desse problema na igreja de Corinto em meu livro *Uma igreja complicada: A natureza do ministério cristão e a unidade da igreja segundo 1Coríntios 1—4* (São Paulo: Cultura Cristã, 2019).

mas ao Deus gracioso que o usa para sua glória. A tietagem pode dar a impressão de que o pregador é o responsável pelo alcance de sua mensagem, quando na realidade ele mesmo sabe que é tudo pela graça e que toda glória deve ser dada a Deus.

Em resumo, existe uma diferença entre apreciação agradecida, que é muito bem-vinda, e qualquer tipo de culto à personalidade, que deve ser rejeitado completamente, quer pelo pregador, quer pela igreja. Não é errado reconhecer e honrar aqueles que Deus tem usado poderosamente para abençoar vidas e edificar sua igreja, mas é preciso ficar claro que a glória é do Senhor Jesus Cristo, que usa pecadores indignos para levar avante seu reino.

Encerro com uma palavra ao pastor que não é tietado. Não foram poucas as vezes que fui pregar em uma igreja e, ao final, quando um membro pede uma *selfie* comigo, o pastor da igreja diz em tom de brincadeira: "Quando não tem pregador de fora vocês nunca pedem uma foto comigo". A brincadeira pode revelar um sentimento íntimo do pastor de não valorização por parte de seus membros. Creio que existem muito pastores fiéis, que servem a seu rebanho com dedicação e sacrifício, e que não recebem suficiente reconhecimento de seus membros. Ainda que não pastoreiem pelo aplauso dos homens, certamente o reconhecimento de suas ovelhas lhes faria muito bem. Assisti a um trecho de uma pregação do meu querido amigo e colega pastor Jeremias Pereira, de Belo Horizonte. No vídeo, ele dizia, com seu jeito engraçado, que os membros de sua igreja passavam a semana assistindo a vídeos de pregadores famosos e indo a eventos com eles, mas que, ao ficarem doentes no leito de um hospital, quem os visitava era o pastor deles, e não as celebridades. Em seguida, fez um apelo aos crentes de todas as igrejas que valorizassem o pastor de sua igreja, que os alimentava com arroz e feijão, fielmente, toda semana. Bati palmas. É isso mesmo!

8
A importância da aplicação

Um dos primeiros nomes dado ao cristianismo foi "o Caminho" (At 9.2; 19.9,23; 22.4; 24.14,22). Esse nome, que só aparece com esse sentido no livro de Atos, aponta para o fato de que o cristianismo não era visto pelos primeiros cristãos como um conjunto de doutrinas desconectadas da vida real, mas uma maneira de viver, de andar, de caminhar aqui neste mundo. O fato de que o nome "Caminho" seja sempre precedido pelo artigo definido quando usado em referência à fé cristã indica a convicção dos primeiros cristãos de que não existia outra maneira de andar neste mundo que, ao final, levasse à vida eterna. Jesus era o caminho (Jo 14.6). A fé nele, com suas consequências, era "o Caminho".

Esse conceito tem raízes no Antigo Testamento. A manifestação de Deus a Israel mediante Moisés e os profetas consistia não somente na revelação de quem ele era como também naquilo que ele demandava do seu povo. É constante o apelo de Moisés aos israelitas para que "andassem" nos caminhos do Senhor, isto é, em seus preceitos. O resumo do que Deus queria dos israelitas foi revelado nestes termos (itálicos meus):

> E agora, Israel, o que é que o SENHOR requer de vocês? Não é que vocês temam o SENHOR, seu Deus, *andem* ["vivam", NVT] em todos os seus caminhos, amem e sirvam o SENHOR, seu Deus, de todo o coração e de toda a alma, para guardarem os mandamentos do SENHOR e os seus estatutos que hoje lhes ordeno, para o bem de vocês?
>
> Deuteronômio 10.12-13, NAA

O prefácio dos Dez Mandamentos reflete bem a relação entre o conhecimento de Deus e o andar de acordo com isso: "Eu sou o SENHOR, seu Deus, que o libertou da terra do Egito, onde você era escravo. [Portanto,] Não tenha outros deuses além de mim" (Êx 20.2-3). Deus introduz os Dez

A IMPORTÂNCIA DA APLICAÇÃO

Mandamentos com a declaração de quem ele é. Em decorrência de quem ele é e do que fez por Israel, os israelitas nunca deveriam ter outros deuses. O conhecimento de Deus produz uma determinada maneira de andar. Os profetas, que vieram depois de Moisés, foram levantados por Deus não tanto para trazer novos conhecimentos — boa parte da doutrina básica do judaísmo já havia sido dada no Pentateuco —, mas sobretudo para chamar o povo ao arrependimento e a andar nos caminhos revelados por Deus.

Os rabinos de Israel praticavam um tipo de interpretação do texto sagrado chamado de *midrash*. Um dos tipos de *midrashim* que encontramos na literatura rabínica é o haláchico. A designação *halakah* vem do termo hebraico *halak*, "a caminhada". O termo é usado para designar as exposições rabínicas da Torá, destinadas a mostrar o caminho que Israel deveria seguir, ou mais exatamente, o caminhar requerido de alguém que queria seguir a Lei. Daí o nome *halakah*.[1]

Não foi assim a pregação de João Batista? A preparação do caminho para o Messias consistia em chamar o povo de Deus à mudança de vida mediante o arrependimento e a fé no Messias que estava chegando. A pregação do Senhor Jesus era marcada por demandas práticas na vida dos que o seguiam, nada menos do que renunciar a si mesmo e segui-lo pelo caminho estreito. Ao terminar o Sermão do Monte, Jesus fez a seguinte aplicação:

> Quem ouve minhas palavras e as pratica é tão sábio como a pessoa que constrói sua casa sobre uma rocha firme. Quando vierem as chuvas e as inundações, e os ventos castigarem a casa, ela não cairá, pois foi construída sobre rocha firme. Mas quem ouve meu ensino e não o pratica é tão tolo como a pessoa que constrói sua casa sobre a areia. Quando vierem as chuvas e as inundações, e os ventos castigarem a casa, ela cairá com grande estrondo.
>
> Mateus 7.24-27

Uma lida nos sermões de Pedro e Paulo registrados no livro de Atos mostrará a demanda por atitudes práticas que se seguiam. O final do sermão de Pedro em Pentecostes foi este: "'Vocês devem se arrepender, e cada um deve ser batizado em nome de Jesus Cristo, para o perdão de

---

[1] Ver mais sobre a interpretação rabínica no capítulo dedicado a esse assunto em meu livro *A Bíblia e seus intérpretes: Uma breve história da interpretação*, 3ª ed. (São Paulo: Cultura Cristã, 2019).

seus pecados'. [...] Pedro continuou a pregar, advertindo com insistência seus ouvintes: 'Salvem-se desta geração corrompida!'" (At 2.38,40).

Paulo, pregando na sinagoga de Antioquia, terminou com um apelo aos judeus para que não se comportassem com incredulidade, como seus antepassados diante das palavras dos profetas: "Ouçam, irmãos! Estamos aqui para proclamar que, por meio de Jesus, há perdão para os pecados. Todo o que nele crê é declarado justo diante de Deus, algo que a lei de Moisés jamais pôde fazer. Por isso, tomem cuidado para que não se apliquem a vocês as palavras dos profetas: 'Olhem, zombadores; fiquem admirados e morram!'" (At 13.38-41).

Uma das razões pelas quais Tiago escreveu sua carta foi a aparente e equivocada inferência de alguns judeus convertidos da Dispersão de que a salvação pela graça, mediante a fé em Jesus Cristo, dispensava a necessidade de obras. Tiago escreveu, entre outras coisas, para corrigir essa incoerência de seus leitores. Em suma, eles não estavam praticando aquilo que haviam ouvido dos pastores e pregadores (Tg 1.21-27). Faziam acepção de pessoas, favorecendo os ricos em detrimento dos pobres (Tg 2.1-13). Tinham fé mas não tinham obras (Tg 2.14-26), e isso era o resultado dessa compreensão errônea da doutrina da justificação pela fé. Por isso Tiago insiste na prática de obras, na prática da verdade e condena declarações de fé vazias e o simples ouvir sermões.

O apóstolo Paulo costumava seguir uma mesma estrutura em suas cartas. Na primeira parte, ele tratava de questões doutrinárias e, na segunda, mostrava os desenvolvimentos práticos daquilo que havia ensinado na primeira parte. Por exemplo, Romanos 1—11 trata de temas como perdição, justificação, santificação e escatologia. A partir do capítulo 12, Paulo trata de temas práticos como os dons espirituais, a ingestão de carne sacrificada a ídolos e seus planos missionários para a Espanha. Vemos o mesmo padrão nas demais cartas, como Efésios e Colossenses.

Como fazer a aplicação

Creio que esses exemplos deixam clara a necessidade de o pregador conduzir sua audiência a concluir de seu sermão como o exposto se aplica à vida deles. É isso que chamamos de aplicação de um sermão. Na aplicação, o pregador mostra aos crentes as implicações práticas das doutrinas que ele acabou de expor a partir das Escrituras. Por exemplo, se ele fez uma exposição acerca da certeza da salvação, deveria ao final mostrar aos crentes como essa doutrina se relaciona com eles. Como podemos ter certeza da salvação? Quais são as evidências da salvação? Pode um crente perder a certeza da salvação? Como me certifico de que sou salvo?

Para alguns pregadores, essa parte é responsabilidade do Espírito Santo. Caberia a eles expor as verdades bíblicas e ao Espírito Santo a aplicação de suas palavras ao coração dos ouvintes. Lembro-me, quando era seminarista, de ao final de um culto em minha igreja questionar o pastor à porta por não ter feito nenhuma aplicação prática e direta aos seus ouvintes nem apelado para que se convertessem ou se arrependessem de seus pecados. O pastor respondeu que a tarefa dele era expor a verdade e que o convencimento era obra do Espírito Santo. Ainda hoje estou persuadido de que aquele querido pastor estava equivocado nesse ponto. Claro que concordo com ele que convencimento é obra do Espírito Santo. No entanto, acredito que a verdade completa é que o Espírito Santo usa de meios para convencer pecadores. Em outras palavras, o Espírito Santo convence as pessoas mediante a persuasão e argumentação do pregador, à medida que este procura convencer seus ouvintes. É óbvio que o Espírito Santo é o único que tem acesso à vontade das pessoas. O pregador, no máximo, alcança o ouvido, enquanto o Espírito, o coração. Contudo, o Espírito Santo atua mediante o pregador. Através das aplicações, o Espírito mostra aos crentes e descrentes como o evangelho impacta alguma área da vida deles. Uma coisa não exclui a outra.

Prefiro deixar as aplicações para o final do sermão. Outros pregadores expositivos preferem fazer as aplicações à medida que expõem as partes do texto. Aqui vale a sabedoria do pregador em discernir o que seria melhor para sua audiência, considerando o texto e as doutrinas nele ensinadas. Minha preferência por deixar as aplicações para o final é porque ajudam a congregação a ver mais amplamente e no mesmo lugar as implicações práticas da passagem. Aplicações feitas no decorrer do sermão tendem a ser esquecidas conforme ele avança para outras partes e suas aplicações.

Confesso que considero as aplicações a parte mais difícil de preparar, pois é preciso relacionar diretamente o significado do texto com as reais necessidades de quem nos ouve. É importante que o pregador deixe claro que a Bíblia não é um livro teórico, apenas, mas que possui uma aplicação prática para a vida dos crentes. Trata-se de uma tarefa bastante desafiadora. Muitos bons sermões não têm uma aplicação apropriada, o que faz que seus efeitos acabem se perdendo, uma vez que permanece a dúvida sobre a relação do exposto com as questões do dia a dia. Sempre procuro pregar pensando no irmão, sentado no primeiro banco, que na segunda-feira estará no trabalho duro para sustentar a família.

Nesse ponto podemos aprender bastante com os pregadores puritanos, cujos sermões costumavam durar cerca de duas horas. Na primeira hora, faziam uma exposição do texto em que procuravam mostrar seu significado e as doutrinas extraíveis. Na segunda, faziam aplicações diretas daquelas doutrinas para alcançar o maior número possível de pessoas da audiência. O pastor só tinha oportunidade de encontrar seu rebanho aos domingos, uma vez que as igrejas ficavam geralmente na zona rural, por isso precisava usar o púlpito para ensinar, repreender, encorajar, aconselhar e esclarecer dúvidas. Os pregadores costumavam chamar as aplicações de "usos" da mensagem, ou seja, como as doutrinas expostas poderiam ser usadas durante a semana para ajudar os crentes a viver para a glória de Deus.

Fica claro, portanto, que o alvo do pregador não é apenas informar a mente, mas também transformar a conduta. Ele deve buscar persuadir, convencer e finalmente levar quem o ouve a viver de acordo com o que acabou de aprender. A aplicação é importante porque, em primeiro lugar, como dissemos, mostra a conexão da verdade com o dia a dia da congregação, eliminando o falso conceito de que a fé cristã é teórica e o que importa é ser ortodoxo e ter a doutrina correta. Ortodoxia (doutrina correta) sem ortopraxia (procedimento correto) não vale nada — e vice-versa. A aplicação ajuda a igreja a perceber essa relação inseparável entre fé e obras, doutrina e prática.

Em segundo lugar, nem todos os crentes conseguem ver por si mesmos as implicações da pregação, nem levar o que ouvem às últimas consequências. Embora possam apreciar o sermão, não sabem de que maneira o conteúdo exposto impacta a vida deles. Porque essa ponte nem sempre é fácil de fazer que a aplicação se torna importante e necessária. Nela o pregador toma sua audiência pela mão e caminha com ela, mostrando todas as possíveis e necessárias consequências práticas do que ele acabou de pregar. Por exemplo, um sermão sobre a mordomia cristã se tornará muito útil para os crentes se o pregador mostrar maneiras práticas de lidarmos corretamente com nosso tempo, dinheiro, bens, saúde e talentos.

Em terceiro lugar, a aplicação ajuda a igreja a perceber que o sermão não é mero discurso, nem apresentação de tese ou entretenimento para os ouvintes. Ao contrário, é um evento que busca ganhar e mudar o coração dos ouvintes. Tem pretensões elevadas de mudar pensamentos e condutas. Apresenta-se como instrumento de Deus para mudanças profundas e radicais no coração de todos. O sermão é uma ferramenta poderosa e, nas mãos certas, fará muito bem.

Aplicações só farão sentido se estiverem embasadas em princípios bíblicos. Caso contrário, o que aplicar? É bastante ilustrativo o que Paulo costuma fazer em suas cartas, embasando os imperativos (modo do verbo grego que expressa comando) nos indicativos (modo do verbo grego que expressa ação, no presente, passado ou futuro). Vejamos esse fato em Colossenses 3.3-5 (itálicos meus):

> Vocês *morreram* [indicativo] para esta vida e agora sua verdadeira vida *está escondida* [indicativo] com Cristo em Deus. E quando Cristo, que é sua vida, for revelado ao mundo inteiro, vocês *participarão* [indicativo] de sua glória. Portanto, *façam morrer* [imperativo] as coisas pecaminosas e terrenas que estão dentro de vocês.

A aplicação prática da doutrina de nossa união com Cristo em sua morte e ressurreição é que devemos mortificar nossa natureza pecaminosa, em coisas como "imoralidade sexual, impureza, paixão sensual, desejos maus e ganância, que é idolatria" (Cl 3.6). Estou insistindo nesse ponto porque há pregadores cujo sermão é somente aplicação, aplicação e mais aplicação. Sua mensagem consiste o tempo todo em repreensões, críticas, ordens, exortações, ameaças, sem explicar minimamente por que os crentes deveriam obedecer ao que ele está dizendo. Falta a base doutrinária, o alicerce teórico sobre o qual construir a aplicação. Deus não somente nos manda fazer as coisas, ele geralmente nos diz por que devemos fazê-las.

Nessa mesma linha, há pregadores que fazem o caminho inverso, partindo da aplicação para a construção do sermão. Ao detectarem alguma deficiência ou necessidade prática da igreja, buscam pregar em algum trecho da Bíblia que lhes permita construir uma mensagem capaz de desembocar na aplicação desejada. O pastor percebe, por exemplo, que a congregação precisa orar mais e escolhe textos que falem de oração, e ao final do sermão faz aplicações práticas sobre o assunto, levando a igreja a se engajar mais nas reuniões de oração ou na oração privada. Embora não seja contrário a esse modo de preparar sermões, a dificuldade que vejo é que a aplicação, conhecida de antemão, acabará por influenciar a interpretação do texto escolhido, a fim de fazê-lo dizer exatamente o que o pregador já decidiu que a igreja precisa ouvir. A aplicação, porém, deve estar intimamente relacionada com o texto, proceder dele, em vez de cair longe dele, como o fruto que cai de uma árvore. A aplicação sempre deve ser uma inferência legítima, lógica e óbvia de alguma passagem bíblica, o que exige do pregador honestidade intelectual para não fazer o texto dizer o que ele não está dizendo. O imperativo deve estar sempre apoiado no indicativo.

O pregador pode fazer aplicações de várias maneiras. Não creio que haja uma ordem divina quanto a isso, nem algum método bíblico, a não ser o já mencionado de não tirar do texto aplicações indevidas. O pregador pode introduzir as aplicações sob a forma de perguntas pessoais à audiência: Como esse texto se aplica a sua vida? Que decisões você deveria tomar agora diante dessa verdade? O que essa passagem ensina sobre Deus/Jesus? Que pecados ela proíbe? Que promessas ela faz?

Sendo ainda mais direto, o pregador pode se dirigir a diferentes grupos da audiência e mostrar como as verdades bíblicas expostas se aplicam a cada um deles. Fiz uma exposição de 1Coríntios 7, em que Paulo menciona o celibato, o ficar solteiro e puro, como um dom e uma opção legítima de vida, em vez do casamento. Ao final, mostrei as implicações daquela passagem para os solteiros, para os solteiros adultos, para os que queriam se casar, para os pais com filhos solteiros adultos, para os casados, para os namorados e para aqueles que queriam casar, mas não aparecia pretendente. Gastei um bom tempo nisso. Creio que todos saíram levando alguma diretriz prática para sua vida.

O que evitar na aplicação

Finalmente, há algumas coisas que o pregador deve evitar ao fazer as aplicações de seu texto. Primeiro, fazer apelos para conversão de maneira inconveniente e agressiva, constrangendo a audiência com pressão psicológica ou chantagem espiritual. Falaremos sobre isso mais detalhadamente no capítulo sobre apelos.

Segundo, identificar pessoas da congregação pelo nome. Soube de pastores puritanos que na aplicação se dirigiam a indivíduos em sua congregação e os exortavam a mudar de vida e abandonar o pecado. Parece extremo, mas não é impossível que tenha acontecido. De qualquer forma, evite envergonhar pessoas em público durante a aplicação.

Terceiro, na aplicação, aplique, não recomece a pregar. Não traga material novo após ter anunciado o término do sermão. Isso acaba virando uma espécie de anticlímax. Aliás, nunca se prolongue depois de anunciar que está terminando. Cumpra a palavra. A audiência agradece.

Quarto, evite música de fundo durante a aplicação. Já me aconteceu várias vezes de estar pregando como convidado em uma igreja e o grupo de louvor, percebendo que eu terminaria e passaria para a aplicação, levantar, tomar posição e começar a tocar ou cantar a meia voz uma música suave com o objetivo de quebrar as resistências psicológicas do público aos apelos que eu supostamente deveria fazer. Além de introduzir um elemento psicológico que pode resultar em falsas decisões, a música, bem ou mal tocada, pode desviar a atenção das pessoas ou do pregador. Por isso, prefiro a ausência de música de fundo durante as aplicações de meus sermões.

9

Quando Deus muda o sermão

Um dos maiores conflitos que enfrento como pregador é quando, minutos antes da pregação, cresce dentro de mim a dúvida quanto à adequação para aquela audiência do sermão que tenho em mente. A angústia é porque nem sempre está claro se essa inquietação é obra do Espírito Santo, querendo me levar a pregar outra coisa, ou se é fruto da minha insegurança quanto à propriedade do sermão. Confesso que, às vezes, parte disso provém da pressão de pregar sempre um sermão de impacto. Será que o sermão escolhido vai realmente abençoar a igreja? Ou será que outro faria um trabalho melhor?

A conclusão a que tenho chegado é que é praticamente impossível, nos poucos minutos antes da pregação, discernir entre a voz do Espírito e a voz do meu coração. Assim, tenho adotado a prática de pregar na passagem que considero mais apropriada e na qual tenho mais segurança. E deixo o resto nas mãos do Espírito Santo. Geralmente, tem funcionado bem. É como se o Espírito dissesse: "Pode escolher o que pregar, Augustus, desde que você seja fiel à Palavra que inspirei e que pregue de coração, falando toda verdade ao povo e chamando-o ao arrependimento e à fé".

Deus pode ter uma mensagem específica para a igreja, e ele fará isso acontecer por intermédio de minha decisão na escolha do texto. Aquela lista de textos e temas de sermões que carrego na contracapa da minha Bíblia me ajuda a ver e a lembrar quais mensagens eu poderia escolher para pregar naquela igreja, e às vezes essa decisão é feita quase em cima da hora, após uma breve e discreta consulta à lista.

Não poucas vezes mudei o texto de exposição depois do início do culto ou durante a liturgia. Isso acontece mais quando prego como convidado em uma igreja ou em um evento. Em minha igreja, costumo pregar sequencialmente em um livro da Bíblia, e raramente tenho de mudar a mensagem que preparei na semana. Pensando especialmente em pregadores itinerantes ou pastores locais que não pregam sequencialmente em um livro, creio que não é raro ele entender que deve pregar sobre outro texto que não o preparado para aquele culto. Acredito que a maioria dos pregadores já passou por experiências como essas, pois embora o natural seja que nos preparemos antecipadamente para pregar a Palavra de Deus, mediante a pesquisa e a elaboração de um bom esboço, uma vez que o pregador é mensageiro de Deus ele está sujeito a ter sua mensagem mudada por seu Senhor e Mestre. E nem sempre entendemos os motivos para isso.

Existem vários fatores que podem convencer o pregador, pouco antes do sermão, de que ele deveria pregar outra mensagem. Algo acontece durante a liturgia que mostra claramente uma necessidade da igreja, desconhecida até então pelo pregador. Por exemplo, certa vez, durante o culto em uma igreja presbiteriana em que fui convidado a pregar, o grupo de louvor (que cantou por cerca de uma hora) deixou claro que entendia sua participação como *show* de fato: solos de guitarra, expressões teatrais dos vocalistas, bateria muito alta, luzes e teatro, apelos, frases de efeito, danças. Entendi então que eu deveria falar, com gentileza e expondo a Bíblia, sobre alguns princípios básicos do culto a Deus. Então, fiz uma exposição extemporânea em Êxodo 20 dos quatro primeiros mandamentos da Lei, relativos ao culto a nosso Deus, começando com a centralidade de Deus no culto e a impossibilidade de inventar maneiras de adorá-lo. Ainda que nunca mais me tenham convidado para pregar, entendi que a igreja precisava ouvir algo sobre isso. Mais adiante falaremos a respeito da atitude do pregador como convidado. Não recomendo o que fiz, a não ser em casos extremos, como considero ter sido esse caso.

Outra situação — que também já me ocorreu — em que o sermão pode ser alterado é quando o pregador descobre, durante o culto, tratar-se de uma comemoração específica, como, por exemplo, a de ações de graças pela mocidade da igreja, fato que às vezes o pastor da igreja que o convidou esquece de mencionar. Já me aconteceu de ter de pregar totalmente de improviso um sermão que se adequasse ao tema.

Por vezes, a mudança pode acontecer porque o pregador não se sente tranquilo quanto ao que preparou, ao chegar à igreja ou ao local do evento. Uma inquietação toma conta de seu coração, ele se sente inseguro se é aquilo mesmo que Deus quer que ele pregue. Então, começa a rever na cabeça sua lista de pregações prediletas para ver se alguma se destaca e lhe dá tranquilidade para pregar, até que seu coração encontra paz em determinado sermão. Eu sei que é muito subjetivo. Alguns podem até chamar de revelação, mas prefiro o termo providência, que é usado para se referir a como Deus age no mundo para realizar sua vontade.

Volto a dizer que não recomendo para pregadores iniciantes essa mudança do sermão em cima da hora. Só consegui fazer isso com alguma tranquilidade após muitos anos de pregação e após ter pregado os mesmos sermões várias vezes, o que me dava um "arsenal" suficiente para escolher. Minha recomendação para pregadores itinerantes ou pastores que pregarão em outras igrejas é que preparem seu sermão antecipadamente, depois de conversar com o pastor ou o organizador do evento acerca das necessidades da audiência. Ou que escolham sermões que já pregaram e que se adéquem perfeitamente à nova situação. E que permaneçam firmes no propósito de pregar esse sermão, a menos que, claramente, Deus oriente que se pregue outro!

Na Bíblia, há pelo menos um exemplo, o de Judas. Ele diz claramente no início de sua carta que pretendia escrever sobre a "salvação que compartilhamos", mas que mudaria o tema por entender que deveria falar sobre a necessidade de defender a fé contra falsos profetas libertinos que haviam se infiltrado na comunidade (Jd 1.1-4). A urgência do assunto levou Judas a mudar o tema de sua carta.

Sermões extemporâneos

Quando falo em pregar outro sermão em vez daquele que o pregador preparou, não me refiro a pregar um sermão inteiramente novo, em um texto que o pregador nunca estudou e muito menos pregou. Alguns pregadores capacitados podem tentar, mas eu mesmo não me sinto confiante. Lembro-me de ter lido em algum lugar sobre um pregador extremamente hábil em expor o sentido e aplicações de um texto, a ponto de as pessoas dizerem que ele tinha um martelinho dourado dado por Deus, com o qual ele batia no texto, como Moisés batia na rocha, e o texto se abria em suas partes, revelando seu sentido e todas as possíveis aplicações. Gostaria que cada pregador tivesse um martelinho desse. Eu mesmo adoraria! Pois, para fazer um texto entregar seu sentido e aplicações, tenho de trabalhar duro nos originais, contexto, comentários, diferentes versões etc.

A pregação *ex tempore* exige muita experiência e conhecimento do pregador. No tempo dos puritanos, aparentemente fazia parte do treinamento de candidatos ao ministério pastoral dar a cada um deles um texto aleatório da Bíblia para que pregassem de improviso diante de seus professores, ao final do que recebiam as críticas e os elogios. Essa prática é compreensível em uma época em que os pastores das igrejas em zona rural passavam a semana pregando na casa dos paroquianos, ao ar livre e onde houvesse oportunidade. A popularização dessa prática de pregação itinerante ao ar livre é costumeiramente atribuída a John Wesley e mais tarde a George Whitefield, durante o grande avivamento do século 18, depois da proibição de pregarem nas igrejas anglicanas.

Alguns pregadores têm dúvidas sinceras a respeito da mudança do sermão e da pregação de improviso. Por exemplo, se Deus queria que o pregador pregasse outra coisa, como explicar o tempo que o pregador usou para preparar um sermão sobre outro tema sem que "Deus o incomodasse"? Creio que a pergunta é válida. Não tenho, porém, uma resposta definitiva. Acredito que isso faz parte da providência secreta de Deus, que nem sempre nos revela o motivo de suas ações. Com certeza, não desperdiçamos o tempo empregado no estudo e preparo do sermão que não chegou a ser pregado na ocasião planejada. O aprendizado servirá para outras ocasiões, para não falar do próprio sermão. Acho que, com isso, Deus mostra que devemos nos preparar, mas estar sempre prontos a ouvir sua voz, seguir seu Espírito, conscientes de que ele é o Senhor. Isso também nos ensina que, por mais bem preparados que estejamos, a melhor preparação é andar próximos de Deus e sensíveis a sua vontade.

Repetição de sermões

A repetição é uma prática encontrada no próprio ministério de Jesus. Não duvido que o Senhor tenha pregado a mesma coisa várias vezes, em diferentes contextos, seguindo a prática dos rabinos, que repetiam seus ensinos para que os discípulos os memorizassem. Uma evidência disso é que partes do sermão que Jesus pregou em um monte, de acordo com Mateus, aparecem em outros contextos em Marcos e Lucas, como, por exemplo (há outros), a metáfora do sal que perde o sabor (Mt 5.13; Mc 9.50; Lc 14.34), a oração do Pai-Nosso (Mt 6.5-15; Lc 11.2-4) e o discurso sobre a preocupação com as riquezas (Mt 6.25-34; Lc 12.22-34). Estudiosos acreditam que isso se deve ao fato de que os autores dos Evangelhos misturaram as fontes e inventaram o *Sitz im Leben* (ambiente vivencial original) dos sermões de Jesus. Mas uma explicação perfeitamente plausível e que preserva a inerrância da Bíblia é que Jesus repetia constantemente seus ensinos em diferentes contextos, momentos esses registrados pelos evangelistas.

Outra evidência encontra-se no próprio Evangelho de Mateus, quando vemos Jesus pregar sobre divórcio no Sermão do Monte (Mt 5.31-32) e mais uma vez em um confronto posterior com os fariseus (Mt 19.8-9). Parece claro que o Senhor, durante seus três anos de ministério, repetiu várias vezes o mesmo ensino, em diferentes contextos e a diferentes assembleias. Entendo que seu principal alvo era firmar seu ensino na mente dos discípulos. A repetição é importante ferramenta no contexto de transmissão oral.[1]

A repetição de sermões não é, em si, um problema para pregadores que pastoreiam igrejas locais e pregam regularmente nelas aos domingos e em outros dias da semana. Creio que essa seja a realidade da maioria dos pastores evangélicos. Entretanto, há entre eles pregadores conhecidos e que, por isso, são constantemente convidados a pregar em outras igrejas e a falar em congressos e eventos promovidos por outras comunidades. Esses pregadores costumam pregar os mesmos sermões muitas vezes, em diferentes locais. Essa tem sido minha experiência ao longo de meu ministério. Há sermões que já preguei tantas vezes que nem mais preciso de esboço. Aliás, um grande pregador itinerante, amigo meu, costuma dizer que o sermão só fica bom depois de pregá-lo dezenas de vezes!

Há ainda o caso de igrejas que oferecem vários cultos durante o domingo, na maioria dos quais, ou em sua totalidade, é o pastor que prega. O natural é que ele repita o mesmo sermão, já que terá audiências diferentes. Houve uma época em que a igreja que eu pastoreava realizava três cultos por domingo, para poder acomodar a igreja e os visitantes. Eu costumava pregar nos três cultos. O sermão do culto da tarde era repetido no da noite. Funcionou muito bem assim. E, na minha avaliação, eu pregava melhor à noite que à tarde, pois já tinha "sentido" onde poderia ter ido melhor.

---

[1] Em certo sentido, a própria existência de quatro evangelhos canônicos, contendo em linhas gerais a mesma história sobre Jesus, é uma prova de que repetir não significa falta de originalidade, inspiração ou criatividade. Lembremos ainda de 1 e 2Reis e 1 e 2Crônicas, que cobrem a mesma história, embora com destaques e ênfases diferentes.

Pessoalmente, portanto, nada tenho contra repetir sermão. Em certo sentido, ainda que o sermão seja o mesmo, a igreja é diferente, a audiência é diferente, a ocasião é diferente e o sermão nunca acaba sendo exatamente igual todas as vezes, dada a capacidade do pregador de fazer adaptações e aplicações no decorrer da pregação de acordo com o *feedback* que recebe da congregação, ou conforme é guiado pelo Espírito. Minha esposa, sempre que pode, me acompanha quando vou pregar fora, e já deve ter ouvido os mesmos sermões dezenas de vezes. Toda vez que peço perdão a ela, após o culto e a caminho de casa, por ter pregado algo que ela já ouviu tantas vezes, ela responde que nunca é o mesmo sermão, há sempre algo novo.

A pregação é um ato complexo que envolve desde a disposição física e mental do pregador até a receptividade da congregação. Eu já tinha ouvido o rev. Francisco Leonardo pregar algumas vezes em Levítico, sobre a consagração do sacerdote com sangue no dedo da mão, do pé e na orelha. A aplicação era sobre a necessidade de que o pastor seja purificado pelo sangue de Cristo e ungido pelo Espírito para poder desempenhar o ministério. Mas nada se comparou ao que eu ouvi, há muitos anos, em um congresso sobre avivamento, em Belo Horizonte. Convidado para pregar no congresso, lotado, o rev. Francisco pregou esse mesmo sermão, mas agora era outra coisa! A pregação durou duas horas. Ele chamou jovens, durante a pregação, para ajudá-lo a ilustrar, por encenação, o ritual de purificação do sacerdote, tudo entremeado de cânticos espirituais. Um santo temor havia descido sobre todos. O efeito foi tremendo, e até hoje aquela noite memorável é lembrada pelos participantes. Mesmo para aqueles que, como eu, já tinham ouvido aquele sermão, foi como se tivéssemos ouvido pela primeira vez.

Alguns podem perguntar como um pregador sabe que determinado sermão já pregado pode ser repetido em determinada ocasião. Já mencionei os critérios para escolha de uma passagem bíblica para o sermão. Neste caso específico, de pregar um sermão já pregado, o melhor critério é optar por aquele cujo conteúdo seja mais adequado para a igreja em que o pregador ministrará. Isso exige que se conheça um pouco daquela igreja, e o pastor local pode ajudar. Por exemplo, tenho vários sermões já pregados sobre conforto no sofrimento. Se eu sei que vou pregar em uma igreja que sofreu recentemente com casos de doença, morte de membros, desemprego e outras situações particulares de provação, posso com tranquilidade escolher um desses sermões já pregados sobre como encontrar conforto e paz em meio às tribulações. Vejo isso como uma das maneiras que o Espírito Santo tem de me guiar quanto ao que devo pregar naquela igreja.

Pregadores que repetem sermões podem, por vezes, ser chamados de preguiçosos. Não nego que possam existir pregadores assim. Sei de pastores preguiçosos que gastam um tempo enorme nas redes sociais e que dedicam pouco tempo para a preparação dos sermões. Tenho esperança, entretanto, que se trate de um grupo pequeno. Confesso que é muito mais fácil, quando sou convidado para pregar fora, usar um sermão já pregado do que preparar um novo. Mas, no meu caso, a opção pelo já pregado tem mais a ver com a falta de tempo do que com a preguiça, embora essa seja sempre uma tentação. Uma vez que não existe uma orientação bíblica quanto a pregar sermões antes pregados, entendo que fica a critério da liberdade e conveniência de cada pregador. Contudo, se a razão da constante repetição for a preguiça de preparar uma exposição bíblica nova, cedo ou tarde aquele pregador terá sua preguiça exposta, especialmente se costuma pregar nos mesmos lugares.

O pregador que repete sermões com frequência precisa estar atento para algumas armadilhas. Uma delas, muito comum, se apresenta especialmente para o pregador itinerante que é muito solicitado e, por isso, repetidamente convidado a pregar no mesmo lugar ao longo dos anos. Fui pregar em uma igreja, na qual já havia pregado no ano anterior, por ocasião de seu aniversário. Inadvertidamente, repeti o mesmo sermão pregado no aniversário. Os membros da igreja escutaram atentamente, seguiram com atenção, e eu não desconfiei de nada, até que no jantar, após o culto, o pastor local gentilmente agradeceu por eu ter repetido o sermão do ano anterior, que ele havia seguido pelas anotações que fizera em sua Bíblia, e que fora uma bênção para a igreja. Corei de vergonha! Com certeza, ficou a impressão de descuido e falta de atenção para a ocasião.

Outra vez, durante uma série de mensagens na carta de Tiago, na Igreja Presbiteriana de Santo Amaro, onde eu servia como pastor auxiliar, ao subir ao púlpito e anunciar e ler a passagem de Tiago em que eu pregaria, o presbítero Solano Portela, querido irmão e amigo, levantou-se do banco e caminhou até o púlpito, à vista de todos, com um papelzinho na mão, em que estava escrito: "Você já pregou nesse texto no mês passado!". A igreja toda caiu na risada, e eu tive de pregar de improviso na passagem seguinte! A melhor maneira de escapar desse vexame é anotar cuidadosamente no esboço do sermão ou em nossa agenda os lugares onde pregamos nossos sermões, contendo ainda o texto e o tema, e, se possível, a data.

Pregar o sermão de outros

Não é raro que pregadores tentem pregar mensagens de outros. Já fui abordado muitas vezes por irmãos que, ao final de uma pregação, pediram-me o esboço do sermão para pregá-lo em sua igreja. Como devemos ver essa prática? É lícito alguém reproduzir um sermão que ouviu de terceiros? No caso que mencionei, esses queridos irmãos ao menos pediram permissão! Há casos e casos de sermões plagiados.

Acredito que não faz mal pregadores iniciantes, como estudantes de teologia se preparando para o pastorado, usarem esboços de sermões de pregadores já experientes. Existem, aliás, livros com esboços de pregadores. O principiante precisa de um modelo, de uma referência, e nesse caso não vejo problema em que use o esqueleto de sermão de outro pregador. Entretanto, à medida que ganhar experiência, ele deverá aprender a preparar os próprios sermões, ainda que possa consultar os sermões de outros, como informação adicional a sua pesquisa. Os alunos da Escola de Pastores, de Spurgeon, eram obrigados a pregar pelo menos um sermão original por ano, diante de seus professores, para crítica e correções. O plágio era proibido e podia levar à expulsão. Certa vez, um aluno desavisado pregou um sermão de prova baseado totalmente em uma mensagem de Spurgeon, que estava entre os professores. Spurgeon se surpreendeu quando professores e alunos criticaram a introdução, as partes, a argumentação e finalmente a aplicação! Ele afirma não só ter concordado com as críticas, que, afinal, eram a seu próprio sermão, mas que também perdoou o plagiador, com a advertência de que não repetisse o feito.

Em outra ocasião, um aluno foi denunciado a Spurgeon por ter plagiado um sermão dele. Comprovado o fato, Spurgeon lembrou-se de que já tinha visto aquele sermão em outro lugar — e achou-o em dois livros que contêm as pregações de William Jay, os quais ele tinha lido havia muito tempo! O esboço ficara na memória de Spurgeon, que o pregou anos depois, sem se lembrar de que se tratava de um sermão de William Jay. O seu sermão acabou sendo publicado, e o aluno o pregou. No final, o estudante foi inocentado de plagiar Spurgeon, mas ainda culpado de ter roubado um sermão.[2]

Há dois riscos que o pregador deve considerar se decidir pregar um sermão de outro. Primeiro, ele se privará do impacto que a preparação do sermão lhe causaria. Todo pregador sabe do que estou falando. Durante a preparação do sermão, sentimos o seu efeito primeiramente em nós. O sermão se torna resultado de nossa interação com o texto e com o Senhor sobre aquele assunto. E, assim, subimos ao púlpito com o sermão "carregado" na mente e no coração. O texto nos é familiar, o argumento está fresco na mente. Acho que pregar o sermão de outros é como Davi tentando andar com a armadura de Saul (1Sm 17.38-39). O sermão deve ser o resultado de nossa pesquisa e refletir nosso próprio entendimento acerca daquela passagem. Algumas igrejas históricas que seguem o calendário litúrgico adotam não somente um livro de orações a serem lidas nos cultos, mas também as homilias a serem lidas pelos pastores ao longo dos anos. Acho essa prática estranha. Alguém que foi chamado para pregar a Palavra de Deus deveria ver sua vocação como algo mais que ler sermões preparados por outros para o rebanho que lhe foi confiado.

Segundo, existe o risco de sermos acusados de plágio. Como já disse, não estou sugerindo que não podemos pregar usando o esboço de outros. Provavelmente, tal esboço foi preparado usando também ideias de outros pregadores. Não existe muita originalidade nessa área. Mas precisamos cuidar para não dar a ideia de plágio e que não somos capazes de preparar o sermão por nós mesmos. Hoje, com vídeos dos sermões de pregadores conhecidos publicados na internet, percebe-se com facilidade quando alguém está pregando o sermão de outro.

Outro assunto que creio ser importante mencionar neste momento é o da imitação de pregadores famosos. Alguns pregadores bem conhecidos têm estilo, voz, gesticulação, maneira de vestir e aparência bem característicos, sendo imediatamente reconhecidos quer pela voz, quer pelo estilo, quer pela imagem. As redes sociais têm contribuído muito para isso. Não poucos pregadores iniciantes acabam imitando esses pastores, a quem tanto admiram e de quem tanto aprendem. Começam a falar como eles,

---

[2] Essa história é mencionada por Martin Lloyd-Jones em seu livro *Preaching & Preachers* (Grand Rapids, MI: Zondervan, 1972), p. 294.

gesticular como eles, vestir-se de maneira parecida e cultivar o formato da barba de maneira idêntica, quando o pregador famoso tem uma.

Embora na quase totalidade das vezes isso ocorra inconscientemente, acredito que em alguns casos essa imitação é proposital, talvez porque pensem que, se o maneirismo funcionou no pregador famoso, talvez funcione para eles também. No meu tempo de seminário, havia toda uma geração de jovens pregadores influenciados pelo famoso pastor Caio Fábio, que tinha seu jeito característico e carismático de pregar. Lembro-me particularmente de um querido colega de seminário que era quase uma cópia perfeita, desde a entonação da voz até o corte da barba. Não demorou para que os demais colegas lhe conferissem um apelido sobre isso. Na época, como eu era genro do pastor Francisco, que também tinha uma grande barba, não demorou para que eu também ganhasse um apelido, como se eu tivesse deixado a barba crescer por causa dele! Não me recordo de conscientemente imitar meu sogro, mas seria natural devido ao impacto que ele causava na vida dos estudantes e à sua maneira característica de pregar.

Existe também a imitação calculada, como a de pastores que usam um tom de voz rouco e gestos característicos de seu líder. Mas não é a isso que me refiro. Em si, não vejo nada de mal na imitação inconsciente e não proposital, mas os queridos irmãos imitadores deveriam ser alertados pois os membros da igreja certamente percebem e não perderão a oportunidade de fazer brincadeiras e até mesmo zombarias. Poucos entenderão que jovens pregadores precisam de modelos e referenciais, não somente com relação à doutrina, mas também à pregação.

Em resumo, o pregador deve estar preparado para uma possível e inesperada mudança de sermão, embora deva ver essa mudança como exceção, e não regra. Para tanto, é preciso ter em mente uma boa quantidade de sermões prontos e já pregados, ou manter, pelo menos, uma relação deles em local de fácil e rápido resgate. Além disso, todo pregador deveria estar pronto para pregar de improviso, extemporaneamente, em ocasiões especiais, o que exige conhecimento bíblico, clareza intelectual e foco, a fim de evitar devaneios.

10

Pregando Cristo

As Escrituras trazem inúmeras orientações, exortações e imperativos relacionados com a conduta ética e moral do povo de Deus. Certamente é dever do pregador falar sobre esses temas, por isso não poucos sermões de pastores evangélicos consistem em exortações para que sua audiência viva conforme esses imperativos bíblicos. Afinal, como já vimos, o cristianismo é eminentemente prático e impacta o estilo de vida de seus adeptos. É tarefa do pregador lembrar os crentes disso. Entretanto, muitos desses sermões também poderiam ser pregados por mestres de outras religiões. Mestres judeus, por exemplo, podem pregar sobre o tema do amor ao próximo (que, sim, está no Antigo Testamento: ver Lv 19.18), sobre a fé que Abraão demonstrou ao oferecer Isaque, a firmeza de Daniel em não se contaminar com as comidas sacrificadas aos ídolos do rei da Babilônia, ou ainda sobre a confiança de Josué em Deus quando atravessou o rio Jordão com os israelitas e conquistou Canaã. Mestres espíritas podem pregar sobre a prática da caridade e padres podem pregar sobre necessidade de o marido amar a esposa. O que, então, torna um sermão distintivamente evangélico?

Cristo é o centro das Escrituras

Creio que a resposta é a pessoa e a obra de Cristo. Um pregador evangélico, ao expor um texto bíblico, procurará mostrar, quer durante a exposição, quer durante a aplicação, como aquela passagem revela Cristo ou algum aspecto de sua obra. Procurará revelar as conexões internas exegéticas e teológicas entre a passagem e as demais partes das Escrituras que apontam para Cristo. Nas palavras de D. A. Carson, a pregação expositiva "chama a atenção para conexões intracanônicas que inexoravelmente se movem para Jesus Cristo".[1]

Se pensarmos nos exemplos anteriores, o pregador falará do amor ao próximo, mas à luz do amor de Cristo por nós. Falará da fé exibida por Abraão ao oferecer Isaque, mas mostrando que essa fé apontava para a ressurreição de Cristo. Em outras palavras, o pregador sempre procurará anunciar a Cristo em todos os seus sermões. Esse era o alvo de Paulo ao pregar em Corinto: "Pois decidi que, enquanto estivesse com vocês, me esqueceria de tudo exceto de Jesus Cristo, aquele que foi crucificado" (1Co 2.2). Entre os gálatas, sua pregação foi a mesma: "Ó gálatas insensatos! Quem os enfeitiçou? Jesus Cristo não lhes foi explicado tão claramente como se tivessem visto com os próprios olhos a morte dele na cruz?" (Gl 3.1).

Estudiosos do Novo Testamento já estabeleceram que o tema central da igreja cristã apostólica, conforme lemos especialmente no livro de Atos e nas cartas, era a morte e a ressurreição de Cristo na plenitude dos tempos, conforme as profecias anteriores a seu respeito encontradas no Antigo Testamento. Essa mensagem é chamada de *kerygma*, do verbo grego "proclamar". Em Cristo, o tempo final chegou, o reino de Deus foi inaugurado. Por isso, todos deveriam se arrepender e crer no evangelho, como o próprio Cristo proclamou (Mc 1.14-15). Cristo estava no centro do *kerygma*. Em outras palavras, a pregação evangélica deve ser *cristocêntrica*. É isso que a torna diferente do sermão moralista de outras religiões.

Os primeiros pregadores cristãos, os apóstolos, estavam convencidos de que Cristo figurava no centro da mensagem do Antigo Testamento. Dessa forma, sua pregação era centrada na pessoa e obra de Cristo. Essa prática tinha origem no próprio Jesus, que em várias ocasiões lhes ensinou que a Lei de Moisés e os profetas falavam acerca dele.

> Então Jesus os conduziu por todos os escritos de Moisés e dos profetas, explicando o que as Escrituras diziam a respeito dele.
>
> Lucas 24.27

---

[1] Ver "D. A. Carson on 5 Elements of Expository Preaching and a Defense on Why it Ought to be Primary", *PJTibayan* (blog), 20 de dezembro de 2012, <https://pjtibayan.wordpress.com/2012/12/20/d-a-carson-on-5-elements-of-expository-preaching-and-a-defense-on-why-it-ought-to-be-primary/>. Acesso em 28 de fevereiro de 2023.

Então ele lhes abriu a mente para que entendessem as Escrituras, e disse: "Sim, está escrito que o Cristo haveria de sofrer, morrer e ressuscitar no terceiro dia, e que a mensagem de arrependimento para o perdão dos pecados seria proclamada com a autoridade de seu nome a todas as nações, começando por Jerusalém".

Lucas 24.45-47

A convicção de que Jesus era o Messias permitia aos primeiros pregadores cristãos encontrarem Cristo nas Escrituras e, a partir delas, o proclamarem salvador. É nesse sentido que podemos falar de Cristo como a chave hermenêutica das Escrituras. Infelizmente, a expressão "Cristo é a chave hermenêutica das Escrituras" tem sido usada de maneira equivocada para criar um cânon dentro do cânon e jogar a pessoa, as palavras e as obras de Cristo contra os autores do Novo Testamento. De acordo com essa ideia, todo o conteúdo dos livros da Bíblia tem de ser julgado, quanto à sua inspiração e validade, à luz de Cristo. O que encontrarmos nas cartas de Paulo que contrarie Cristo e seus ensinos deve ser rejeitado. Por exemplo, o ensino rigoroso de Paulo para disciplinar os irmãos em pecado (1Co 5) não deve ser seguido por conflitar com o ensino de Cristo de que devemos amar e perdoar os irmãos. Essa leitura da Bíblia está evidentemente equivocada e não se sustenta porque, para estabelecer quem é Cristo e o que ele ensinou, dependemos dos escritos de seus discípulos, uma vez que Cristo nada escreveu. Portanto, o conceito está viciado de saída. Mas esse é assunto para outro momento.

Quando afirmamos que Cristo é a chave hermenêutica das Escrituras, queremos dizer que ele está no centro da mensagem dos autores do Antigo e do Novo Testamento e que só poderemos entender e pregar corretamente a Bíblia se nos aproximarmos dela dessa perspectiva. Essa convicção unifica os dois Testamentos e permite que vejamos Cristo prefigurado nos tipos, símbolos, figuras, personagens e instituições do Antigo Testamento, e Cristo consumado e realizado nos escritos do Novo. O apóstolo Paulo se referiu a essa abordagem hermenêutica em 2Coríntios 3, em que ele explica por que os judeus continuavam a ler as Escrituras de Israel sem, contudo, ver Cristo nelas:

Não somos como Moisés, que cobria o rosto com um véu para que os israelitas não vissem a glória, embora ela já estivesse se desvanecendo. Mas a mente do povo estava endurecida e, até hoje, toda vez que a antiga aliança é lida, o mesmo véu lhes cobre a mente, e esse véu só pode ser removido em Cristo. Até hoje, quando eles leem os escritos de Moisés, seu coração está coberto por esse véu.

2Coríntios 3.13-15

A dureza de coração dos judeus, isto é, sua incredulidade, funcionava como um véu que os impedia de enxergar Cristo em tudo que Moisés e os profetas falaram. Mas, uma vez convertidos a Cristo, eles passavam a enxergá-lo claramente nas Escrituras de Israel, nessa liberdade hermenêutica trazida pelo Espírito:

> Contudo, sempre que alguém se volta para o Senhor, o véu é removido. Pois o Senhor é o Espírito, e onde está o Espírito do Senhor, ali há liberdade. Portanto, todos nós, dos quais o véu foi removido, podemos ver e refletir a glória do Senhor, e o Senhor, que é o Espírito, nos transforma gradativamente à sua imagem gloriosa, deixando-nos cada vez mais parecidos com ele.
>
> 2Coríntios 3.16-18

Paulo chegou a essa conclusão não por meio de exegese, mas mediante revelação (At 9.1-9; Gl 1.14-16). Uma vez que creu e entendeu que o Jesus a quem perseguia era o Messias prometido de Israel, ele passou a ler sua Bíblia não mais como um rabino, mas como um judeu que encontrou o cumprimento da promessa de Israel, até seus dias. Nos dias de hoje, quando os judeus leem os livros da antiga aliança, sua mente permanece coberta com o mesmo véu que havia sobre a face de Moisés, ao descer do monte com a Lei nas mãos, pois não enxergam Cristo neles (2Co 3.14-15). O véu fora colocado por Moisés para que os israelitas não pudessem ver que o seu brilho, o brilho da antiga aliança, estava desaparecendo (2Co 3.13). O véu representa o caráter inferior da antiga aliança, em que a presença de Cristo era indicada de forma velada nas Escrituras, e pressagiava a chegada da nova aliança. Jesus é aquele de quem elas falam, mas sob a forma de símbolos, figuras, tipos, instituições, profecias. A vinda de Jesus Cristo cumpre esses símbolos (2Co 3.14b). Assim, quando um judeu se converte a Jesus como Senhor, o véu é retirado pelo Espírito, e então, como judeu convertido, desfruta de liberdade para finalmente ler as Escrituras sem véu e ver Jesus nelas (2Co 3.17).

Em resumo, para Paulo e os demais autores do Novo Testamento, a Lei de Moisés (Rm 10.4-9), os Profetas (Rm 1.2; 16.25-26) e os Escritos

(Rm 4.7-8) falavam de Cristo e da salvação através dele (1Co 15.1-4). O Antigo Testamento, com suas profecias e história, encontra cumprimento pleno e final em Cristo e na nova era inaugurada por ele. O caráter cristocêntrico da hermenêutica e da pregação dos autores do Novo Testamento torna-as radicalmente diferentes da hermenêutica e da pregação dos rabinos e dos essênios, por exemplo, para quem, nas palavras de Paulo, os escritos da antiga aliança eram um livro velado.

Não podemos também deixar de mencionar que o Espírito Santo tem como missão neste mundo exaltar a pessoa e a obra do Senhor Jesus, conforme o próprio Jesus prometeu:

> Quando o Pai enviar o Encorajador, o Espírito Santo, como meu representante, ele lhes ensinará todas as coisas e os fará lembrar tudo que eu lhes disse.
>
> João 14.26

> Eu enviarei a vocês o Encorajador, o Espírito da verdade. Ele virá do Pai e testemunhará a meu respeito.
>
> João 15.26

> Quando vier o Espírito da verdade, ele os conduzirá a toda a verdade. Não falará por si mesmo, mas lhes dirá o que ouviu e lhes anunciará o que ainda está para acontecer. Ele me glorificará porque lhes contará tudo que receber de mim. Tudo que pertence ao Pai é meu; por isso eu disse: "O Espírito lhes contará tudo que receber de mim".
>
> João 16.13-15

O Espírito glorifica Cristo mediante a pregação da Palavra. Obviamente, o Espírito pode fazer aplicações diretas da Palavra ao coração do pecador, às vezes usando partes, palavras, histórias e ilustrações da pregação que o pregador nunca teve a intenção de usar para falar das verdades eternas e da pessoa de Cristo. Lembro-me de uma história, não sei se verídica, de uma pessoa que se converteu ouvindo uma pregação sobre a genealogia de algum patriarca do Antigo Testamento. O pregador estava simplesmente mostrando como Deus foi fiel em manter uma descendência para Abraão, mas no seu coração aquela pessoa estava pensando: "Todos esses viveram muito tempo, mas um dia morreram. Se eles morreram, eu também vou morrer. E então, o que será de mim?". E naquela ocasião, buscou Cristo pela fé, e foi salva. O Espírito pode levar qualquer pessoa a Cristo usando qualquer coisa que ele queira. Mas, normalmente, o Espírito usará as palavras e as aplicações que o pregador fizer. Já vimos como o Senhor Deus age através de meios e causas secundárias. Sermões cristocêntricos, humanamente falando, têm mais possibilidades de ser usados pelo Espírito para exaltar a Cristo no coração dos ouvintes.

A centralidade de Cristo na pregação reformada

Um dos traços da pregação dos reformadores e posteriormente dos puritanos foi exatamente o caráter cristocêntrico de seus sermões. No esteio dos reformadores, os puritanos entendiam que Cristo era o tema central das Escrituras. Nos comentários que escreveram sempre procuram mostrar como esta ou aquela passagem se relaciona com Cristo. Veja, por exemplo, o que escreveu Isaac Ambrose, um renomado intérprete puritano, acerca do tema central das Escrituras:

> 1) Cristo é a verdade e a substância de todos os tipos e símbolos do Antigo Testamento. 2) Cristo é a substância e o conteúdo do pacto da graça. 3) Cristo é o centro e o ponto de encontro de todas as promessas. 4) Todos os sacramentos do Antigo e do Novo Testamento apontam para Cristo. 5) As genealogias da Escritura apontam para Cristo. 6) As cronologias da Escritura nos mostram as épocas e tempos de Cristo. 7) As leis do Antigo Testamento servem como aio para nos levar a Cristo. 8) Cristo, portanto, é a própria substância, centro, escopo e alma das Escrituras.[2]

De modo similar, John Owen, em sua *Cristologia*, entende que Cantares de Salomão é um livro sobre Cristo: "O livro inteiro de Cantares não é outra coisa que não uma declaração mística do amor mútuo entre Cristo e a igreja. [...] Uma grande parte do livro consiste em descrições da pessoa e do amor de Cristo que têm como alvo tornar Cristo desejável à nossa alma".[3]

Outros exemplos bíblicos e da história da igreja poderiam ser citados para ilustrar o caráter cristocêntrico da pregação bíblica, mas esses são

---
[2] Isaac Ambrose, *Works* (Londres, 1701), p. 201.
[3] John Owen, *Christologia, Or, A Declaration of the Glorious Mystery of the Person of Christ, God and Man* (Londres, 1679), p. 193.

suficientes para concluirmos que o pregador deve estar sempre atento para que seus sermões não sejam meras exortações éticas que poderiam ser pregados por rabinos, espíritas, católicos e moralistas em geral. Aqui preciso confessar que muitas vezes negligenciei esse princípio em minhas pregações, especialmente no início de meu ministério. A convicção de meus próprios pecados e a consciência dos pecados dos outros muitas vezes me levou a pregar sobre o pecado e suas consequências, sobre a ira de Deus e o inferno, e muito pouco sobre a graça de Deus em Cristo, seu perdão e purificação pelo sangue precioso do Cordeiro. Levou algum tempo, como pregador, para que eu percebesse que grande parte dos crentes que vão ao culto já carregam culpa e o que precisam é aprender a lidar com ela e a viver a plenitude da graça de Deus. A maioria dos crentes precisa de consolação e não de condenação.

Uma das primeiras séries de sermões que preguei — ainda guardo o esboço anotado à mão, antes mesmo de entrar no seminário — foi sobre os diferentes tipos de pecado. Eu estava convicto, e não totalmente sem razão, de que os crentes precisavam ser despertados do estado de mornidão e torpor espirituais em que viviam, e que a melhor maneira de fazê-lo era abordá-los pesadamente com as ameaças da Bíblia quanto aos castigos temporais e eternos de Deus. Relendo recentemente esses esboços, percebi que um rabino não convertido a Cristo poderia ter pregado esses sermões, que consistiam basicamente em mostrar o que era o pecado e analisar, um a um, os pecados de imoralidade, omissão, orgulho e assim por diante. Pouco ou nada falei sobre a graça de Deus em Cristo, sobre a justificação desses pecados mediante a fé nele. Dou graças a Deus por haver amadurecido nesse ponto ao longo dos anos, e aprendido acerca do poder do evangelho da graça para despertar consciências. Fui alertado nessa trajetória por amigos próximos, mais experientes, quanto ao risco de cair no legalismo, mas, à época, eu não conseguia enxergar isso. Finalmente, vim a compreender a graça de Deus em Cristo mais plenamente, em particular depois de ter abraçado a teologia reformada. Apesar disso, tive de continuar alerta para não pregar meros sermões éticos.

Cuidados e precauções

Pregar Cristo em cada sermão não significa necessariamente recapitular a cada pregação a história da salvação ou os pontos centrais do evangelho.

Não significa transformar cada sermão em um ensaio sobre cristologia ou soteriologia. Não significa achar Cristo em cada passagem do Antigo Testamento que estamos pregando. A pressão por fazer isso pode levar o pregador a cair em certas armadilhas, algumas delas históricas. Vejamos alguns exemplos.

Primeiro, no afã de pregar Cristo no Antigo Testamento, o pregador pode cair no erro da alegorização, como fizeram os pregadores da escola cristã de interpretação surgida em Alexandria, norte do Egito, no século 2. A interpretação atribuída a Barnabé, um estudioso daquela escola,[4] de Gênesis 14.14 (em que se mencionam os 318 homens de Abraão) é um exemplo. Barnabé queria provar que Abraão sabia não somente o nome de Cristo, mas até que ele haveria de morrer na cruz. Diz o relato:

> Filhos do amor, aprendei mais particularmente estas coisas: Abraão, praticando por primeiro a circuncisão, circuncidava porque o Espírito dirigia profeticamente seu olhar para Jesus, dando-lhe o conhecimento das três letras. Com efeito, ele diz: "E Abraão circuncidou entre os homens de sua casa trezentos e dezoito homens". Qual é, portanto, o conhecimento que lhe foi dado? Notai que ele menciona em primeiro lugar os dezoito e depois, fazendo distinção, os trezentos. Dezoito se escreve: I que vale dez, e H, que representa oito. Tens aí: IH(sous) = Jesus. E como a cruz em forma de T devia trazer a graça, ele menciona também trezentos (= T). Portanto, ele designa claramente Jesus pelas duas primeiras letras e a cruz pela terceira.[5]

Barnabé entendia que "318" dizia outra coisa que não um número. Para ele, tratava-se de uma referência proposital feita por Deus a Abraão acerca de Jesus, e que só poderia ter sido decifrada "espiritualmente", interpretando-se a passagem de modo alegórico.

Outro representante dessa escola foi Orígenes. Ele interpretava o relato de Gênesis 24.15-17, em que Rebeca vem tirar água do poço e encontra os servos de Abraão, segundo o método alegórico. Para ele, esse texto significava que diariamente devemos vir aos poços da Escritura para ali nos

---

[4] Essa atribuição é disputada, pois não sabemos quem é o autor da *Carta de Barnabé*, em que encontramos essa informação. De qualquer forma, ela procede de Alexandria e é característica da interpretação ali feita.
[5] Carta de Barnabé 9.7-8, in *Padres Apostólicos*, Coleção Patrística, Vol. 1 (São Paulo: Paulus, 2014).

encontrarmos com Cristo. É evidente que esse não é o sentido natural, original e simples do texto, mas como fazer que tais passagens "falem" de Cristo senão pela alegoria?

Podemos ainda mencionar Atanásio, o patriarca de Alexandria, campeão da ortodoxia na luta contra a heresia ariana no século 4. Em sua carta a um cristão chamado Marcelino sobre a interpretação dos Salmos, Atanásio reflete claramente a convicção dos intérpretes alexandrinos de que praticamente todas as passagens do Antigo Testamento falam de Cristo, ainda que de maneira alegórica.

Creio que podemos concordar que Cristo estava presente nas Escrituras do Antigo Testamento, mas não consigo ver que cada palavra, evento, número, personagem ou instituição delas possa ser interpretado alegoricamente a fim de sempre encontrar Cristo nele. O mesmo engano ocorre hoje, quando o pregador, sem garantia de que uma passagem seja realmente messiânica, faz interpretações alegóricas das Escrituras para que, de alguma forma, produzam uma aplicação relacionada com Cristo. Eu prefiro seguir o princípio, consagrado pela escola de Antioquia no século 4, sobre pregar Cristo no Antigo Testamento, ainda que tenham sido, talvez, rigorosos demais em sua aplicação.

Deodoro de Tarso, um representante dessa escola, deixou-nos um comentário de Salmos em que se reflete claramente a interpretação cristológica moderada de Antioquia. Ali vemos em ação o princípio antioquiano de não atribuir a um texto do Antigo Testamento uma interpretação cristológica que não possa ser provada e demonstrada pelo Novo Testamento. Comentando o salmo 22, Deodoro nega seu caráter messiânico, pois as descrições literais dos sofrimentos do autor do salmo não combinam com os sofrimentos de Cristo.[6] O salmo 24, segundo ele, também não é messiânico, mas se refere aos judeus que voltaram do cativeiro babilônico.

Teodoro de Mopsuéstia é provavelmente o intérprete que mais rigidamente seguiu os princípios de interpretação da escola de Antioquia quanto à abordagem cristológica do Antigo Testamento. Para ele, uma passagem no Antigo Testamento só pode ser considerada messiânica se for usada como tal no Novo Testamento. Meras alusões não são suficientes. Assim,

---

[6] Entendo a preocupação de Deodoro, mas Salmos 22.1,18 aponta claramente para seu caráter messiânico. Esse exemplo mostra como é possível pressionar uma regra *ad absurdum*.

passagens como o sacrifício de Isaque, que nunca são usadas no Novo Testamento em referência a Cristo, não são consideradas messiânicas.[7]

Para não cair no risco da alegorização indevida, o pregador deve procurar descobrir a intenção autorial, seguindo os princípios do método histórico-gramatical, conforme vimos, e optar sempre pela interpretação natural, simples e literal de uma passagem.

Segundo, uma aplicação indevida do princípio cristocêntrico pode levar o pregador, mesmo inconscientemente, a negligenciar passagens que não falem de maneira óbvia de Cristo e pregar apenas naquelas em que a relação com Cristo for mais evidente. Por que a grande maioria dos pregadores prefere sermões no Novo Testamento? Guardadas as devidas proporções, quero aqui trazer o exemplo do que aconteceu com Lutero. Para o reformador, a doutrina da justificação pela fé era o único critério para estabelecer o cânon das Escrituras, a saber, os livros realmente inspirados por Deus. Como a carta de Tiago não trata desse assunto, Lutero a considerou "epístola de palha", e publicou seu Novo Testamento tendo Tiago como apêndice, e não como parte do cânon. Na segunda edição, um Lutero mais maduro trouxe Tiago de volta para o cânon. Lembremos que os próprios livros da Bíblia falam de Cristo em diferentes níveis de clareza. O livro de Ester, por exemplo, nem menciona o nome de Deus! Sua existência é pressuposta, bem como seu governo soberano de todos os acontecimentos. Mas nada disso é dito explicitamente. Cântico dos Cânticos precisa ser interpretado alegoricamente para apontar para Cristo, caso contrário será um livro sobre o amor conjugal. A carta de Tiago é uma carta prática, cheia de exortações a cristãos superficiais que passavam por muitas provações. A pessoa e a obra de Cristo estão pressupostas ali, mas não tratadas explicitamente. É mais fácil pregar sobre a justificação pela fé em Romanos ou Gálatas.

Em vez de alegorizar as Escrituras, o pregador deve procurar conhecer teologia bíblica e ter noções claras do conceito da história da redenção,

---

[7] Isso pode parecer chocante para alguns pregadores, pois a história do sacrifício de Isaque *parece* apontar para o de Cristo. Mas, a rigor, não foi Isaque que foi sacrificado, mas a ovelha presa nos arbustos, que morreu no lugar dele. Além disso, nas três vezes que essa passagem de Gênesis 22 é citada no Novo Testamento, nunca é usada para falar do sacrifício de Cristo, mas para destacar a fé de Abraão e sua obediência a Deus. Se um pregador quiser alegorizar Gênesis 22 para falar de Isaque como tipo de Cristo, fará isso por conta própria.

do desenrolar progressivo na história dos atos salvadores de Deus e onde cada livro e cada passagem se encaixam. Dessa maneira, ele poderá ver mais claramente em que sentido determinado livro da Bíblia contribui para a revelação do mistério de Deus, Cristo. Tomando o livro de Ester como exemplo, a história aponta para a preservação providencial de Deus de seu povo eleito, em fidelidade a suas promessas de que o Messias, o Salvador do mundo, viria da descendência de Abraão. Mesmo debaixo do jugo de impérios estrangeiros, Israel era governado pelo Rei dos reis e Senhor dos senhores, que no devido tempo haveria de enviar seu Filho ao mundo. É esse Deus quem nos deu seu Filho, e podemos confiar que ele haverá de nos salvar e preservar para seu reino.

Além disso, o pregador deve se lembrar das passagens do Novo Testamento que dizem que as leis cerimoniais do Antigo apontavam para o Senhor Jesus. Nas palavras do apóstolo Paulo na carta aos Colossenses, o Senhor Jesus era quem lançava "a sombra", termo que Paulo usa para se referir aos cerimoniais, rituais, sacrifícios, circuncisão, leis dietárias e calendário sagrado dos judeus (Cl 2.16-17). Tudo isso apontava para Jesus Cristo. A carta aos Hebreus, de todas as epístolas no Novo Testamento, talvez seja a que melhor nos ajude a entender como achar e pregar Cristo no Antigo Testamento.

Por fim, deixo um lembrete muito necessário aos pregadores, o qual se encontra no púlpito de uma igreja batista em Miami, mas que também pode ser encontrado em outras igrejas em que preguei. Quando o pregador sobe ao púlpito, bem diante dele, gravado na parte superior do descanso para a Bíblia e notas, está a frase, "Sir, we would see Jesus". Essa frase, traduzida por "senhor, queremos ver Jesus", é tirada de João 12.21. É o pedido que os gregos fizeram a Filipe. E, com certeza, é o pedido da congregação, que espera que o pregador pregue Cristo, e não a si mesmo.

11

O apelo

O objetivo do pregador é persuadir e convencer seus ouvintes a crerem em sua mensagem (Is 53.1), a fim de que se arrependam de seus pecados e creiam em Cristo como único e suficiente Salvador. O pregador deseja que também os já salvos creiam no que ele prega acerca de santificação, consolo, crescimento, dedicação e renúncia de tudo por amor a Cristo. Para isso, ele, como Paulo em Tessalônica, discute, explica e prova o que ensina a partir das Escrituras (At 17.1-3). Por sua própria natureza, a pregação bíblica é um apelo, do começo ao fim. Ela visa engajar a mente e o coração das pessoas com o evangelho. Ela demanda um veredito, pede uma decisão, exige um posicionamento. Confiado no poder do Espírito, o pregador procura levar seus ouvintes a reconhecerem seus pecados, sua culpa, a graça de Deus em Cristo e a buscarem o perdão de Deus, e para isso usa de argumentos lógicos, raciocínios seguros e profunda paixão por essas verdades.

Entretanto, o pregador sabe que uma decisão pelo evangelho dependerá do chamado eficaz do Espírito, da graça irresistível de Deus, do amor atraente de Cristo. Ele também sabe que o Deus trino usa meios secundários para isso, a saber, a pregação com toda sua argumentação. A partir do século 19, tornou-se comum os pregadores fazerem apelos ao final de sua mensagem a fim de que os presentes manifestassem visivelmente, levantando a mão ou indo à frente, sua decisão imediata de aceitar a Jesus como Salvador. Esse método novo causou grande polêmica na época, mas acabou prevalecendo como prática normal entre os evangélicos. Mas será que é a melhor maneira de persuadir pecadores a que se arrependam e venham a Cristo? Sei que nem todos os pregadores que fizeram e fazem apelo o veem como um meio de *persuadir* pecadores. Mas, em sua origem, era essa a ideia, como veremos em seguida.

Charles Finney

O moderno sistema de apelos ao final dos cultos é comumente atribuído ao evangelista Charles Finney, pastor norte-americano, advogado de formação, que ministrou durante o grande avivamento ocorrido na Nova Inglaterra do século 19. Apesar de presbiteriano, Finney discordava radicalmente do teor reformado da pregação característica do avivamento. Em vez da ênfase doutrinária dessa pregação, ele optou por um tipo de pregação que tinha como objetivo levar as pessoas a tomarem uma decisão por Cristo, logo ao final do sermão. Assim, ao final de cada pregação, Finney fazia um apelo para que os pecadores tomassem imediatamente uma decisão por Cristo.

No avivamento, havia pregadores calvinistas, como Asael Nettleton, que nunca praticavam esse tipo de apelo, mas esperavam que o Espírito fizesse a obra de conversão no coração dos pecadores, o que poderia levar algum tempo. Finney, porém, era movido por sua teologia, que estava longe de ser reformada. Em sua obra mais influente, *Lectures on Revivals of Religion* [Conferências sobre avivamento da religião], ele afirma: "Um reavivamento não é milagre nem depende de um milagre, em qualquer sentido. Trata-se meramente do resultado filosófico da aplicação correta dos métodos".[1]

Finney acreditava que, se fossem usados os métodos corretos, avivamentos — que consistem na conversão genuína de muitas pessoas em um curto intervalo de tempo — poderiam acontecer por mãos humanas. Ele não via nada de extraordinário ou sobrenatural na conversão do pecador. Mais adiante na mesma obra, ele afirma: "Não há nada na religião além do poder ordinário da natureza. Consiste inteiramente no exercício correto dos poderes da natureza. É apenas isso, e nada mais".[2] Ou seja, uma vez que o homem tem condições de arrepender-se, mudar seus caminhos e obedecer por si mesmo ao que Deus ordena, sem necessidade de regeneração ou da atuação do Espírito, não há nada sobrenatural em sua conversão. Esse posicionamento de Finney o coloca na categoria de pelagiano, nome dado aos seguidores de Pelágio, condenado desde o século 5 como

---

[1] Charles G. Finney, *Lectures on Revivals of Religion* (Nova York: Leavitt, Lord & Co, 1835), p. 12.
[2] Ibid., p. 13.

O APELO

herético. Pelágio negava que o ser humano já nascia pecador e cria que seu arbítrio era inteiramente livre para decidir-se por Deus no momento que assim desejasse, sem a necessidade de qualquer ação da parte de Deus.

As pregações de Finney tinham, portanto, sempre um único propósito, o de induzir as pessoas a fazerem uma escolha imediata de seguir a Cristo. Com isso introduziu em seus cultos métodos absolutamente novos para a época, como o "banco dos ansiosos", precursor do moderno sistema de apelos. Esse "banco" consistia em um assento específico situado em um local público na reunião. O pecador que ficasse preocupado, durante o sermão, com o estado de sua alma era convidado a sentar-se nele. Findo o culto, ele era abordado, em particular, para uma conversa, a fim de que se conhecesse seu estado espiritual, se removessem as objeções e ele se comprometesse a entregar o coração a Deus.

Ao final da pregação, Finney apelava insistentemente para que os pecadores viessem à frente e se sentassem no "banco dos ansiosos". Por servir para produzir conversões rápidas, Finney via esse "banco" como essencial para o evangelismo. Ele não tinha paciência para esperar que os pecadores lutassem sob convicção de pecados por dias, semanas ou até anos, como nos velhos tempos. Ele queria conversões e resultados instantâneos, pois acreditava que qualquer pessoa podia se converter a hora que quisesse. Se a pessoa não tomasse a decisão por Cristo no "banco dos ansiosos", Finney acreditava que a partir dali o Espírito Santo a abandonaria. O "banco dos ansiosos" passou a ser considerado um verdadeiro propiciatório em que a graça salvadora de Deus era derramada, como se lá o Espírito de Deus manifestasse seu poder salvador e santificador como em nenhum outro lugar.[3]

Muitos pregadores calvinistas se opuseram a essa novidade introduzida por Finney. Charles Spurgeon, contemporâneo de Finney, escreveu: "Fico feliz em ver conversões imediatas, mas fico mais feliz ainda quando vejo uma obra completa da graça, um profundo senso de pecado e um quebrantamento trazido pela lei". Ele também disse que é preciso um movimento do coração e não um movimento dos pés para alguém

---

[3] Para mais detalhes sobre essas convicções de Finney, recomendo a excelente análise de Iain H. Murray, *Revival and Revivalism: Making and Marring of American Evangelicalism 1750–1858* (Edimburgo: Banner of Truth, 1994). Ver especialmente p. 246 para essa crença de Finney.

vir a Cristo. Muitos estavam vindo a Cristo em corpo, indo para o "banco dos ansiosos", mas nunca foram de coração.[4] Outro pregador calvinista, Horatius Bonar, comentou sobre o uso do "banco dos ansiosos" para multiplicar conversões: "Nossa ansiedade deve recair sobre como podemos garantir a glória de Javé, e não como multiplicar as conversões".[5]

Antes de Finney, os evangelistas reformados aguardavam sinais ou evidências da operação do Espírito Santo na vida dos pecadores, trazendo-os sob convicção de pecado, para somente então guiá-los a Cristo. Não colocavam pressão psicológica sobre a vontade dos pecadores com receio de produzir falsas conversões. Finney, porém, seguiu caminho oposto — e seu caminho prevaleceu.

O impacto dos métodos de Finney no evangelicalismo moderno são tremendos. Seus sucessores têm perpetuado esses métodos e mantido as características do fundador: o apelo por decisões imediatas, baseadas na vontade humana; o estímulo das emoções como alvo do culto; o desprezo pela doutrina; e a ênfase, na pregação, em fazer uma escolha, em vez de nas grandes doutrinas da graça. As igrejas evangélicas de hoje, influenciadas pela teologia e pelos métodos de Finney, têm adotado táticas e práticas em que as pessoas são vistas como clientes, promovendo a mentalidade consumista.

Apelos na Bíblia

Apesar dos fundamentos teológicos errados que serviram de base para a introdução do sistema de apelos, não devemos, por isso, pensar que o conceito de apelar a pecadores para que se arrependam contraria as Escrituras. Seria errado dizer que toda forma de apelo ao pecador para que deixe o pecado e venha a Cristo está errada. Temos inúmeros exemplos do próprio Deus apelando ao seu povo rebelde no período do Antigo Testamento para que se volte para ele:

"Venham, vamos resolver este assunto",
    diz o Senhor.

---

[4] Citado por Iain H. Murray, *The Forgotten Spurgeon* (Edimburgo: Banner of Truth, 2009), p.109-112.
[5] Ibid., p. 117.

"Embora seus pecados sejam como o escarlate,
    eu os tornarei brancos como a neve;
embora sejam vermelhos como o carmesim,
    eu os tornarei brancos como a lã.
Se estiverem dispostos a me obedecer,
    terão comida com fartura."

Isaías 1.18-19

"Meus filhos rebeldes", diz o SENHOR,
    "voltem para mim, e eu curarei a rebeldia de seu coração."

Jeremias 3.22

"Venham, voltemos para o SENHOR!
Ele nos despedaçou,
    agora irá nos sarar.
Ele nos feriu,
    agora fará curativos."

Oseias 6.1

Quem não se recorda do apelo da Sabedoria, em Provérbios?

A Sabedoria grita nas ruas
    e levanta a voz na praça pública.
Sim, proclama nas avenidas
    e anuncia em frente à porta da cidade:
"Até quando vocês, ingênuos,
    insistirão em sua ingenuidade?
Até quando vocês, zombadores,
    terão prazer na zombaria?
Até quando vocês, tolos,
    detestarão o conhecimento?
Venham e ouçam minhas advertências;
    abrirei meu coração para vocês e os tornarei sábios".

Provérbios 1.20-23

Durante o seu tempo de ministério, o Senhor Jesus apelou aos pecadores que vinham a ele para que mudassem de vida:

Depois que João foi preso, Jesus foi para a Galileia, onde anunciou as boas-novas de Deus. "Enfim chegou o tempo prometido!", proclamava. "O reino de Deus está próximo! Arrependam-se e creiam nas boas-novas!"

Marcos 1.14-15

"Venham a mim todos vocês que estão cansados e sobrecarregados, e eu lhes darei descanso."

Mateus 11.28

No último dia, o mais importante da festa, Jesus se levantou e disse em alta voz: "Quem tem sede, venha a mim e beba! Pois as Escrituras declaram: 'Rios de água viva brotarão do interior de quem crer em mim'".

João 7.37-38

O apóstolo Paulo, e certamente os demais pregadores do período apostólico, apelaram aos seus ouvintes para que se arrependessem de seus pecados e cressem:

Ouçam, irmãos! Estamos aqui para proclamar que, por meio de Jesus, há perdão para os pecados. Todo o que nele crê é declarado justo diante de Deus, algo que a lei de Moisés jamais pôde fazer. Por isso, tomem cuidado para que não se apliquem a vocês as palavras dos profetas.

Atos 13.38-40

Viemos lhes anunciar as boas-novas, para que abandonem estas coisas sem valor e se voltem para o Deus vivo, que fez os céus e a terra, o mar e tudo que neles há.

Atos 14.15

Muitas outras passagens poderiam ser adicionadas, mas essas são suficientes para mostrar que negar a validade de toda e qualquer forma de apelo seria fugir das evidências. O que precisamos é definir claramente que tipo de apelo deve ser rejeitado, em vez de rejeitar totalmente o conceito. Podemos começar dizendo que todo apelo que identifica a salvação com uma manifestação física, quer seja ficar em pé, vir à frente ou levantar a mão, pode induzir a falsas conversões e à certeza de salvação infundada. O pregador que faz apelos desse tipo pode contribuir para fortalecer o conceito, já bem difundido no meio evangélico, de que levantar a mão e aceitar Jesus é a mesma coisa. Infelizmente, muitas pessoas que levantam a mão e vêm à frente atendendo aos apelos de pregadores abandonam a igreja depois.

Nas grandes cruzadas evangelísticas de Billy Graham havia times treinados de conselheiros que acolhiam os que vinham à frente atendendo ao apelo de Graham. Esses conselheiros conversavam com as pessoas, oravam com elas e as encaminhavam para igrejas evangélicas locais, que já estavam preparadas para fazer o discipulado. Apesar de tudo isso, sempre havia um número que voltava atrás em sua decisão. É claro que sempre haverá pessoas que voltam atrás, com apelo ou não. Mas o ponto aqui é que queremos contribuir o mínimo possível para que isso aconteça. Eu sei que alguém vai dizer: "O que importa são aqueles que ficam". Bem, sou grato a Deus por eles. Mas me pergunto sobre os demais que tomaram uma decisão e que desistiram. Eles ficaram como que "vacinados" para futuras tentativas de levá-los a Cristo, como uma "terra arrasada".

Outra consequência do sistema de apelos é que pode induzir o pecador à falsa sensação de segurança e certeza de sua salvação, mesmo que não tenha havido mudança alguma em sua vida. Já me deparei com jovens viciados em drogas que tinham certeza de sua salvação porque um certo dia entraram em uma igreja e levantaram a mão, aceitando a Jesus. Já vi mocinhas vindo pelo corredor da igreja em resposta ao apelo do pregador, conversando e rindo entre si — não havia sinais de quebrantamento, arrependimento e convicção de pecados, atitudes que normalmente precedem a salvação.

Apelos colocam pressão na vontade do pecador não arrependido para que tome uma decisão religiosa em público, algo que ele poderá interpretar como o momento de sua salvação. Ouvi uma vez uma história — não posso provar sua veracidade — de que Billy Graham estava em um avião quando o passageiro ao seu lado, claramente embriagado, o reconheceu e exclamou: "Você não é o Billy Graham? Foi você quem me converteu!", ao que o evangelista respondeu: "Fui eu mesmo, porque se tivesse sido o Espírito Santo você não estaria assim!". Tratava-se possivelmente de um dos milhares que haviam aceitado a Cristo nas cruzadas de Graham.

Outro tipo de apelo que deve ser rejeitado é o que chamaríamos de "apelação", aquele apelo insistente e constrangedor ao final da pregação para que o pecador levante a mão, venha à frente ou faça qualquer outro sinal indicativo de aceitação a Cristo. Na "apelação", o pregador usa de todos os recursos possíveis para persuadir os pecadores. Já vi pregadores pedirem aos crentes sentados ao lado de descrentes no culto que trouxessem seus amigos descrentes até a frente. Também é muito comum a banda começar a tocar um fundo musical com o objetivo de baixar as defesas emocionais e facilitar a tomada de decisão. Já ouvi dizer, mas nunca quis acreditar, que em algumas campanhas evangelísticas, no momento do apelo, obreiros se levantam de locais estratégicos e se dirigem à frente, dando a impressão de que são descrentes aceitando a Jesus e com isso ajudando aqueles mais tímidos que não querem ser os primeiros.

Todo esse tipo de manipulação psicológica acaba produzindo falsas conversões. Conta-se que após a morte de Charles Spurgeon os diáconos de sua igreja contrataram um pastor adepto dos métodos de Charles Finney. Assim, terminado o sermão, aquele pastor ofereceu um apelo para os que queriam se converter e receber Jesus como Salvador. Os que assim desejassem deveriam se identificar imediatamente. Isso causou profundo constrangimento entre os diáconos da igreja. Em uma reunião posterior com o pastor, questionaram essa medida, ao que o pastor respondeu: "Acredito que devemos bater no ferro enquanto ele ainda está quente". Um velho diácono, porém, retrucou: "Se o sr. Spurgeon estivesse aqui, diria que, se o ferro tivesse sido aquecido pelo Espírito Santo, estaria quente até no dia seguinte", referindo-se ao fato de que Spurgeon orientava aqueles que foram tocados pela sua pregação de domingo a procurá-lo no gabinete pastoral da segunda-feira em diante.

Então, que tipo de apelo deveríamos oferecer aos pecadores que nos ouvem? Creio que o apelo está embutido no próprio sermão. Além disso, não tenho problemas em indicar aos interessados que procurem o pregador durante a semana, para orientação pessoal sobre seu estado espiritual. O que evito fazer é dar a impressão de que levantar a mão e vir à frente é o mesmo que salvação. Por mais que o pregador explique que são duas coisas diferentes, a tendência para os indoutos é juntar as duas coisas. Para muita gente já familiarizada com a prática dos evangélicos, converter-se é ir a um culto e levantar a mão na hora do apelo.

Mas e os que se converteram com o apelo?

É inegável que muitas pessoas que levantaram a mão e vieram à frente em um momento de apelo passaram a viver realmente uma vida regenerada. Eu mesmo, durante os primeiros anos da minha vida como pregador, e bastante influenciado pelos métodos de Finney, fiz muitos apelos e vi a vida de muitos daqueles jovens que levantaram a mão e vieram à frente passar por uma mudança profunda, e que seguem Cristo ainda hoje. Vários deles se tornaram pastores e servem ao Senhor fielmente. Lembro-me de um culto evangelístico em uma quarta-feira, na cidade de Olinda, no bairro de Ouro Preto, quando preguei sobre inferno e ao final fiz um apelo. Somente uma pessoa se levantou e veio à frente, um jovem alto e forte, com cara de mau. Eu o conhecia. Sabia que ele havia passado por várias religiões. Sabia também que era usuário de drogas. Fiquei sem saber qual era a intenção dele ao vir à frente, até que ele declarou que queria receber Jesus como Salvador. Orei com ele e posteriormente passei a discipulá-lo. Ele foi para um instituto bíblico e depois para o seminário de Recife. Mais tarde, foi missionário na Índia durante muitos anos. Hoje, de volta ao Brasil, continua a servir Cristo fielmente.

Eu poderia citar vários outros casos de pessoas que se converteram por intermédio de apelos. A isso só posso dizer que Deus, em sua misericórdia, chama os seus eleitos pelos meios disponíveis. Embora o moderno sistema de apelos, a meu ver, traga mais riscos que benefícios, isso não quer dizer que seja pecaminoso. Deus salva pecadores apesar de toda "apelação" presente nos cultos evangélicos. A graça divina é maior do que pensamos. Entretanto, isso não nos autoriza a utilizar meios que podem trazer danos sérios a pessoas que um dia foram incentivadas a aceitar Jesus e depois descobriram que nada mudou na vida delas. Assim, considerando o número significativo de falsas conversões, o pregador confiante na eleição e na ação poderosa do Espírito não forçará as pessoas a tomarem decisões imediatas, sob o risco de colher o fruto verde demais. Em vez disso, aguardará que o Espírito faça a obra completa no coração do pecador. Não estou querendo dizer que o Espírito Santo não possa converter alguém ali depois da pregação, imediatamente após o "amém". Estou apenas dizendo que devemos ser cuidadosos para não produzirmos falsas conversões.

Após conhecer a teologia reformada, parei de fazer apelos para conversão ao final das mensagens, mas nem por isso deixei de ver conversões por meio de minhas pregações. O apelo ia na mensagem. Pregações que expõem a pessoa de Cristo, a pecaminosidade humana, a necessidade de arrependimento e fé em Jesus, a vida eterna e o sofrimento eterno constituem um poderoso apelo ao pecador perdido. O Espírito de Deus se agrada em abençoar pregações fiéis às Escrituras para o chamado e conversão de pecadores. Pessoas tocadas pelo Espírito durante minhas pregações e despertadas para seu estado espiritual e a necessidade de terem Cristo costumam me procurar depois ou procurar uma igreja próxima de sua casa. Pensando nesse último caso, não tenho a menor ideia de quantas pessoas vieram a Cristo mediante meu ministério.

Enquanto estava em Sirigi, interior de Pernambuco, em novembro de 1982, para pregar em uma igreja congregacional, escrevi uma carta a Minka, minha noiva na época, em que dizia:

> São 9h30 da noite e estou escrevendo à luz de uma vela. Faltou luz aqui em Sirigi mais ou menos às 7h40, no começo do culto, à noite. Mas acenderam um lampião a gás e tudo bem. Preguei em João 3.16, sobre o amor de Deus em nos salvar, e Deus abençoou a mensagem, senti fogo santo por dentro e tive muita liberdade para falar. À saída, um homem, cuja esposa vinha orando por ele há doze anos, declarou que queria ser crente. Fiquei feliz.

Eu não havia feito apelo algum ao final da mensagem, pedindo que as pessoas tocadas levantassem a mão e viessem à frente. Se eu tivesse feito, aquele homem provavelmente seria o primeiro a dar um sinal. Entretanto, na falta do apelo, ele procurou o pregador ao final, o que para mim demonstra mais claramente a firmeza de sua decisão.

Apelo aos crentes

Embora o sistema de convidar pessoas a virem à frente após a pregação tenha se originado em campanhas evangelísticas e visado a conversão de pecadores a Cristo, o modelo logo foi adaptado para aqueles que já eram crentes. Assim, pregadores começaram a fazer apelos para quem quiser ser curado, ter uma vida mais santa, alcançar prosperidade e solucionar seus problemas — a variedade é imensa. Já me aconteceu de, após concluir minha mensagem, sem apelo, o pastor da igreja que me convidou fazer ele mesmo o apelo. Passados alguns minutos de convites, apelos e ameaças, quando ninguém se apresentou, ele passou a convidar para vir à frente todos os crentes que quisessem oração. Metade da igreja o fez.

De alguma maneira, aquele querido colega entendia que um culto em que ninguém viesse à frente não tinha sido abençoado pelo Espírito Santo. Acho que eu não teria problemas em convidar à frente, para vir orar comigo, aqueles irmãos que durante o culto tenham se sentido tocados e movidos pelo Senhor. Talvez nos ajoelhássemos juntos, ali na frente, e confessássemos nossos pecados e pedíssemos perdão a Deus. Creio que poderia ser um momento de quebrantamento e comunhão com o Senhor. Mas confesso que não consigo ir além disso.

O apelo do pastor local

Essa questão levanta nosso próximo ponto, a saber, quando o pregador que não costuma fazer apelo é convidado a pregar em uma igreja e, ao término do sermão, o pastor local lhe pede que faça o convite. Isso já me aconteceu algumas vezes. Em todas elas, que eu me lembre, sussurrei ao pastor: "O senhor conhece a igreja melhor do que eu, pode fazer o apelo". Reconheço que pode se tornar uma situação constrangedora. A melhor maneira de evitá-la seria o pregador acertar antes com o pastor local informando-o de sua prática de não fazer apelo ao final da pregação. Lembro-me de uma vez em que, terminada a pregação, senti, pelo *feedback* da audiência, que ela havia sido usada pelo Espírito Santo. O pastor pediu-me que fizesse o apelo. Constrangido por haver me esquecido de combinar com o pastor, resolvi fazer o convite para aquelas pessoas que ainda não haviam professado a Cristo e que quisessem vir à frente orar comigo. Após repetir o convite duas vezes, agradeci e me sentei. Ninguém veio à frente.

O pastor, inconformado, pegou o microfone, mandou o grupo de louvor tocar uma música de fundo e começou um dos momentos mais apelativos que eu já tinha visto. Creio que o bom homem não conseguia acreditar que ninguém queria se converter mesmo depois de uma mensagem tão clara e poderosa. Talvez achasse que eu sabia pregar, mas não sabia apelar e passou os próximos minutos chamando, apelando, convidando, exortando até que finalmente umas duas ou três pessoas timidamente vieram até a plataforma. Só então ele se deu por satisfeito. Fiquei com a impressão de que naquela igreja acredita-se que culto que não trouxe pessoas à frente não teve unção do Espírito.

O contrário também pode acontecer. Um pregador convidado, após o sermão, pode fazer um apelo para salvação em uma igreja que não está acostumada a esse tipo de estratégia. Como o pastor da igreja local deveria proceder? Conheço alguns pastores que são extremamente zelosos do culto a ponto de, se algo assim acontecer em sua igreja, dar uma palavra, em seguida, desfazendo o que o pregador convidado acabou de fazer.

Considero isso extremamente deselegante e não edificante, para dizer o mínimo. Uma vez que apelos, mesmo não sendo a melhor estratégia, não constituem uma prática pecaminosa, o melhor é não fazer nada a fim de não expor o pregador visitante a uma situação constrangedora. Afinal, a menos que houvesse algum visitante, provavelmente ninguém da igreja se levantaria, porque estranhariam tal procedimento. O caso seria diferente se o pregador convidado pregasse alguma coisa contrária à Palavra de Deus. Nesse caso, acredito que é dever e responsabilidade do pastor local, com educação, gentileza, mas firmeza, expor o erro e ensinar a verdade dos fatos, sempre sem procurar ofender o pregador visitante — o que certamente será quase impossível.

Todas essas situações constrangedoras, contudo, podem ser evitadas se houver um entendimento prévio entre o pregador convidado e o pastor da igreja local a respeito dessas coisas.

Apelo por dinheiro

Alguns pregadores costumam engatar o sermão em outros tipos de apelo, como, por exemplo, falar sobre finanças ao final da mensagem e, então, fazer um apelo por ofertas. Essa prática é bem comum em seitas que adotam a teologia da prosperidade e naquelas em que os obreiros têm metas financeiras para bater ao final do mês. Os obreiros pregam a respeito de oferta, de semeadura, de colheita, de investir no reino de Deus e outros temas que já se tornaram jargão, e em seguida pedem contribuições. Alguns desses "pregadores" são especialistas em arrecadação. Soube de um, famoso pelo seu poder de persuasão, que cobrava uma porcentagem de todo o dinheiro que conseguisse arrecadar no final do culto.

É preciso esclarecer que o que se pratica nas igrejas da teologia da prosperidade hoje é bem diferente das campanhas feitas, por exemplo, pelo evangelista George Whitefield, do século 17, cujo objetivo era arrecadar recursos para o sustento de um orfanato que ele mantinha na Inglaterra. Whitefield era conhecido por seu poder de convencimento. Conta-se a história de que o famoso humanista Benjamin Franklin, sabendo de sua fama, resolveu ir a uma de suas reuniões nos Estados Unidos, mas sem levar um tostão no bolso, para não contribuir. Durante a pregação de Whitefield, ele foi de tal maneira convencido que conseguiu algumas moedas emprestadas para poder contribuir para o sustento do orfanato, ao final do sermão.

A diferença é que Whitefield queria motivar as pessoas por amor aos órfãos, uma causa nobre, sem esperar nada em troca. A teologia da prosperidade vê as contribuições para as igrejas como sementes plantadas cujo fruto reverterá ao doador. O interesse é meramente egoísta. Não vejo problemas em que o pregador exponha a Palavra de Deus regularmente em sua igreja sobre temas como contribuição, avareza, generosidade, missões, cuidado pelos pobres etc., e ao final do culto comunique como as pessoas podem contribuir — geralmente depósito bancário ou cheque entregue ao tesoureiro da igreja.

Uma das causas de vergonha e vexame para a igreja evangélica diante do público em geral é essa forte ênfase em pregações seguidas de apelos para ofertas. Esse sistema acaba criando a impressão de que o objetivo do pregador é arrecadar o máximo possível das pessoas que estiverem presentes, e que o sermão é apenas um meio para conseguir dinheiro. Na minha igreja, as ofertas são recolhidas antes do sermão exatamente para evitar uma conexão entre os dois.

Outros tipos de apelo

Suponhamos que o pregador fale sobre perdão. Estaria errado um apelo para que as pessoas saiam do seu lugar e se dirijam até alguém, ali presente, com quem tenham um atrito, e peçam perdão? Vejo alguns problemas com essa prática. Primeiro, ela tende a produzir pedidos de arrependimento falsos e reconciliações superficiais. Pessoas pressionadas pelo pregador podem se sentir culpadas se não atenderem ao apelo.

Segundo, essa prática expõe a individualidade das pessoas. Sou de opinião que o pecado deveria ser resolvido na mesma proporção em que ele é conhecido pela comunidade. Se dois irmãos estão brigados, o assunto deveria ser resolvido somente entre eles e não em público, a não ser que tenha sido uma desavença de proporções públicas e afetado toda a igreja. Não deveríamos expor desnecessariamente as fraquezas dos irmãos.

Terceiro, reconciliações precisam de mais tempo e um ambiente mais propício do que aquele ao final de um culto, diante dos olhares de tantas pessoas e com tempo determinado. Às vezes, outras pessoas precisam ser envolvidas. Assim, considero melhor, após pregar sobre perdão, exortar as pessoas a que, o mais breve possível, no decorrer da semana, procurem individualmente aqueles com quem se desentenderam e se reconciliem, diante do Deus que prometeu o perdão a todo aquele que se aproximar dele em sincero arrependimento, genuíno quebrantamento, com fé somente no sangue de Cristo. Então, coloco-me à disposição para aqueles que durante a semana precisem de ajuda para pôr sua vida em ordem.

Alguns ainda podem perguntar em que ocasiões o pregador pode pedir às pessoas que façam algum tipo de gesto que denuncie certa condição. Por exemplo: "Se você quer pedir perdão a Deus agora, ponha a mão no coração" ou "Se você deseja ser curado, erga as mãos". Confesso que aprecio certa interatividade com a audiência quando estou pregando. Talvez por isso eu goste tanto de pregar nas igrejas pentecostais. É encorajador ouvir os améns e aleluias, e outras expressões de que a igreja está de fato acompanhando de perto o que você está pregando. Esse tipo de *feedback*, pelo menos no meu caso, me encoraja a pregar com ainda mais entusiasmo. Entretanto, tenho dificuldade em solicitar um tipo de interação envolvendo alguma promessa implícita e sobre a qual não tenho nenhum controle, como é o caso dos exemplos citados. Não posso garantir que todos que erguerem as mãos serão curados nem que serão perdoados todos que colocarem a mão no coração. A cura é algo que está absolutamente dentro dos desígnios e da soberania de Deus. Nenhum pregador tem controle sobre isso.

Assisti a um vídeo de um pastor da Assembleia de Deus que fazia, indignado, uma crítica poderosa e bíblica contra um cantor evangélico, que tinha dito em sua igreja que subira ao monte para orar e recebera uma revelação de Deus. Segundo ele, Deus lhe dissera que, toda vez que fosse cantar, deveria pedir às pessoas que dessem quarenta pulos, e Deus lhes daria a vitória. Para tristeza do pastor, mais da metade da igreja deu os quarenta pulos!

O apelo que vem da igreja

Há ocasiões em que o apelo parte do próprio povo que ouve a pregação. Foi o que aconteceu no dia de Pentecostes, após o sermão de Pedro à multidão que se havia reunido em Jerusalém. Lucas registra que, após Pedro concluir seu sermão, "as palavras partiram o coração dos que ouviam, e eles perguntaram a Pedro e aos outros apóstolos: 'Irmãos, o que devemos fazer?'" (At 2.37).

O apelo de Pedro havia sido feito durante todo o sermão. E, agora, era a vez de o povo apelar aos apóstolos pelo caminho da salvação. Diante da pregação de Filipe, o eunuco não precisou de convite, ele mesmo exclamou após ser instruído pelo evangelista: "Veja, aqui tem água! O que me impede de ser batizado?" (At 8.36). Algo similar aconteceu com o carcereiro de Filipos, que não precisou de apelo para se converter: "Senhores, que devo fazer para ser salvo?" (At 16.30).

O missionário alemão Erlo Stegen narra em *Reavivamento na África do Sul* que, quando o avivamento espiritual começou entre os zulus, em 1967, centenas deles vieram bater a sua porta voluntariamente, durante dois ou três meses ininterruptos, querendo Jesus. Quando Stegen lhes perguntava quem os havia trazido ali, a resposta era invariavelmente esta: "Não sabemos explicar, mas deve ser Deus. Um poder dentro de nós tem nos forçado a vir aqui. Não podemos dormir mais, não temos mais descanso".[6] Não foi preciso apelo. Milhares de zulus se converteram. Tive o privilégio de visitar o local durante a década de 1980, por duas vezes. Naquela época, a obra de Deus continuava entre eles. É significativo que até aquele dia não houvesse apelos para conversão ou qualquer outra coisa ao final dos três cultos diários na Missão Kwasizabantu.

Cito aqui uma passagem de meu livro *Despertamento espiritual* sobre o extraordinário avivamento espiritual acontecido na Coreia, em 1907. Notemos como não houve apelo ou convite para arrependimento e confissão de pecado. Não foi necessário. O próprio Espírito de Deus estava movendo mentes e corações:

> O evento que marca o grande avivamento coreano é a reunião de 1.500 homens presbiterianos em Pyongyang, capital da Coreia, em 1907. Durante uma semana, eles se reuniram para orar na Igreja Presbiteriana Central e ouvir a pregação da Palavra. No último dia da reunião, após a pregação da noite, veio uma profunda convicção de pecados sobre todos os presentes. Após Kil Sun-joo, um dos mais renomados líderes coreanos da igreja presbiteriana, ter-se levantado e confessado publicamente seus pecados, todos os demais caíram debaixo de profunda culpa por suas próprias faltas, gemendo e clamando a Deus por perdão. Não somente os

---

[6] Erlo Stegen, *Reavivamento na África do Sul: Uma obra do Espírito Santo entre os Zulus* (Ananindeua, PA: Editora Clássicos Evangélicos, 1989), p. 557.

missionários americanos e pastores coreanos locais, mas todos os participantes queriam confessar os seus pecados publicamente, e fizeram uma fila para fazer isso diante da igreja. A reunião foi até às 2 horas da manhã.

Jonathan Goforth, que estava presente na ocasião, descreveu desta forma o acontecido: "A convicção de pecado alastrou-se pela congregação inteira muito rapidamente. O culto havia começado às 7h00 daquele domingo à noite e prolongou-se até às 2h00 da madrugada de segunda-feira. Mas, mesmo depois disso, muitos estavam na fila esperando uma oportunidade de confessar todos os seus pecados. Dia após dia, as pessoas começaram a reunir-se e todos podiam comprovar que o Purificador estava ali presente. […] Que qualquer homem diga o que quiser, mas, estas confissões eram plenamente controladas pelo Espírito Santo e não eram manipuladas por qualquer poder de persuasão humana […] somente o Espírito Santo poderia levar os dirigentes máximos de uma Igreja a confessarem publicamente os seus próprios pecados. E o mesmo poderemos afirmar de quase todas as confissões de pecado por toda a Coreia durante aquele ano".[7]

Essa convicção de pecados, seguida de quebrantamento e confissão pública, se espalhou rapidamente por toda a Coreia. Milhares de coreanos se converteram a Cristo, e os que já eram crentes foram quebrantados e avivados. Dezenas de novas igrejas foram fundadas. Esse avivamento ficou marcado pelas reuniões de oração durante a noite e também pela madrugada, práticas seguidas até hoje pelas igrejas coreanas.[8]

O pregador precisa orientar as pessoas sobre como proceder caso sua alma tenha sido tocada durante a pregação. No entanto, mesmo que ele não diga nada, quem foi movido pelo Espírito voltará no próximo culto. O pregador deve evitar forçar decisões, apressar escolhas ou induzir aceitações. Apelos ao final da pregação para uma tomada imediata de decisão por Cristo pode levar alguns a iludir-se quanto ao seu estado espiritual. Não parei de ver conversões debaixo do meu ministério após ter descontinuado os apelos ao final da mensagem. Espero, também, ter assim diminuído o número de "conversões" não genuínas.

---

[7] Jonathan Goforth, "Quando o fogo do Espírito varreu a Coreia" (1943), disponível em: <http://www.avivamientos.net/pt/livros/av_coreia.html>. Acesso em 28 de fevereiro de 2023.
[8] Augustus Nicodemus Lopes, *Despertamento espiritual: A poderosa ação avivadora do Espírito na igreja* (São Paulo: Cultura Cristã, 2022), cap. 14.

12

Apóstolo, profeta, evangelista, pastor e mestre

Creio ser importante falar sobre a relação que o pregador tem com os cinco ofícios mencionados pelo apóstolo Paulo em Efésios 4.10-11. Vamos começar entendendo o que Paulo quis dizer com sua declaração (itálicos meus):

> Aquele que desceu [Cristo] é o mesmo que subiu acima de todos os céus, a fim de encher consigo mesmo todas as coisas. Ele designou alguns para *apóstolos*, outros para *profetas*, outros para *evangelistas*, outros para *pastores* e *mestres*. Eles são responsáveis por preparar o povo santo para realizar sua obra e edificar o corpo de Cristo, até que todos alcancemos a unidade que a fé e o conhecimento do Filho de Deus produzem e amadureçamos, chegando à completa medida da estatura de Cristo.

Ao examinar mais de perto as cinco categorias de ministérios citadas por Paulo, constatamos a complexidade das funções descritas nessa lista. É praticamente impossível reaver com exatidão o sistema de governo ou liderança exercido nas igrejas cristãs no período apostólico. O Novo Testamento menciona apóstolos, presbíteros, bispos, evangelistas, diáconos e diversas outras categorias, além do dom de presidir e governar. Nem sempre é possível ter uma descrição acurada do trabalho exercido por essas pessoas. Pastores podiam ser mestres, assim como alguns profetas. Apóstolos, como Paulo, eram profetas e mestres. Presbíteros governavam igrejas locais e pregavam. Diáconos, como Felipe e Estêvão, foram eleitos para cuidar da obra social da igreja, embora também fossem pregadores e evangelistas.

O que nos interessa no momento, e que transparece com clareza da lista, é que apóstolos, profetas, evangelistas, pastores e mestres exerciam suas funções mediante a pregação da Palavra, e que as diferenças estavam na área de inspiração (os apóstolos, por exemplo, eram infalivelmente inspirados para redigir as Escrituras), na autoridade que exerciam nas igrejas e no reconhecimento como uma classe ou ofício e itinerância.[1] Sendo assim, parece-nos relevante tentar entender a tarefa do pregador à luz desses diferentes ofícios, ministérios e dons.

Apóstolo

Os apóstolos foram escolhidos por Cristo para que fossem testemunhas de sua ressurreição e pregassem ao povo sobre isso. Paulo se refere a si mesmo como "pregador e apóstolo" (1Tm 2.7). Sem dúvida alguma, não temos, hoje, apóstolos como os doze discípulos de Cristo e como o apóstolo Paulo, todos dotados de inspiração divina e de autoridade para fazer sinais e prodígios extraordinários, além de serem testemunhas oculares da ressurreição de Jesus Cristo. O pregador, portanto, não deve se considerar um apóstolo, alguém que recebe revelação direta de Deus, que fala com autoridade inquestionável e que cura seja quem for apenas pela voz de comando. Infelizmente, alguns pregadores em nossos dias se veem assim, causando um enorme prejuízo para a igreja de Cristo.

A história da igreja, a partir do período pós-apostólico, está aí para nos mostrar a falácia daqueles que quiseram usurpar esse ofício. Na verdade, já durante o período apostólico havia falsos mestres que queriam se passar por apóstolos de Cristo, tanto em Corinto como em Éfeso (2Co 11.13; Ap 2.1-2). Poucos séculos depois, o bispo de Roma se arrogou sucessor dos apóstolos e pai da cristandade, dando início ao papado romano. Os reformadores rejeitaram veementemente essa usurpação.

A tarefa do pregador, à luz do ofício apostólico, é edificar sobre o fundamento lançado pelos profetas do Antigo Testamento e pelos apóstolos do Novo (Ef 2.20; 3.4-5; 1Co 3.10). Sua tarefa não é trazer novas doutrinas ou revelações, mas explicar a revelação que já foi dada definitivamente por meio dos apóstolos de Jesus Cristo e que está registrada de maneira infalível e final nos livros que eles e seus associados escreveram, isto é, o Novo Testamento (Gl 1.6-9; Jd 1.3). Portanto, ainda que o pregador não

---

[1] Discuto a interpretação dessa passagem com mais detalhes em meu livro *Apóstolos: A verdade bíblica sobre o apostolado* (São José dos Campos, SP: Fiel, 2018).

seja um apóstolo no sentido estrito do termo, como usado no Novo Testamento,[2] sua mensagem deve ser apostólica, isto é, deve ser fiel ao ensino dos apóstolos de Cristo, conforme registrado nas Escrituras. Enquanto o pregador for fiel à mensagem apostólica, ele funcionará com a autoridade de um apóstolo, e seu ensino deve ser crido e obedecido pela igreja. Contudo, se a sua pregação ficar aquém ou além da pregação apostólica, ele será um falso apóstolo, e não deve ser obedecido. Antes, deve ser expulso do rebanho, pois é um lobo disfarçado de ovelha.

À semelhança dos apóstolos, o pregador transmite a verdade de Deus mediante seus sermões e mensagens, sem contudo a autoridade infalível e inerrante daqueles. Logo, todo pregador que deseja ser fiel à sua vocação deve estudar cuidadosamente as Escrituras e entender como sua tarefa expô-las à igreja e ao mundo, como fiel despenseiro do legado apostólico. É assim que os evangélicos entendem a sucessão apostólica. Ela não está baseada na transmissão pessoal do bispado, mas na transmissão da mensagem dos primeiros e únicos apóstolos para a próxima geração. É nesse sentido que a igreja é apostólica, porque ela tem pregadores que, de geração em geração, zelam, guardam e expõem a revelação que Deus concedeu de forma definitiva aos apóstolos de Jesus Cristo. Foi exatamente isso que Paulo instruiu Timóteo a fazer: "Você me ouviu ensinar verdades confirmadas por muitas testemunhas confiáveis. Agora, ensine-as a pessoas de confiança que possam transmiti-las a outros" (2Tm 2.2).

Ao longo da história da igreja, Deus nunca se deixou ficar sem pregadores, mediante os quais sua verdade fosse exposta. É verdade que houve épocas em que esses pregadores foram poucos, como em determinados momentos da Idade Média. Contudo, Deus não se deixou ficar sem testemunhas e a Reforma protestante produziu em toda a Europa, e além, milhares de pregadores, inflamados com a doutrina da justificação pela fé somente.

Os apóstolos foram levantados por Deus como testemunhas oculares da ressurreição de Jesus Cristo. Embora nenhum pregador, desde os dias pós-apostólicos até hoje, tenha visto Cristo ressurreto de entre os mortos, conforme ocorreu com os doze e Paulo, é sua tarefa pregar Cristo,

---

[2] Às vezes o termo "apóstolo" é usado no Novo Testamento para se referir a outros além dos doze discípulos de Cristo e de Paulo, mas sempre no sentido de alguém que é enviado para cumprir uma missão, nunca no sentido exclusivo reservado apenas para os Doze e Paulo.

crucificado e ressurreto, conforme já tratamos em capítulo anterior. Como "sucessor" do ministério de pregação dos apóstolos, cabe ao pregador testemunhar que Cristo vive e que é salvador de todos aqueles que dele se aproximam em fé.

Profeta

Podemos inferir, então, que nem todos os ministérios mencionados na lista de Efésios 4.11 estão presentes em todas as épocas da igreja. Apóstolos como Paulo foram receptores da revelação de Deus e instrumentos dele para estabelecerem a verdade central do evangelho sobre a pessoa de Cristo e para escreverem — eles e pessoas associadas a eles — essa verdade. Paulo e os Doze tiveram um papel fundacional da igreja cristã. Seu ofício se tornou desnecessário à medida que seus ensinos se tornaram Escrituras. Podemos falar de apóstolos hoje apenas no sentido secundário e como analogia: os modernos pioneiros cristãos são semelhantes a pessoas como Barnabé, Epafrodito, Silas e Timóteo, que eram enviados de igrejas para anunciar o evangelho, e por isso eram chamados de apóstolos, "enviados". Assim, da mesma forma, podemos falar de profetas hoje, mas somente no sentido de expositores e pregadores da Palavra de Deus, não mais como canais de revelações e expositores dos mistérios de Deus. É nesse sentido que podemos examinar a função do pregador à luz do ministério do profeta nas Escrituras.

Comecemos com a declaração de que o pregador não se equipara aos profetas do Antigo Testamento. Embora o sentido básico da palavra profeta seja de alguém que transmite a mensagem de outro, aqueles da antiga aliança eram inspirados por Deus, e seus oráculos, previsões, pregações e exortações desfrutavam de infalibilidade. Nenhum pregador, em sã consciência, poderia reivindicar em nossos dias ser profeta como Isaías, Jeremias ou Daniel, ou qualquer outro dos profetas canônicos — ainda que alguns se vejam como algo parecido. O próprio Jesus se referiu aos profetas canônicos como um grupo já fechado (Mt 5.17; 11.13). Os autores do Novo Testamento se referem a eles constantemente no mesmo sentido, como um grupo definido e já fechado.

As previsões dos profetas do Antigo Testamento eram infalíveis e anunciaram com precisão, séculos antes, os atos salvadores de Deus na história. Foram canais da revelação divina, posteriormente escriturada nos livros canônicos. Embora o pregador fale da parte de Deus, como os profetas falaram, não o fazem com base em revelações, sonhos e visões próprias. Ele fala com base nas revelações, sonhos e visões de Isaías, Jeremias, Ezequiel, Daniel etc., tudo registrado inspiradamente nas Escrituras. Os profetas do Antigo Testamento recebiam revelação diretamente de Deus, por isso podiam introduzir suas pregações com um "assim diz o Senhor". O pregador, em contrapartida, só pode dizer "assim diz o Senhor" se for para introduzir a leitura de alguma passagem das Escrituras seguida da pregação fiel dela. O pregador recebe iluminação para entender o que foi revelado aos profetas. Ele não é canal de novas revelações nem do desvendamento dos mistérios da providência de Deus quanto aos acontecimentos do dia a dia.

Os profetas do Antigo Testamento foram o último recurso de Deus quando os líderes e as instituições religiosas estavam desabando. Quando os juízes, reis, sacerdotes e sábios abandonavam o culto ao Senhor e se prostituíam na adoração de outros deuses, o Senhor levantava profetas, que da sua parte chamavam a nação e seus líderes ao arrependimento e advertiam das consequências da idolatria, conforme Moisés já havia escrito nos livros da Lei. "Repetidamente, o Senhor enviou profetas e videntes para advertirem Israel e Judá, com esta mensagem: 'Afastem-se de seus maus caminhos. Obedeçam a meus mandamentos e decretos, a toda a lei que ordenei a seus antepassados e que lhes entreguei por meio de meus servos, os profetas'" (2Rs 17.13).

O profeta era o homem da hora. Por isso, a maior parte dos escritos dos profetas é dedicada a exortações, chamadas ao arrependimento, advertências e ameaças da parte de Deus. A outra parte contém predições e oráculos sobre o futuro da nação idólatra e sua restauração. O que quero dizer é que a função primordial do profeta do Antigo Testamento não era predizer o futuro, mas trazer o povo de Deus de volta aos caminhos do Senhor. Ele era essencialmente um pregador. Pregava sobre os juízos que Moisés já havia registrado na Lei e sobre as promessas de restauração, em caso de arrependimento. Com base nisso, anunciava a chegada de povos invasores como punição divina pela idolatria.

Toda essa informação introdutória foi para dizer que a tarefa do pregador, em muitas ocasiões, se assemelha a dos profetas do Antigo Testamento, na condição de enviado de Deus para advertir, exortar e convocar a igreja ao arrependimento.

O pregador, portanto, deve ser profético em seu ministério, mais uma vez não no sentido de adivinhar o que acontecerá na vida das pessoas que o ouvem, mas de proclamar a vontade de Deus e advertir o povo das consequências de não obedecer. O pregador não deve temer o homem. Ele deve pregar o que a igreja precisa ouvir. O pregador deve estar pronto a sofrer por causa de sua mensagem, se de fato ele for fiel ao Senhor Jesus, pois, com certeza, não será bem recebido, mas hostilizado por profetizar corretamente da parte do Senhor.

Em meu ministério de pregação, senti em várias ocasiões que Deus estava me usando como profeta, trazendo uma mensagem dura, porém necessária, a uma audiência que precisava se arrepender de determinados pecados. Meus colegas pregadores certamente estão acostumados com os agradecimentos, ao final do culto, de pessoas que declaram ter sido profundamente tocadas pela pregação, como se Deus estivesse revelando seus pecados, levando essa pessoa ao arrependimento e à decisão de mudar de vida. É como o profeta Ezequiel profetizando sobre os ossos secos. Nada havia ali de predições futuras, mas o anúncio da palavra do Senhor aos esqueletos mortos do vale sombrio, que representavam Israel em sua morte espiritual (Ez 37). O apóstolo Paulo declarou que, durante o culto, a profecia revela aos descrentes seu coração, levando-os a reconhecer que Deus está presente (1Co 14.24-25). Paulo não estava se referindo a predições do futuro daqueles descrentes, mas às exortações dos profetas, que seriam usadas pelo Espírito como espada aguda, para penetrar o coração das pessoas (Hb 4.12-13).

O ministério dos profetas das igrejas locais ou itinerantes no período neotestamentário consistia basicamente em pregar e ensinar.[3] A diferença deles para os mestres é que os profetas o faziam de maneira extemporânea, quando se sentiam guiados por Deus. O mestre, como veremos, pregava regularmente a sua congregação. Os profetas encorajavam, fortaleciam,

---

[3] O livro de Atos registra duas ocasiões em que Ágabo, um profeta de Jerusalém, anunciou acontecimentos futuros, relacionados com uma fome que veio a acontecer nos dias do imperador Cláudio (At 11.27-30) e com a prisão de Paulo em Jerusalém (At 21.10-11). O fato de que somente esses dois casos de profecias preditivas (e feitas por um único profeta) estão registrados pode indicar que a previsão do futuro não era comum fora do círculo apostólico, especialmente se ainda considerarmos que ambas as profecias de Ágabo estavam relacionadas com o ministério de Paulo.

animavam e confortavam os irmãos com muitas palavras (At 15.32; 1Co 14.3). Fica evidente que eles eram, primeiramente, pregadores da Palavra de Deus. Os profetas interpretavam a mensagem das Escrituras e dos apóstolos e instruíam diretamente seus ouvintes, conforme o Espírito os guiava (1Co 14.30-31). O pregador, como profeta, deve estar sensível ao Espírito de Deus e pronto para instruir, edificar, consolar, animar e encorajar o povo de Deus mediante a exposição das Escrituras.

Por fim, a marca do verdadeiro profeta consistia na fidelidade ao Deus que o havia enviado. Sua missão era proclamar apenas o que Deus lhe mandara pregar. Prova disso é que a Bíblia define o falso profeta como alguém que se apresenta da parte de Deus, mas que traz uma mensagem diferente da revelada por Deus (Dt 13.1-3; 18.21-22). Falsos profetas podem fazer sinais e prodígios, mas são falsos porque não foram enviados por Deus, e nem sua mensagem foi dada por Deus. Falam de seu próprio coração e anunciam o que Deus nunca autorizou. É assim que Jeremias se refere aos falsos profetas de sua época (Jr 23.13-32; ver Mt 7.21-23).

Como profeta enviado por Deus, o pregador deve anunciar somente aquilo que Deus revelou nas Escrituras. O que se requer dele não é que seja bem-sucedido, mas que seja fiel (1Co 4.2). Esse conceito de fidelidade no ministério me foi inculcado já nos primeiros anos de seminário pelo pastor Francisco Leonardo. Sua prática, em dia de prova, era passar as perguntas para a classe e em seguida mandar que todos escrevessem em grego, no alto da página de resposta, a palavra *pistós*, "fiel", que aparece em 1Coríntios 4.2. Ato contínuo, ele simplesmente saía da sala de aula, fechava a porta e deixava os alunos, sozinhos, com sua consciência! A lição era óbvia: quem não conseguisse ser fiel nas coisas mínimas — como não "filar" numa prova enquanto ninguém olhasse —, esse não estaria apto para ser um pregador.

Evangelista

Os evangelistas, citados na lista de Efésios 4.11, não parecem ter sido canais de revelação, como os apóstolos, e nem sabemos que autoridade teriam nas igrejas. Como o nome indica, eram pregadores das boas-novas. Já mencionamos que não podemos classificar essas cinco pessoas da lista em uma única categoria — ou seja, cinco dons, cinco ministérios, cinco ofícios ou cinco funções — devido à enorme disparidade entre elas quanto à autoridade, revelação recebida, mobilidade etc. O que essas categorias têm em comum é que todas expressam ministérios que edificam a igreja mediante a pregação da Palavra de Deus.

Quando Paulo orienta Timóteo a fazer a obra de um evangelista, não significa que Timóteo ocupava esse ofício (2Tm 4.5), pois, se evangelista fosse um ofício, o candidato mais provável seria Filipe, que é expressamente chamado de "evangelista" (At 21.8). Contudo, sabemos que seu ofício era, na verdade, de diácono (At 6.1-6). Ele é chamado de "evangelista" porque, mesmo como diácono, evangelizou as regiões da Judeia e de Samaria. Ele é o único no livro de Atos cuja atuação é descrita como evangelizar (At 8.12,25,40). E era isto que Timóteo deveria fazer enquanto estivesse em Éfeso: não somente cuidar das necessidades da igreja, mas também anunciar a Palavra de Deus na cidade, evangelizando os moradores de Éfeso.[4] É nesse sentido que tomaremos o termo evangelista, aqui, ou seja, aquele que se dedica a anunciar as boas-novas do evangelho e Cristo Jesus.

O pregador deve ser um evangelista. Ele deve pregar tendo sempre em mente que em sua audiência há pessoas que ainda não creram na mensagem do evangelho e, portanto, estão perdidas. Por isso, seu sermão sempre deveria ter alguma aplicação para essas pessoas. É um erro o pregador de uma igreja local pensar que todos os membros de sua igreja, especialmente os filhos dos crentes, que se reúnem domingo após domingo para ouvi-lo, estão salvos. Muita gente sentada nos bancos das igrejas aos domingos está indo para o inferno. Martin Lloyd-Jones narra em algum lugar de seus livros uma experiência sua em uma igreja histórica em que fora convidado a pregar. Ele foi recebido por uma senhora, que estava na igreja havia muitos anos. Após a pregação no culto da manhã, Lloyd-Jones anunciou que no culto da noite pregaria pensando mais naqueles que ainda não haviam se convertido. Qual não foi sua surpresa quando, ao cumprimentar aquela senhora à saída da igreja, ela lhe disse: "Estarei aqui hoje à noite".

Tive um professor de teologia na África do Sul, durante meus estudos de mestrado, que nos contou que sua conversão se dera quando ele já era pastor e professor de teologia por muitos anos. Durante o período de reabilitação de uma doença, ele começou a ler o comentário de Lloyd-Jones

---

[4]Lucas é o único que usa "evangelizar" para descrever também o ministério de Jesus de pregar o evangelho (Lc 4.18; 20.1, NAA).

em Romanos 7 e se converteu! São fatos que mostram ao pregador a necessidade de pensar nos não salvos presentes, especialmente na hora de fazer as aplicações de sua mensagem.

Aqui talvez seja o momento apropriado para tocarmos no assunto de sermões evangelísticos. Geralmente se dá esse nome a sermões preparados especialmente para alcançar descrentes e que consistem em uma explicação da morte de Cristo, da necessidade de perdão e da oferta da salvação mediante a fé em Jesus. São sermões a serem pregados em "cultos evangelísticos", cruzadas etc. Quase sempre são seguidos de apelo, para que as pessoas tomem uma decisão por Cristo. Não digo que Deus não use sermões dessa natureza para alcançar os eleitos. A história da igreja mostra como Deus usou evangelistas como Billy Graham ou Dwight Moody, por exemplo. Digo, entretanto, que todo sermão deveria ser evangelístico de alguma maneira. O pregador sempre deveria ter uma aplicação voltada para os possíveis descrentes em sua audiência, mesmo que esteja pregando, por exemplo, sobre a Trindade ou sobre os dons espirituais. Esse é um enorme desafio para pastores de igrejas locais, que pregam todos os domingos às mesmas pessoas. Com o tempo, ele não chama mais as pessoas ao arrependimento, não adverte do perigo da autoilusão e da falsa certeza de salvação, e assim deixa de alertar o rebanho para o risco de que alguém não seja realmente convertido, apesar de estar na igreja já há muito tempo.

Eu sei que há pregadores que são evangelistas natos, e que não têm dificuldade nenhuma em evangelizar em todas as suas pregações. Se esse pregador for também pastor de uma igreja local, ele terá o desafio de pregar também para aqueles que já são crentes e que precisam ser edificados e crescer na fé. Há também pregadores que são pastores e mestres por definição, e que precisam se esforçar e se disciplinar para evangelizar os descrentes por meio de suas pregações. Nos meus quarenta anos de ministério, passei por diferentes fases em minha vida. No início, eu me considerava um evangelista. Dediquei-me à evangelização pessoal, de casa em casa, pregando em praças e igrejas. Minhas pregações eram sempre voltadas para a conversão de pecadores. Pela graça de Deus, vi algumas igrejas serem implantadas e a conversão de muitos jovens, alguns dos quais até hoje estão no ministério pastoral. Entretanto, depois de um tempo, meu ministério se encaminhou mais para o lado da docência. Prevaleceu meu lado de pastor e mestre, embora nunca tenha deixado de pregar pensando nos descrentes. Na verdade, olhando para trás, percebo que essas duas tendências sempre estiveram juntas em meu ministério. De uma forma ou de outra, acredito firmemente que todo pregador deveria fazer o trabalho de um evangelista, como Paulo orienta Timóteo (2Tm 4.5).

Pastor

É possível que em Efésios 4.10 Paulo esteja usando "pastores e mestres" como similares e que o sentido seja "pastores que também são mestres".[5] Se esse for o sentido correto, Paulo está dizendo que pastores exercem a sua função como mestres. Todo pastor é um mestre. Entretanto, tratemos as duas funções separadamente, pois mesmo que as palavras "pastor e mestre" se refiram a uma mesma pessoa, elas têm conotações próprias e distintas.

O profeta Micaías usou o termo "pastor" para se referir à função dos líderes espirituais do povo de Deus: "Vi todo o Israel disperso pelos montes, como ovelhas que não têm pastor" (1Rs 22.17). Mais tarde, o Senhor Jesus usou essa expressão de Micaías com o mesmo sentido (Mt 9.36). Davi se referiu ao Senhor como seu pastor (Sl 23.1) e como o "pastor de Israel" (Sl 80.1; ver 100.3). Há ainda a profecia de Ezequiel contra os maus pastores de Israel e a promessa de que Deus mesmo viria pastorear o seu povo (Ez 34). Líderes espirituais são como pastores de ovelhas, que cuidam do rebanho, fornecendo proteção, alimento e cuidados em geral. Isaías se referiu a Deus como pastor nesses mesmos termos: "Como pastor, ele alimentará seu rebanho; levará os cordeirinhos nos braços e os carregará junto ao coração; conduzirá ternamente as ovelhas com suas crias" (Is 40.11).

Meu ponto, aqui, é que pastores de igrejas exercem essa função de pastoreio principalmente pela pregação da Palavra de Deus. Jeremias profetizou que Deus haveria de dar a Israel "líderes segundo meu coração, que os guiarão com conhecimento e entendimento" (Jr 3.15). Paulo orientou os presbíteros de Éfeso a "pastorearem sua igreja [de Deus], comprada com seu próprio sangue" (At 20.28), e no contexto esse pastoreio significava identificar e repelir os falsos ensinos (ver 1Pe 5.2). Mais tarde, escrevendo

---

[5] O uso da preposição *kai* ("e") nesse sentido é chamado de *hendíadis*, palavra grega que significa "um através de dois", isto é, uma mesma coisa expressa por meio de duas palavras.

a Timóteo sobre a tarefa dos presbíteros, que eram encarregados de pastorear o rebanho, Paulo o orienta a honrar aqueles que se dedicavam à pregação, o meio pelo qual o pastoreio era exercido (1Tm 5.17).

Evidentemente, pastores aconselham e visitam. Eles se relacionam com as pessoas sob seus cuidados, atendem a suas necessidades espirituais, consolam, confortam, orientam, instruem, ajudam em momentos de dor e sofrimento. É isso que um pastor faz. O que estou dizendo é que a pregação consiste no instrumento mais importante do pastor para se desincumbir de seu chamado, que é cuidar das pessoas como um pastor cuida das ovelhas. Nas chamadas "cartas pastorais", 1 e 2Timóteo e Tito, aparecem várias exortações de Paulo a seus dois auxiliares para que preguem, ensinem, exponham a Palavra de Deus como o meio de cumprir a missão para a qual o apóstolo os havia deixado em Éfeso e Creta, respectivamente (1Tm 4.6; 4.11,13; 6.17; 2Tm 2.2; 2.15; 2.24-25; 4.2 etc.).

É pela exposição da Palavra de Deus que os pastores apascentam seu rebanho com mais eficácia. Do púlpito, em ambiente de culto público, vêm palavras fundamentadas na Bíblia, que trazem esclarecimento, advertência, consolo, encorajamento e esperança. Talvez essa seja a razão, como já mencionei, por que os pastores puritanos das igrejas rurais do século 17 pregavam cerca de duas horas. Seu rebanho estava espalhado numa área geográfica muito grande e não havia tempo, durante a semana, para visitar, aconselhar, catequizar e instruir o rebanho, de casa em casa. Eles tinham de aproveitar os sermões de domingo, quando todo o rebanho estava reunido, para pastoreá-los coletivamente mediante a exposição da Palavra de Deus e os "usos" daquela exposição, conforme vimos no capítulo sobre a aplicação do sermão.

Pregações bíblicas seguidas de aplicações práticas ajudam os crentes, pela graça do Espírito Santo, a entender a Bíblia, perceber seus pecados, aprender o caminho da santificação, resolver seus conflitos e tomar as decisões corretas. Muitas vezes, dúvidas e angústias que os membros da igreja carregam são atendidas por meio da pregação do pastor, e não no gabinete pastoral durante a semana, embora uma coisa não exclua a outra. Não me lembro onde ouvi uma interessante declaração a esse respeito: "Um púlpito sólido esvazia o gabinete pastoral". Isto é, muitos membros da igreja são pastoreados aos domingos através da pregação, de forma que não precisam procurar o pastor durante a semana para aconselhamento e esclarecer dúvidas.

Agora quero abordar o tema ao inverso, a saber, que todo pregador deveria estar consciente de que ele funciona também como pastor. Seu objetivo com a pregação deveria ser pastorear as pessoas que o ouvem. Várias consequências decorrem desse conceito. Primeira, o pregador deveria pregar lembrando que em sua audiência há ovelhas cansadas, exaustas, famintas e feridas. Segunda, o pregador deveria confiar que a Palavra de Deus, no poder do Espírito, é poderosa para curar, orientar, consolar, salvar e transformar. Terceira, o pregador deve sempre aplicar sua pregação à consciência e ao coração das pessoas, mostrando como aquilo que ele pregou pode ajudar cada pessoa individualmente a viver de acordo com a vontade de Deus. Quarta, o pregador deve mostrar compaixão, amor e real interesse pela vida das pessoas, e disposição de ajudá-las. Os sermões de um pastor que ama sua igreja serão sempre cheios de compaixão, cuidado e firmeza, quando necessário. As igrejas que sabem do amor que seu pastor lhes dedica ouvirão com mais atenção e abertura o que ele tem a dizer do púlpito, que é uma extensão do seu pastorado.

Mesmo que o pregador seja itinerante, onde quer que ele vá pregar haverá ovelhas precisando de pastoreio, que pode ser oferecido mediante a pregação. Portanto, o pregador deveria evitar ser acadêmico, teórico, alijado da realidade. Deveria evitar oferecer respostas para perguntas que ninguém está fazendo. Ele deve falar ao cotidiano, ao dia a dia, para pessoas reais de carne e sangue, carregadas com os desafios da vida, sofridas e feridas, que precisam ser tratadas. É assim que o pregador deveria encarar sua missão. É nesse sentido que o pregador funciona como pastor. Estou consciente de que se trata de um grande desafio para o pregador, desafio que determina até mesmo a escolha dos textos, temas e assuntos que ele pregará. Infelizmente, pregadores podem esquecer que são pastores, e acabar pregando como se estivessem defendendo uma tese de mestrado diante de uma banca examinadora ou apresentando um trabalho acadêmico em um simpósio. Não estou dizendo que o pregador não deva tratar de assuntos teológicos e de questões doutrinárias difíceis e complexas, mas sim que, se o fizer, o faça de modo que suas ovelhas possam seguir seus argumentos e, ao final, perceber como aquele tópico pode ajudá-las a viver.

O pregador sabe que cumpriu de maneira eficiente sua função pastoral quando as pessoas compartilham com ele que foram ajudadas, por meio de sua pregação, a resolver conflitos e problemas de ordem pessoal e prática. Nada nos dá maior alegria que o testemunho de pessoas que tiveram seu casamento abençoado, seu relacionamento restabelecido e suas feridas curadas por meio de uma pregação nossa. Claro, eu me alegro quando as pessoas recebem um conhecimento mais claro e exato das doutrinas bíblicas por minhas exposições, mas confesso que fico especialmente grato a Deus quando elas me dizem que seus problemas pessoais foram atendidos pela pregação.

Mestre

A função do pregador como mestre está muito próxima de sua função como pastor, de forma que não é fácil tratar as duas coisas separadamente, pois, como vimos, o apóstolo Paulo estabelece a proximidade delas em Efésios 4.11. O pregador pastoreia através do ensino.

No antigo Israel, os mestres eram os sábios, que pela idade e experiência transmitiam conselhos, orientações e direção à comunidade de Israel. O livro de Provérbios é, na forma de ditos, conselhos e observações, um apanhado do ensino desses mestres, os sábios de Israel, principalmente de Salomão. O livro de Eclesiastes se apresenta como obra do *Qohelet*, "pregador" ("mestre" na NVT), que contém a sabedoria do rei Salomão na forma de sermões sobre a vida. A tarefa dos mestres em Israel era ensinar o povo na Lei de Moisés e instruí-lo a viver de acordo com a aliança de Deus. Os sacerdotes e levitas eram mestres da Lei e ensinavam o povo no tabernáculo e, posteriormente, no templo. Essa função passou para os escribas, após a destruição do templo e o estabelecimento das sinagogas. Na época de Jesus, os escribas, cuja função era copiar a Lei e estudá-la, haviam se tornado os mestres em Israel, também conhecidos como rabinos.[6] O próprio Jesus, embora sem treinamento formal e sem ser escriba, era chamado de "mestre" pelos judeus e seus discípulos (Mt 8.19; 9.11; 26.18).

A igreja cristã teve, desde o início, seus mestres, seguindo o modelo do templo e da sinagoga. Eram homens com o dom de ensino que pregavam regularmente a Palavra de Deus nas comunidades, interpretando as Escrituras de Israel e mostrando que elas falavam de Jesus. Geralmente,

---

[6] O ensino e a instrução dos rabinos foram posteriormente incorporados à escrita nos *midrashim*, *Mishnah* e *Talmude*, compilações das interpretações bíblicas e comentários dos mestres de Israel.

eram pastores e presbíteros dedicados à pregação, embora houvesse profetas e mestres itinerantes, que ocasionalmente pregavam nas comunidades. Lembremos que um dos requerimentos do presbítero consistia em ser "apto a ensinar" (1Tm 3.2), e os que se dedicassem a tal deveriam ser reconhecidos e honrados, "especialmente os que se dedicam arduamente à pregação e ao ensino" (1Tm 5.17). Os mestres aparecem em três das cinco listas de dons e ministérios no Novo Testamento (itálicos meus):

> Deus estabeleceu para a igreja: em primeiro lugar, os apóstolos; em segundo, os profetas; em terceiro, os *mestres*; depois, os que fazem milagres, os que têm o dom de cura, os que ajudam outros, os que têm o dom de liderança, os que falam em diferentes línguas.
>
> 1Coríntios 12.28

> Ele designou alguns para apóstolos, outros para profetas, outros para evangelistas, outros para pastores e *mestres*.
>
> Efésios 4.11

> Deus concedeu um dom a cada um, e vocês devem usá-lo para servir uns aos outros, fazendo bom uso da múltipla e variada graça divina. Você tem o *dom de falar*? Então faça-o de acordo com as palavras de Deus.
>
> 1Pedro 4.10-11a

Paulo se via como mestre: "Deus me escolheu para ser pregador, apóstolo e mestre" (2Tm 1.11). Notemos aqui como ele associa, de maneira muito natural, seu ofício de apóstolo com a função de pregador e mestre, reforçando o que temos dito, que o pregador funciona como mestre. Em termos práticos, significa, entre outras coisas, que em primeiro lugar o pregador deve ensinar por meio da pregação, trazendo conteúdo bíblico, interpretação das Escrituras, explicação de doutrinas — até determinado ponto, o sermão funciona como uma aula. Estou ciente de que tenho dito até agora que o pregador deve ter cuidado para não ser acadêmico e teórico. Em nenhum momento, porém, isso significa que seu sermão não deva ser doutrinário em algum aspecto. Afinal, o pregador, além de pastor, é também mestre. Ele pastoreia por meio do ensino. Mestres explicam, argumentam, comparam, refutam e demonstram. O pregador, nesse sentido, é também um professor. Recebo como elogio quando as pessoas me dizem após a pregação que ela foi uma verdadeira aula. Pregadores expositivos estão acostumados a receber esse tipo de *feedback*. Talvez as pessoas quisessem dizer exatamente o contrário, que o sermão foi professoral e acadêmico. Mas costumo receber como elogio, muito embora por trás desse elogio esteja uma distinção inconsciente, e que a meu ver não existe, entre pastor e mestre, sermão e aula.

Segundo, como mestre, o pregador deve se ater às Escrituras. Ele é um mestre da Bíblia, embora, certamente, conhecimento e familiaridade com o conhecimento geral, a cultura e os acontecimentos ajudem na exposição e aplicação de suas mensagens. Mas, ele não foi chamado para ensinar psicologia, geografia, história e sociologia no púlpito — por mais que o conhecimento dessas disciplinas possa ajudá-lo. Seu alvo é ensinar a Bíblia, o que significa ensinar a respeito de Deus e seu plano de redenção, cujo centro e ápice é a pessoa e a obra de Jesus Cristo. Nenhum outro conhecimento é salvador e redentor. Esse risco é maior para pregadores que têm formação em outras áreas, além da teológica. Pastores formados em filosofia, por exemplo, podem acabar usando seu tempo de púlpito para dar uma aula sobre as ideias de algum filósofo antigo ou moderno, especialmente aqueles cujos conceitos estão mais próximos da moralidade e cosmovisão do cristianismo. Claro, conhecer filosofia sempre será útil ao pregador. Contudo, ele deve resistir à tentação de usar esse conhecimento sem que haja uma relação com as grandes doutrinas bíblicas. Filosofia contemporânea nos ajuda a entender o pensamento do homem moderno, mas esse conhecimento só será útil se mostrarmos onde o existencialismo, por exemplo, afeta nosso próprio pensamento e como a visão cristã de mundo redime nosso entendimento errado. E tudo isso a partir das Escrituras.

Em resumo, o pregador deve se definir à luz da declaração de Paulo em Efésios 4.11: Deus concedeu apóstolos, profetas, evangelistas, pastores e mestres para a edificação da igreja. O pregador funciona nessas cinco categorias, o que torna sua função rica, variada e de tremendo alcance. Que vocação maravilhosa! Sou muito grato a meu Deus que me deu o privilégio de ser um pregador do evangelho de Cristo.

13

O pregador e as crianças

Este é provavelmente o capítulo mais difícil para mim. Confesso que tenho muito mais dificuldade em pregar para crianças do que para adolescentes, jovens e adultos. Não sei por quê. Talvez resquícios de meus tempos na escola, quando sofria *bullying* por ser gordinho — embora eu mesmo não tenha sido uma criança modelo, tenho certeza! Nunca tive problemas em me sentar com meus filhos, quando pequenos, e contar histórias da Bíblia e outras que aprendi com meus pais. Na verdade, acho que eles sempre me consideraram um bom contador de histórias. Mas pregar, no meu caso, é diferente. De qualquer maneira, não posso fugir da realidade: pregadores sempre terão crianças de diferentes idades em sua audiência. Como lidar com isso? O que vem a seguir é fruto do meu entendimento bíblico e da minha experiência como pastor e pai de quatro filhos.

"Culto infantil"

Em muitas igrejas existe um berçário separado da nave principal, onde mães com crianças de colo podem ficar durante o culto, acompanhando através da janela de vidro ou televisão. Acho o berçário perfeitamente natural e até necessário, pensando nas mães que ainda amamentam os filhos. Em algumas igrejas, além do berçário, as crianças até determinada idade saem do culto antes da pregação, para o que, às vezes, é chamado de "culto infantil". Em outras, as crianças ficam para a pregação, e os pais são encorajados a educá-las a prestarem atenção ao sermão ou, no mínimo, a ficarem quietas para não atrapalhar o pregador e as demais pessoas.

Nas igrejas que tenho pastoreado tem sido minha prática seguir o costume local. Na minha avaliação, não se trata de uma questão doutrinária ou de algo que possamos provar diretamente da Bíblia. Penso que manter ou não as crianças no culto é mais uma questão de conveniência, muito embora, para mim, o peso da evidência bíblica se incline mais para o lado da manutenção delas durante todo o culto — embora não de forma categórica.

Não consigo provar biblicamente que está errado oferecer às crianças instrução em uma linguagem mais apropriada para elas, em um ambiente fora do culto. Na verdade, é possível dizer que elas não saíram do culto, apenas foram continuar a cultuar em outro ambiente, mais apropriado à idade delas. Se todo pregador levasse em conta a presença de crianças na audiência e falasse não de maneira infantil, mas clara, simples, usando ilustrações, eu não veria a necessidade de separar as crianças para um chamado "culto infantil" — aliás, uma terminologia que considero bem inadequada.[1] Mas não é o que ocorre na grande maioria das vezes. Creio que grande parte dos pregadores, entre os quais me incluo, se prepara sempre, inconscientemente, para pregar aos adultos. Se houver crianças na audiência, dependendo da idade delas, o seu proveito poderá ser mínimo. Assim, por questões relacionadas com a conveniência e circunstâncias específicas, algumas igrejas reservam um local durante a pregação para crianças conforme a faixa etária para serem instruídas na Palavra de Deus de modo mais adequado e compreensível para elas.

Embora não seja contrário a essa prática, como já disse, deveríamos cuidar para que aquele momento de instrução às crianças não se torne um momento de entretenimento, passatempo, diversão e lazer, como se fosse uma creche, enquanto o culto não termina. Deveria ser aproveitado para realmente ensinar a Palavra de Deus às crianças. Uma opção seguida por algumas igrejas é deixar as crianças no templo durante a pregação e, depois do culto, na escola dominical, usar a pregação que elas ouviram no culto como base da aulinha com um professor, que então verificaria quanto elas entenderam da pregação do pastor e explicaria pausada e detalhadamente o conteúdo da mensagem.

Crianças barulhentas

Igualmente, não creio que se deva separar as crianças dos pais durante o sermão apenas para garantir silêncio e sossego a todos. Reconheço que é

---

[1] Essa terminologia pode sugerir que existem cultos que se classificam por faixa etária ou qualquer outro referencial, coisa que não encontramos na Palavra de Deus. O culto é a reunião do povo de Deus para adorá-lo e servi-lo através dos elementos que compõem o culto.

difícil pregar com crianças gritando, correndo pelo templo ou chorando o tempo todo.[2] Em vez de separar as crianças, o correto seria encorajar os pais a treinarem seus filhos para aproveitar o tempo da pregação (existem várias maneiras de fazê-lo) e instruir a congregação a suportar com paciência o barulho das crianças mais agitadas e difíceis de acalmar.

O pregador deve estar preparado, portanto, não somente para a presença de crianças na audiência como também para pregar tendo como pano de fundo gritos, choros e correrias das crianças — às vezes, sob os olhares despreocupados dos pais. Antes de começar a pregar em minha igreja, costumo pedir aos pais que, se não conseguirem aquietar as crianças menores, se retirem do local de culto por um tempo e retornem com elas quando estiverem mais calmas. Geralmente dá certo e ninguém fica ofendido. Mas nem sempre tive essa sabedoria. Um dos primeiros cultos em que preguei foi em uma congregação na praia de Maria Farinha, nos arredores da cidade de Paulista, Pernambuco. Estava iniciando meu ministério de pregador leigo, entre os pescadores da região. Era uma igrejinha de taipa e madeira. Eu tinha cerca de 24 anos e havia me convertido no ano anterior. Já por alguns meses vinha evangelizando aquela região, distribuindo folhetos, indo de casa em casa e fazendo evangelismo pessoal. Naquele domingo, a igrejinha estava quase lotada. O culto já havia começado quando entrou uma jovem senhora com um menino de colo. Sentou-se. Ela nunca tinha vindo à igreja, provavelmente era católica e estava curiosa sobre o que estava acontecendo na igreja de taipa. Quando comecei a pregar, o menino começou a chorar. Continuei pregando, tentando me concentrar no que dizia, mas o menino parecia concorrer comigo sobre quem falava mais alto. A mãe simplesmente continuava a embalar a criança, como se nada estivesse acontecendo. Era visível o desconforto de todos, que ficavam olhando de lado para a mãe, indiferente. Finalmente não aguentei, parei o sermão e pedi à mãe que calasse a criança, pois eu não estava conseguindo continuar o culto. Ela simplesmente se levantou, saiu e nunca mais voltou. Aprendi uma dura lição. Se eu quisesse ser pregador, teria de me preparar para pregar com a concorrência de bebês e crianças de colo, com a correria de crianças maiores pelo salão de culto e a indiferença de seus pais.

---

[2] Especialmente se o culto está sendo transmitido ao vivo ou gravado, e irá para a internet depois. Fica difícil acompanhar o vídeo de uma pregação nessas condições.

Pregar diretamente às crianças

Já passei por uma experiência aterrorizante, quando o pastor de uma igreja onde fui convidado para pregar no domingo de manhã, antes de despedir as crianças para outra sala, me convidou, de supetão, a resumir meu sermão para elas, antes de saírem. Chamou todas as crianças à frente e me passou o microfone! Foi uma experiência marcante, que me deixou clara minha falta de preparo para pregar aos pequeninos.

Pela graça de Deus, tive de fazer um treinamento forçado, por assim dizer. Durante sete anos pastoreei a Igreja Evangélica Suíça de São Paulo, que adotava a prática de o pastor fazer um "sermão" para as crianças, reunidas na frente de todos, antes da pregação aos adultos. Só depois elas saíam para uma sala com um professor ou professora. Essa prática, aliás, é seguida por várias igrejas que conheço. Durante a semana, eu me preparava para aquele momento do culto dominical, e confesso que era mais trabalhoso que a pregação normal. Acabei por descobrir um livrinho muito bom, com mensagens dirigidas a crianças da mesma faixa etária, contendo ilustrações e auxílios visuais muito eficientes. Confesso que era o momento do culto em que eu ficava mais nervoso! As crianças escutavam atentamente e seguiam cada palavra que eu falava, sem saber o tremor e temor do meu coração. Creio que foi muito proveitoso.

Conheço pastores que têm um ministério voltado para as crianças e, por isso, são comumente convidados a falar em congressos sobre evangelização de crianças ou eventos voltados para o público infantil. Sou grato a Deus por eles. Geralmente são capacitados pelo Senhor a falarem de modo a atrair a atenção das crianças e a transmitir com clareza a mensagem do evangelho. Contudo, o pregador que não tem essa facilidade precisa se disciplinar para não esquecer os pequeninos em suas mensagens, e procurar falar ao coração deles da melhor maneira que conseguir.

Diferenças na pregação para adultos e crianças

Se tomarmos a Bíblia como referência, não encontraremos exemplos ou orientações aos líderes do povo de Deus sobre se devem pregar uma coisa para os adultos e outra para as crianças. A diferença, se existe, estaria na maneira de fazê-lo, apenas. A existência de Deus, a pecaminosidade humana, a necessidade de salvação, a redenção por Cristo, céu, inferno, ressurreição e outros temas centrais da fé cristã são ensinados sem que haja alguma distinção entre crianças e adultos. Evidentemente, os israelitas e os primeiros cristãos sabiam muito bem que crianças até determinada idade eram incapazes de entender alguns conceitos e, portanto, precisavam ser ensinadas de modo mais específico. Foi essa a queixa dos israelitas contra Deus por acharem que Deus os estava tratando como crianças por meio da pregação dos profetas:

Perguntam: "Quem o Senhor pensa que somos?
    Por que fala conosco dessa maneira?
Acaso somos crianças pequenas,
    recém-desmamadas?
Ele nos diz as mesmas coisas
    repetidamente,
uma linha de cada vez,
    uma linha mais uma vez,
um pouco aqui,
    um pouco ali!".

Isaías 28.9-10

É evidente que a queixa daquele povo rebelde era injusta. Mas meu ponto é que eles sabiam que existem diferentes maneiras de ensinar os conceitos divinos. Crianças aprendem pela repetição de pequenas partes, vez após vez. Era assim que eles sentiam que os profetas os estavam tratando, ao repetir diversas vezes os preceitos — que eles não seguiam — da Lei de Moisés. Certamente há uma diferença entre crianças e adultos no que se refere à articulação do pensamento, como Paulo ensinou aos coríntios: "Quando eu era criança, falava, pensava e raciocinava como criança. Mas, quando me tornei homem, deixei para trás as coisas de criança" (1Co 13.11).

Para o pregador, significa apenas que ele deve procurar ser claro, objetivo, usar frases mais curtas (em vez de longas e elaboradas) e ser até mesmo um pouco repetitivo, pensando nas crianças presentes com idade suficiente para entender. Em outras palavras, não se trata de "infantilizar" a pregação por causa das crianças, mas de adaptar de alguma forma sua pregação ao entendimento delas, sem contudo prejudicar a mensagem para os adultos.

Mesmo um menino pode crer

Essa é a primeira linha de um cântico que aprendi no departamento infantil da minha igreja de origem:

> Mesmo um menino pode crer
> Que ele é um pecador
> E Jesus Cristo receber
> Como seu Salvador.

As Escrituras sugerem que as crianças são mais capazes de entender e crer do que geralmente pensamos. Jesus afirmou que é delas o reino dos céus e elogiou a fé dos pequeninos (Mt 10.13-16; Lc 18.17). Ele também disse que Deus recebe louvor mesmo das crianças de peito (Mt 21.16). Minha esposa converteu-se durante a infância, em uma idade da qual não se recorda. O mesmo ocorreu com meu sogro, o rev. Francisco Leonardo. Uma das experiências mais recompensadoras para mim como pregador foi receber a pública profissão de fé de uma menina de 12 anos que cresceu na minha igreja. Ao ser examinada pelo Conselho, diante daqueles presbíteros experientes, ela deu testemunho claro, convincente e bem articulado de sua fé em Cristo.

Na Lei de Moisés, as convocações para os ajuntamentos em que o Livro da Lei seria lido e explicado deveriam incluir as crianças. Está implícito que se refere àquelas que tinham entendimento suficiente para ouvir e aprender as leis e obedecer-lhes:

> Ao final de cada sete anos, no ano do cancelamento das dívidas, durante a Festa das Cabanas, leiam este Livro da Lei para todo o povo de Israel, quando estiverem reunidos diante do SENHOR, seu Deus, no lugar que ele escolher. Convoquem todos: homens, mulheres, crianças e os estrangeiros que vivem em suas cidades, para que ouçam este Livro da Lei e aprendam a temer o SENHOR, seu Deus, e a obedecer fielmente a todos os termos desta lei.
>
> Deuteronômio 31.10-12

Depois que o povo retornou do cativeiro, durante o grande avivamento espiritual liderado por Esdras e Neemias, encontramos esta descrição do ajuntamento em Jerusalém (colchetes e itálicos meus):

Assim, no dia 8 de outubro [festa das trombetas], o sacerdote Esdras trouxe o Livro da Lei perante a comunidade constituída de homens e mulheres *e de todas as crianças com idade suficiente para entender*. Ficou de frente para a praça, junto à porta das Águas, desde o amanhecer até o meio-dia, e leu em voz alta *para todos que podiam entender*. Todo o povo ouviu com atenção a leitura do Livro da Lei.

Neemias 8.2-3[3]

Transparece da passagem acima que crianças menores, crianças de peito, ficavam em casa com a mãe durante essas assembleias em que a Lei era ensinada, enquanto as que já podiam entender participavam com os adultos. Aqui podemos lembrar da história de Ana, que deixou de ir às celebrações no templo de Jerusalém até que seu filho Samuel fosse desmamado, algo que acontecia normalmente mais tarde do que em nossa cultura ocidental (1Sm 1.21-24). Não podemos fixar uma idade em que as crianças começam a entender, considerando que nem todas crescem e amadurecem no mesmo ritmo. A idade limite, por assim dizer, é quando já são capazes de compreender conceitos mais abstratos e reagir a eles. Creio que todos os pais saberão quando chegar essa hora.

Neste ponto, é oportuno discutir a apresentação de Jesus no templo com a idade de 12 anos (Lc 2.42). Nessa faixa etária, todo menino judeu passava a ser chamado de "filho da lei", a receber instrução formal na Lei de Moisés, além de treinamento para jejuar e frequentar o culto público. Era a partir daí, também, que ele aprendia um ofício, geralmente aquele de seu pai.[4] Isso não quer dizer, no entanto, que os meninos só começavam a aprender a Lei de Deus a partir dos 12 anos. O que tinha início a partir dessa idade era a instrução formal, mas bem antes disso eles já eram instruídos pelos pais na revelação escrita, conforme Deus determinou aos israelitas:

[3] O texto em hebraico menciona somente "homens e mulheres e todos os capazes de entender". A maioria das Bíblias em português traduziu quase que literalmente (p. ex., ARC, ARA, NAA, NVI) enquanto outras, como a NTLH e a NVT, interpretaram como uma referência a crianças com idade de entender a leitura e explicação da Lei, que é também o entendimento da maioria dos comentários consultados.

[4] Atualmente, na comunidade judaica, essa cerimônia é chamada de *bar mitzvah*, para os meninos de 13 anos, e *bat mitzvah*, para as meninas de 12 anos.

> Guarde sempre no coração as palavras que hoje eu lhe dou. Repita-as com frequência a seus filhos. Converse a respeito delas quando estiver em casa e quando estiver caminhando, quando se deitar e quando se levantar.
> Deuteronômio 6.6-7

> Gravem estas minhas palavras no coração e na mente. Amarrem-nas às mãos e prendam-nas à testa como lembrança. Ensinem-nas a seus filhos. Conversem a respeito delas quando estiverem em casa e quando estiverem caminhando, quando se deitarem e quando se levantarem.
> Deuteronômio 11.18-19

Assim, aos 12 anos de idade, o menino judeu se tornava responsável legalmente diante da Lei de Moisés, a qual ele já conhecia desde pequenino. Lembremos que na ocasião em que Jesus foi apresentado ele tinha apenas 12 anos, mas ficou no templo discutindo as coisas de Deus com os mestres da lei (Lc 2.46-47). José e Maria fizeram um bom trabalho!

Quero finalizar com algumas sugestões para o pregador. Primeiro, esteja sempre consciente, especialmente na preparação do sermão, de que haverá crianças na audiência. Ao orar para que Deus abençoe as pessoas presentes, não ore somente pelos adultos, mas lembre-se de incluir as crianças.

Segundo, não assuma que todas as crianças presentes já são salvas. Alguns pregadores parecem fazê-lo, a julgar pela falta de aplicação ou direcionamento de sua mensagem para elas. Portanto, em vez de vê-las como incômodo, veja como uma grande oportunidade.

Terceiro, procure adaptar sua mensagem. Aqui temos dois extremos que devem ser evitados. De um lado, infantilizar a pregação, como se o pregador estivesse contando histórias, sentado com um grupo de crianças. Não creio que isso caiba no púlpito. Talvez em outro momento. De outro, focar a pregação apenas nos adultos, expressando-se de uma forma que dificilmente seria entendida por crianças a partir de 4 anos, por exemplo. Embora esse equilíbrio seja bastante difícil, sugiro que o pregador se concentre na clareza da argumentação, na simplicidade do vocabulário, em uma linha de raciocínio fácil de ser seguida e recorrendo a muitas ilustrações extraídas da Bíblia e da vida real. Gesticulação adequada, o uso de diversos timbres da voz, mudanças fisionômicas são mais do que suficientes para que as crianças "vejam" o que o pregador está querendo dizer.

O grande pregador George Whitefield, que ministrou durante o avivamento do século 18 na Inglaterra e nos Estados Unidos, era extremamente hábil na arte da comunicação. Conta-se que em uma de suas pregações, querendo mostrar o perigo do pecador não convertido de cair no inferno, Whitefield começou a descrever a situação de um homem andando às cegas no convés de um barco, durante uma grande tempestade, sem ter noção do abismo fatal a sua frente. A descrição do momento em que o homem deu mais um passo em direção ao mar em fúria foi tão vívida que várias pessoas da multidão começaram a gritar, em terror: "Ele caiu, ele caiu!".

Um bom pregador é aquele que transforma o ouvido em olho. As crianças agradecem.

Quarto, lembre-se que você não é o principal responsável pela instrução das crianças na Palavra de Deus. Esse privilégio é dos pais delas. Estar consciente disso tira um pesado fardo das costas do pregador. Se crianças se convertem por intermédio de sua pregação, você provavelmente está colhendo o fruto da semente plantada pelos pais, avós ou vizinhos. O oposto também é verdade. O pregador deveria ver seu trabalho como semeadura — figura, aliás, usada pelo Senhor na parábola do semeador. O pregador tem o privilégio de plantar no coração dos pequeninos a semente do evangelho, a qual será regada e finalmente colhida, quem sabe, por seus pais.

Quinto, não evite temas complexos e difíceis por causa das crianças. Os adultos e crentes maduros precisam também ser alimentados pela pregação. Além disso, as crianças não precisam entender tudo no culto. E, como já vimos, elas entendem mais do que geralmente pensamos. Eu sei disso, entre outras coisas, pelas perguntas complicadas que meu sobrinho neto Theo, de 4 anos, me manda de vez em quando através de seus pais. "Por que Deus fez o oposto do céu?" (ele queria dizer o inferno), "Como Deus soprou para fazer Adão, se ele não tem boca?", "Quantos anos Deus tem?", "Como Deus criou minha cabeça?", e outras mais. Apesar da linguagem simples, os temas das perguntas são extremamente complexos, envolvendo a natureza de Deus, a teodiceia (o problema do mal), antropomorfismos etc.

Sexto, não cometa o erro de pregar como se sua audiência fosse apenas de crianças. A Bíblia tem muitas histórias e parábolas adequadas para o ensino das crianças, mas ela também traz proposições, conceitos, ideias e raciocínios cujo entendimento demanda uma mente mais madura e experiente. O pregador não deveria cometer o erro contrário, ou seja, de pregar como se seu auditório fosse composto somente de crianças de 4 a 6 anos. O Espírito Santo haverá de usar a verdade, por mais complexa que seja, para chamar de maneira irresistível aqueles que são seus, em qualquer idade. Aprecio muito quando, após uma pregação, os pais vêm, orgulhosos, mostrar as anotações, os desenhos e as caricaturas — geralmente de mim, barbudo, com uma Bíblia na mão e o dedo apontando — feitos pelos filhos durante a pregação. Isso mostra que, ainda que não tenham entendido tudo, estavam prestando atenção! Já recebi esboços feitos por crianças maiores durante a minha pregação com desenhos, diagramas, setas, linhas etc. Eu disse que não acho fácil pregar para crianças, mas talvez por causa da facilidade de falar com clareza, sempre recebo *feedback* de pais agradecidos por verem os filhos acompanharem atentamente minhas mensagens.

14

As tentações do púlpito

Precisamos tratar de algumas tentações peculiares ao pregador devido a seu chamado e ministério. Todos os crentes no Senhor Jesus são tentados de uma forma ou de outra, mas existem algumas situações e posições na vida que expõem o crente a tentações mais fortes e mais frequentes. Creio que ser um pregador é uma dessas situações. Além das tentações às quais todos estão sujeitos, o pregador pode sofrer algumas que os demais irmãos raramente experimentam, em especial se ele for um pregador bem-sucedido.

De onde vêm as tentações

Considerando a posição de liderança e visibilidade do pregador, e os enormes prejuízos que sobrevirão à igreja caso ele fraqueje e caia, não é de admirar que Satanás e seus demônios se concentrem na tentativa de derrubar o maior número possível de pregadores, para trazer escândalo e vergonha ao evangelho e descrédito ao cristianismo. Por várias vezes Satanás tentou derrubar o Senhor Jesus. Lemos nas cartas de Paulo frequentes referências às tentativas do diabo de atrapalhar seu ministério e advertências do apóstolo acerca das astutas ciladas do inimigo (Ef 6.10-20; 1Ts 2.18; 2Ts 2.9). Falsos profetas são frequentemente identificados como instrumentos de demônios, guiados por espíritos mentirosos que buscam desviar os crentes da verdade (1Jo 4.1-3; Ap 16.13-14). Tiago avisou que os mestres receberão julgamento mais rigoroso da parte de Deus, o que indiretamente revela que eles são alvo de maiores tentações (Tg 3.1-2). Assim, o pregador deve estar atento contra as artimanhas do diabo, pois elas serão armadas especialmente em áreas em que a possibilidade de queda é maior, graças à visibilidade e ao reconhecimento do pregador.

Além das tentações do diabo, o pregador é tentado pelas pessoas ao redor, membros de sua igreja, seguidores nas redes sociais, pessoas estranhas e até mesmo por sua família e amigos. Da mesma forma que Satanás usou pessoas para tentar Jesus, ele também usará pessoas próximas do pregador para fazê-lo tropeçar em alguma coisa que o desqualifique ou que abale a credibilidade de seu ministério. Mas as piores tentações são aquelas que nascem no coração do pregador. Sempre considerei difícil distinguir se determinada tentação provinha da carne ou do diabo. Creio que a maioria dos cristãos tem essa mesma dificuldade, uma vez que o diabo usa nossa natureza corrompida para nos tentar.

Fica claro na Bíblia que nosso coração corrompido é a fonte de onde brota toda sorte de desejos. Jesus disse que "do coração vêm maus pensamentos, homicídio, adultério, imoralidade sexual, roubo, mentiras e calúnias" (Mt 15.19). Tiago identificou nossa natureza carnal como o quartel-general de onde nascem os conflitos entre as pessoas: "De onde vêm as discussões e brigas em seu meio? Acaso não procedem dos prazeres que guerreiam dentro de vocês?" (Tg 4.1). O coração do pregador é tão corrompido e pecaminoso quanto o coração de seus ouvintes. Ele está sujeito a tentações e a cair em pecado. Por isso, precisa ficar mais atento que nunca àquelas áreas em que o seu coração corrompido é mais vulnerável — áreas que o diabo conhece muito bem.

Diferença entre tentação e pecado

Antes de prosseguir, é importante fazer uma distinção, que considero muito útil e libertadora. Ser tentado não é pecado. O seguinte dito é atribuído a Lutero: "Não podemos impedir que pássaros voem sobre nossa cabeça, mas podemos impedir que ali façam ninho". A frase faz essa diferença crucial entre tentação e pecado. Nunca deixarei de ser tentado, todos os dias, todos os momentos — pela carne, pelo mundo e pelo diabo —, mas isso não quer dizer que eu tenha de pecar toda vez que sou tentado, ou que ser tentado, em si, já se configura em pecado. O Senhor Jesus foi tentado severamente por Satanás durante aqueles quarenta dias no deserto. Contudo, ter sido tentado não o tornou pecador. Tiago nos ensina que o pecado só é consumado quando concordamos com a lascívia do coração (Tg 1.13-15). Os desejos pecaminosos tentam nos seduzir e arrastar a fazer o que contraria a Palavra de Deus. Pelo poder do Espírito Santo que habita em nós, podemos dizer não. "Resistam ao diabo, e ele fugirá de vocês" (Tg 4.7).

Por não fazer essa distinção entre tentação e pecado, o pregador — especialmente aquele que zela por sua vida espiritual e deseja mais que tudo andar no Espírito — pode se sentir culpado, condenado e rejeitado por Deus ao ser severamente tentado. Quantas vezes me senti assim, no início de meu ministério! Sentia-me derrotado diante de tantos desejos e pensamentos impuros que brotavam de meu coração, ainda que eu os rejeitasse e procurasse de todas as formas resistir-lhes. O resultado era que me sentia desautorizado a pregar, sem forças espirituais, ainda que não tivesse caído em nenhuma daquelas tentações em particular. Com o tempo, foi ficando claro para mim essa distinção. Não posso evitar os maus pensamentos, os desejos impuros, as vontades ilícitas. Mas posso dizer não a todos eles. Enquanto estiver lutando e resistindo aos desejos e pensamentos da carne, não estarei pecando, mas andando no Espírito. Muitas vezes subi ao púlpito para pregar com a mente em turbilhão pelos conflitos, pelas lutas e dúvidas. Em quase todos os casos, essas coisas se foram quando comecei a pregar. Senti o poder do Espírito para transmitir a Palavra de Deus com coragem, ousadia e convicção.

Infelizmente, mesmo o pregador mais cuidadoso pode acabar caindo em tentações e transgredir a palavra do Senhor. Quando isso acontece, ele deve arrepender-se, confessar seu pecado e lidar com as consequências. Já tratei em detalhes desse assunto no capítulo 2, "A vida do pregador". Aqui, quero focar algumas tentações mais frequentemente relacionadas com a posição do pregador, como mensageiro da Palavra de Deus. Escolhi apenas quatro entre as muitas a que o pregador está exposto.

Fama

Ser famoso, muito conhecido e popular não é em si pecado, mas certamente é uma das maiores fontes de tentação para o pregador. Pregadores famosos por sua reputação e excelência na pregação são tentados a pensar que sua popularidade, de alguma forma, resulta de seus esforços, talentos e carisma pessoal. São tentados a medir a eficácia de suas pregações pelos louvores que recebe. Seu coração facilmente pode se engajar em comparações com outros pregadores igualmente famosos, a ponto de ficar nas redes sociais comparando os perfis para ver quem tem o maior número de seguidores. O profeta Ezequiel descreveu os pecados de Israel comparando a nação idólatra a uma prostituta que confiou na própria fama e beleza: "Você pensou que era dona de sua fama e de sua beleza. Então, entregou-se como prostituta a todo homem que passava" (Ez 16.15).

A melhor maneira de lidar com as tentações da fama é dar sempre glória a Deus pela boa aceitação entre o povo de Deus e lembrar que tudo vem dele. Quando eu cursava o seminário, fomos obrigados, como alunos, a decorar uma série de versículos chamados de "versículos Obadias",[1] que versavam sobre várias áreas da vida pastoral. O objetivo era que nos lembrássemos dos princípios bíblicos na hora da tentação e, assim, a enfrentássemos armados da Palavra de Deus. Um dos versículos que me ajudou muito foi 1Coríntios 4.7: "O que vocês têm que Deus não lhes tenha dado? E, se tudo que temos vem de Deus, por que nos orgulharmos como se não fosse uma dádiva?". Como pregador já relativamente conhecido e convidado a falar em muitos lugares, desde cedo em meu ministério tive de lidar com certa popularidade. Lembrar que os efeitos positivos de minhas pregações vinham somente de Deus me ajudou a lutar com as tentações que a exposição precoce trazia, embora nem sempre eu tenha ganhado essa batalha.

A fama jamais deveria ser um alvo a perseguir. Se ela vier, que seja apesar de nós. Que seja o fruto da ação de Deus através de nossa instrumentalidade, como foi com Josué: "Assim, o Senhor estava com Josué, e sua fama se espalhou por toda a terra" (Js 6.27; ver tb. 9.9). Da mesma forma, por causa da sabedoria dada por Deus, Salomão se tornou internacionalmente famoso entre os reinos de sua época: "Sua fama se espalhou por todas as nações vizinhas" (1Rs 4.31; ver tb. 10.1). Jesus rapidamente se tornou famoso em toda a região da Galileia, Judeia e Samaria por causa dos sinais e prodígios que operava e por suas pregações acerca do reino de Deus que impactavam as multidões que o seguiam (ver Mt 4.24; Mc 5.27; Lc 4.37 etc.). Contudo, não foi algo que ele buscou. Nunca quis popularidade. Na verdade, ele fazia o que era possível para evitar isso, buscando isolamento com seus discípulos, evitando as vilas e permanecendo em lugares ermos (Lc 5.16; Mt 14.23; Mc 1.35). Certa ocasião, quando soube que as multidões vinham para torná-lo rei de Israel, ele se retirou do lugar em que estava (Jo 6.15). Com frequência ele advertia as pessoas curadas

---

[1] *Obadias*, em hebraico, significa "servo do Senhor".

que não divulgassem o acontecido (Mc 7.36; 8.30; Lc 5.14). Chegou a ordenar aos discípulos que não divulgassem o que tinham visto no alto do monte da transfiguração (Mc 9.9; Mt 16.20).

O pregador pode ser tentado a seguir caminho contrário ao de seu Mestre e, de maneira consciente ou não, buscar popularidade e fama entre os irmãos em Cristo. Nessa tentativa, ele é capaz de sacrificar princípios básicos de seu chamado, que é pregar fielmente a Cristo conforme as Escrituras, esquecendo-se das palavras de João Batista: "Ele deve se tornar cada vez maior, e eu, cada vez menor" (Jo 3.30). Falar constantemente de si mesmo nas pregações, promover-se relatando o sucesso de seu ministério, destacar suas conquistas e vitórias é uma das formas usadas por pregadores para buscar reconhecimento e fama. Não é errado dar testemunho do que Deus tem feito por nosso intermédio, desde que fique muito claro que estamos dando toda a glória a Deus e que não buscamos holofotes. Mas, como apesar das ressalvas que fizermos ainda assim poderá parecer que estamos nos promovendo, talvez seja melhor adotar o princípio de só falar de si mesmo quando estritamente necessário ou proveitoso para a audiência.

A fama tem seu preço. Pregadores famosos são expostos mais facilmente ao público em geral, principalmente nas redes sociais, e experimentam tanto expressões de louvor como de ódio. A família de um pregador famoso pode ficar exposta ao público, se não houver o devido cuidado. A privacidade vai se tornando cada vez mais difícil de manter. Tenho certeza de que pregadores famosos já tiveram, mais de uma vez, o desejo de que Deus os tivesse chamado para um ministério discreto e despercebido, talvez em uma igreja local, onde pudessem servir com alegria e sem as provações e tentações trazidas pela fama.

Nem todo pregador está preparado para se tornar famoso. Lembro-me aqui do caso do rei Uzias. O cronista nos diz que "sua fama se espalhou até o Egito, pois ele havia se tornado muito poderoso" (2Cr 26.8,15). Contudo, a fama subiu-lhe à cabeça: "Quando Uzias se tornou poderoso, também se encheu de orgulho, o que o levou à ruína. Pecou contra o SENHOR, seu Deus, ao entrar no santuário do templo do SENHOR para queimar incenso no altar de incenso" (2Cr 26.16).

Deus castigou o rei com lepra. Mas, além dessa transgressão, quando emissários do rei da Babilônia vieram visitá-lo, Uzias mostrou-lhes todas as suas riquezas e realizações, certamente buscando impressioná-los.

Deus mandou o profeta Isaías anunciar ao rei que por causa daquela atitude de autoglorificação o reino de Judá seria conquistado e levado em cativeiro pelos babilônios, como efetivamente aconteceu (2Rs 20.12-19). A fama tem derrubado homens menores que Uzias. Que nenhum pregador pense que está imune às tentações que ela traz. Muito relacionado com esse tópico está o da humildade do pregador, que já abordei no capítulo 2, "A vida do pregador".

Por fim, o pregador deve lembrar que a fama nunca se satisfaz. A pessoa famosa é sempre tentada a buscar mais fama. O pregador que experimentou o prazer de ser famoso desejará ter esse prazer mais e mais. Um exemplo triste de pregador que buscou mais fama do que já possuía aconteceu nos Estados Unidos poucos anos atrás. Pastor de uma megaigreja (tive oportunidade de visitá-la uma vez), ele contratou uma empresa para divulgar um livro que ele havia escrito sobre casamento. Como parte do esquema de *marketing* e promoção do livro, a empresa usou um método complexo de manipulação dos relatórios de venda a fim de conseguir colocar o livro entre os primeiros da lista de mais vendidos do *The New York Times*. A coisa toda custou cerca de 250 mil dólares. A presença do livro entre os mais lidos, contudo, não correspondia à realidade das vendas. O esquema todo veio a público algum tempo depois, e por causa disso e de outras denúncias o pastor renunciou ao púlpito de sua igreja. Buscar mais e mais fama a todo custo pode implicar a perda do ministério e da reputação do pregador.

Bajulação

Trata-se de outra tentação típica do púlpito. O rei Davi já se queixava que seus inimigos usavam de bajulação para tentar apanhá-lo: "sua língua é cheia de bajulação" (Sl 5.9; ver tb. 12.2). O sábio nos alerta para os seus perigos: "A língua mentirosa odeia suas vítimas; palavras bajuladoras causam ruína" (Pv 26.28). "Quem bajula os amigos prepara uma armadilha para os pés deles" (Pv 29.5).

O pregador nem precisa ser famoso para ser alvo de adulação por parte de seus ouvintes. Não sou contra elogios sinceros e palavras francas de reconhecimento e agradecimento daqueles que ouvem as pregações. Nem sempre parece, mas com frequência o pregador desce arrasado do púlpito, consciente de que não fez um bom trabalho como expositor das Escrituras.

Uma palavra de reconhecimento, agradecimento e elogio sincero ajuda o pregador a dormir melhor. Sou grato a Deus pelos irmãos que após o culto me dão uma palavra de reconhecimento e gratidão. Com frequência me sinto bastante inadequado depois de pregar e acho que Deus usa esses irmãos para consolar meu coração. Portanto, não posso ser contra elogios sinceros. Mas não é disso que estou falando aqui.

A bajulação ou adulação é um elogio insincero. É uma lisonja que não expressa o sentimento real daquele que a faz, ou é um elogio imerecido. O bajulador, às vezes, visa obter alguma coisa e para isso assume uma atitude de servilismo (Jd 1.16). Fico incomodado com pessoas que se aproximam de mim exaltando minhas supostas qualidades como pregador e pastor buscando, dessa forma, encontrar oportunidade de obter alguma vantagem. Claro, não me refiro a vantagem financeira, pois nessa área nada tenho a oferecer. Mas coisas como escrever o prefácio de um livro, gravar um vídeo com a pessoa, participar de uma programação ou *podcast*, atender a determinado convite etc. Não tenho problemas em ser abordado com esses pedidos, meu problema é com a bajulação que, às vezes, é feita antes, para preparar o caminho do pedido que virá em seguida.

Jesus enfrentou a lisonja diversas vezes em seu ministério, vindas de diferentes fontes. Menciono, primeiro, o jovem rico, que se aproximou dele chamando-o de "bom mestre" para em seguida fazer-lhe uma pergunta. Jesus recusou a lisonja, dizendo que somente Deus era bom (Lc 18.18-19). Nesse caso, o elogio do jovem não me parece ter sido insincero ou malicioso, mas simplesmente mal dirigido. Se ele não cria que Jesus era Deus, como chamá-lo de bom? Em outra ocasião, Jesus foi bajulado por seus inimigos, com elogios insinceros que visavam uma oportunidade de apanhá-lo em alguma palavra:

> Esperando uma oportunidade, os líderes enviaram espiões que fingiam ser pessoas sinceras. Tentaram fazer Jesus dizer algo que pudesse ser relatado ao governador romano, de modo que ele fosse preso. Disseram: "Mestre, sabemos que o senhor fala e ensina o que é certo, não se deixa influenciar por outros e ensina o caminho de Deus de acordo com a verdade. Então, diga-nos: É certo pagar impostos a César ou não?".
> Jesus percebeu a hipocrisia deles [...].
>
> Lucas 20.20-23

Assim, vemos que bajulação é o mesmo que hipocrisia. Algumas pessoas que certamente não aceitam o que prego e que não tem apreço por mim começam, às vezes, seus comentários nas redes sociais em postagens minhas da seguinte maneira: "Reverendo, admiro muito o senhor, considero-o um dos grandes teólogos e pregadores do Brasil, mas, sem querer contradizer o que o senhor disse, não será que...", e aí segue uma crítica maliciosa, uma pegadinha ou uma isca para que eu entre em uma discussão que seguramente levará a uma polêmica interminável.

Outra situação em que o pregador se sente pisando em ovos — eu, pelo menos, me sinto assim —, é na apresentação feita antes de pregar. Lembro-me de uma ocasião em que fui apresentado com tantos elogios que ficou visível o constrangimento da congregação e o meu. Ao assumir o púlpito tentei dissipar o clima de constrangimento geral brincando com o pastor que havia me apresentado: "Reverendo, quando eu morrer quero que seja o senhor a fazer o sermão no culto fúnebre!". O pregador deveria ser apresentado simplesmente como pastor de sua igreja e pregador convidado para aquele culto ou evento. Apresentações que incluem os graus acadêmicos, postos ocupados em sua denominação, relação de livros escritos, número de seguidores nas redes sociais acabam soando como adulação para os presentes e só servem para exaltar o pregador e diminuir a pessoa de Cristo, além de constranger todo pregador que sinceramente deseja que somente o Senhor receba a glória.

Coloco aqui algumas sugestões para o pregador lidar com bajulação, elogios insinceros e lisonja em geral. Primeiro, esteja atento para discernir o que é elogio sincero da bajulação. Nem sempre é fácil. O Senhor Jesus podia perceber a intenção do coração de seus aduladores (Mc 12.15). Nós certamente temos mais dificuldade em fazê-lo. O que ajuda é o pregador ter uma estimativa correta de si mesmo e de seus dons. Quando uma pessoa me elogia dizendo que sou um bom pregador, sei que isso é verdade, pela graça misericordiosa de Deus. Mas, quando ela diz que eu sou o melhor pregador do Brasil, vejo que estou diante de um exagero e preciso reagir com gentileza e firmeza, e recusar essa atribuição. Em suma, se estou consciente de quem sou e do alcance do meu ministério, dos meus dons e das minhas realizações, poderei avaliar mais corretamente se o elogio é justo ou se é bajulação.

Segundo, o pregador deve sempre atribuir a Deus qualquer coisa boa em sua vida e ministério que se torne objeto de elogio. Aqui cito a atitude dos anciãos, na visão de João no Apocalipse, que lançaram suas coroas de ouro, símbolo das coisas boas que fizeram na terra, diante do trono de Cristo, dizendo dessa forma que tudo de bom que eles tinham feito era por causa do Senhor, e que as coroas, que expressavam a recompensa deles, pertenciam, legitimamente, a Jesus Cristo, e não a eles:

> Cada vez que os seres vivos dão glória, honra e graças ao que está sentado no trono, àquele que vive para todo o sempre, os 24 anciãos se prostram e adoram o que está sentado no trono, aquele que vive para todo o sempre. Colocam suas coroas diante do trono e dizem:
>
> "Tu és digno, ó Senhor e nosso Deus,
>   de receber glória, honra e poder.
> Pois criaste todas as coisas,
>   e elas existem porque as criaste segundo a tua vontade".
>
> Apocalipse 4.9-11

Terceiro, o pregador não deve depender de lisonjas e elogios recebidos, ciente de que existe a possibilidade de que alguns deles não sejam sinceros nem verdadeiros. A aprovação dos homens é importante, mas não a ponto de fazermos dela o aferidor da nossa pregação. Se o pregador perceber que determinada pessoa é realmente bajuladora, deve evitá-la, como Paulo ensinou aos romanos que ficassem longe daqueles que "não servem a Cristo, nosso Senhor, mas apenas a seus próprios interesses, e enganam os inocentes com palavras suaves e bajulação" (Rm 16.17-18).

Quarto, o pregador deve evitar a todo custo viver cercado de bajuladores que o elogiem em tudo que faz, mas que não são honestos o suficiente para fazer críticas quando necessárias. O pregador deve sempre preferir as análises sinceras, como diz o sábio: "No fim, as pessoas apreciam a crítica honesta muito mais que a bajulação" (Pv 28.23).

Quinto, o pregador deve estar atento à falsa humildade em seu coração. Quando uma pessoa me elogia depois de um sermão que sei ter pregado com clareza, fidelidade e eficiência, seria falsa humildade negar dizendo coisas como "não, meu irmão, minha pregação foi horrível, não chegou nem perto do que o irmão está dizendo...", enquanto, em meu coração, acaricio secretamente o ego pelo elogio recebido. Não é orgulho você reconhecer que fez um bom trabalho, desde que jogue sua coroa aos pés de Jesus Cristo. Era assim que Paulo procedia. Veja o que ele escreveu aos coríntios, que estavam fazendo uma comparação entre ele e os doze apóstolos de Cristo: "Trabalhei com mais dedicação que qualquer outro apóstolo e, no entanto, não fui eu, mas Deus que, em sua graça, operou por meu intermédio" (1Co 15.10). Paulo estava consciente de que havia trabalhado e que havia sido usado por Deus mais do que os Doze, para alcançar os gentios com o evangelho. Ele também estava consciente de que fora somente pela graça de Deus. A falsa humildade nega a verdade que elogios sinceros expressam.

Investidas afetivo-sexuais

Todos os crentes estão sujeitos a sofrer investidas da parte do sexo oposto e até mesmo de pessoas do mesmo sexo. Aqui vou enfocar somente o assédio ao pregador por parte de algumas mulheres. Como mencionei nos pressupostos descritos na introdução a este livro, estou assumindo que a função de pregador é exclusiva de homens cristãos qualificados.[2] No caso, tanto o pregador solteiro como o casado podem ser alvo de investidas femininas. As tentações advindas do sexo oposto tendem a aumentar em proporção à fama, e, se o pregador for casado, deve impor respeito e mostrar fidelidade.

Comecemos com os pregadores solteiros. Uma vez que estão livres, podemos entender as irmãs que alimentam alguma esperança de se casar com eles. Quando eu era um jovem pregador solteiro e desimpedido recebi algumas cartinhas de queridas irmãs interessadas em algo mais que a amizade. Sempre procurei ser sincero e educado em responder que não estava interessado em casamento, no momento. Nunca, porém, recebi alguma investida indecente. Isso parece mais coisa de nossos dias. Um jovem pregador solteiro, especialmente se já é popular em alguma medida, pode ser alvo de investidas da parte de mulheres de sua igreja ou fora dela, com conteúdo implicitamente sexual. Não é de admirar, considerando que relações sexuais entre namorados ou mesmo fora do casamento são vistas como normais pela sociedade ocidental moderna. Acredito que o

---

[2] Para minha posição sobre ordenação de mulheres ao pastorado, ver meu artigo "Ordenação feminina: O que o Novo Testamento tem a dizer?", in *Fides Reformata* 2/2 (1997), disponível na internet.

número de jovens que se declaram evangélicos e que estão vivendo maritalmente com a namorada é bem maior do que pensamos. Nesse ambiente relativista e erotizado, é de esperar que um jovem solteiro, numa posição de visibilidade, como é o púlpito, seja alvo de investidas afetivo-sexuais do sexo oposto.

Estou partindo aqui do pressuposto de que sexo fora do casamento é algo contrário à Palavra de Deus.[3] O pregador solteiro deve estar consciente disso. Na verdade, deve pregar sobre isso, quando oportuno. Se ele tornar pública sua posição sobre esse assunto em suas pregações, servirá para diminuir o assédio sexual. Da mesma forma, se ele manifestar em suas pregações algum tipo de abertura para sexo antes do casamento, o assédio será maior, assim como as chances de ele cair em tentação.

Além de ter consciência de que Deus reservou o sexo para o ambiente do casamento, o pregador solteiro deve procurar casar-se o mais breve possível, a menos que tenha recebido o dom do celibato, conforme Paulo nos ensina em 1Coríntios 7.1-2 ("Agora, quanto às perguntas que vocês me fizeram em sua carta, digo que é bom que o homem não toque em mulher. Mas, uma vez que há tanta imoralidade sexual, cada homem deve ter sua própria esposa, e cada mulher, seu próprio marido") e em 7.7-9 ("Gostaria que todos fossem como eu, mas cada um tem seu próprio dom, concedido por Deus: um tem este tipo de dom, o outro, aquele. Portanto, digo aos solteiros e às viúvas: é melhor que permaneçam como eu. Mas, se não conseguirem se controlar, devem se casar. É melhor se casar que arder em desejo").

Deus tem usado pregadores solteiros que eram incríveis, como John Stott, por exemplo, que aparentemente tinha o dom do celibato. O desafio não é permanecer solteiro, mas também permanecer puro. Se o pregador solteiro não consegue dominar-se, deve se casar. Isso não é garantia de que nunca mais será assediado, mas com certeza diminuirá as investidas.

Além de ter consciência de que sexo antes do casamento é fornicação e que casar é uma opção bíblica para os solteiros, o pregador solteiro deve evitar o encorajamento das investidas, e tratar o sexo oposto com

---

[3] Aos interessados em minha posição sobre esse assunto e outros assuntos afins, ver meus livros *Sexo e santidade: Viva sua sexualidade como Deus a planejou* (Rio de Janeiro: GodBooks, 2021), e *A Bíblia e sua família: Exposições bíblicas sobre casamento, família e filhos* (São Paulo: Cultura Cristã, 2019), coescrito com Minka, minha esposa.

modéstia e sabedoria. Afagos, beijos e abraços podem mandar a mensagem errada para as irmãzinhas da igreja que sonham com o pregador e encorajá-las a fazer algum tipo de investida. Conheci um jovem pregador solteiro que além de pregar bem era um homem atraente, que deixou uma trilha de corações partidos nas igrejas por onde passou. No afã de ser cordial, amável, atencioso e criar laços mais íntimos de amizade, acabava por se aproximar demais das irmãs, de forma a criar alguma esperança no coração delas. Mas, depois, quando elas se aproximavam dele em busca de algo mais que amizade, recebiam um não como resposta. Por um lado, sua negativa era um ato bom — que eu saiba, nunca se envolveu em sexo antes do casamento. Mas, por outro, trilhou caminhos perigosos ao encorajar investidas por parte do segmento feminino de sua igreja. Talvez aqui se aplique o dito do sábio: "O louco que atira com arma mortal causa tanto estrago quanto quem mente para um amigo e depois diz: 'Estava só brincando!'" (Pv 26.18-19).

Vejamos agora a situação do pregador casado que se vê alvo de investidas afetivo-sexuais por parte de mulheres de sua igreja ou fora dela. Mais uma vez, não só os pregadores casados estão sujeitos a esse tipo de tentação. Homens e mulheres cristãos casados estão igualmente sujeitos a receber esse tipo de abordagem. Contudo, creio que todos concordarão que pessoas em posição de destaque e visibilidade estão mais sujeitas a esse tipo de abordagem. Como o pregador deveria lidar com esse tipo de assédio? Seguem algumas sugestões práticas.

Primeiro, imponha respeito. Deixe claro por meio de palavras e atitudes que você é casado e fiel a sua esposa. Comentei recentemente com a Minka que, depois de casado, nunca recebi uma investida afetivo-sexual da parte de alguma mulher. Perguntei-lhe qual a razão e ela respondeu que era porque sempre me mantive em posição de respeito e impunha respeito por meio de palavras e atitudes. Nunca me havia atentado conscientemente a isso. Agradeço a Deus, que não me permitiu ser tentado nessa área. Portanto, não dê abertura nem oportunidade para que mulheres se aproximem de você com outras intenções. A postura do pregador faz toda diferença nessa área.

Segundo, de vez em quando mencione seu casamento e elogie sua esposa em seus sermões. Não precisa exagerar nisso, pois acaba parecendo superficial. Mas uma notinha aqui e ali, vez ou outra, ajuda a manter predadoras à distância. Elas sabem que pregadores com um casamento fragilizado, infeliz e problemático são presas mais fáceis e sabem que o pregador bem casado, normalmente, resistirá.

Terceiro, evite aconselhar, sozinho, mulheres casadas sobre problemas que porventura elas estejam enfrentando na área sexual. Por exemplo, uma irmã casada procura orientação sobre seu casamento, especialmente na área sexual, em que seu marido a está forçando a ter relações com ele de maneira contrária à natureza, como sexo anal, por exemplo. Eu sei que esse é um exemplo radical. Sei que raramente mulheres que enfrentem problemas dessa natureza procuram um pregador para aconselhamento. Mas não é impossível. Há outras situações no casamento, entretanto, envolvendo a área sexual, para a qual mulheres casadas precisam de orientação e ajuda para saber o que fazer. O pregador deveria evitar tratar sozinho de casos assim. Algumas opções seriam convidar sua esposa para as sessões de aconselhamento, aconselhar a mulher e o marido dela juntos ou encaminhar a mulher para aconselhamento com alguma irmã da igreja que seja espiritualmente madura e apta a aconselhar, conforme lemos em Tito 2.3-4. Ironicamente, não são poucos os casos de pastores que acabaram se envolvendo sexualmente com mulheres que o procuraram para obter ajuda na área sexual.

Quarto, se o pregador é pastor de uma igreja local e recebe pessoas para aconselhamento, deve providenciar um lugar com janelas amplas, que permitam que todos vejam o que está acontecendo no interior. Isso deve desencorajar algumas investidas durante o aconselhamento e evita qualquer aparência do mal.

Quinto, o pregador deve evitar manifestações exageradas de afeto e amor fraternal com mulheres casadas, que podem ser mal interpretadas. Seja cortês, educado e modesto em expressar carinho e amizade pelas mulheres da igreja. Evite abraços apertados, beijinhos em excesso, afagos e outras manifestações físicas exageradas. Também seja moderado nos elogios à aparência e ao vestuário delas. Conheci um pastor que costumava abraçar, beijar, afagar os membros das igrejas por onde passou, sem ter os devidos cuidados. Suas manifestações de carinho acabaram sendo confundidas com assédio por várias mulheres, casadas e solteiras. Ele deixou um rastro de acusações de assédio pelas igrejas por onde passou e pelas escolas onde ensinou, até que finalmente foi deposto do ministério por sua denominação.

Por fim, se o pregador for assediado claramente por uma mulher, o assunto deve ser tratado pastoralmente, a princípio, e em seguida disciplinarmente. Mulheres que fazem investidas de natureza afetivo-sexual a seus pastores devem ser tratadas e disciplinadas, pois certamente esse comportamento é pecaminoso. A melhor medida para lidar com investidas desse tipo é que o pregador tenha um casamento abençoado, sólido e feliz. São aqueles pregadores cujo casamento vai mal que acabam, com mais frequência, caindo em tentações desse tipo. Voltaremos a tratar desse assunto mais adiante.

Quero terminar este assunto com uma palavra a respeito dos pregadores que aproveitam sua fama e a fragilidade das mulheres que vão em busca de aconselhamento com eles para fazer investidas afetivo-sexuais a elas. Infelizmente, durante o tempo em que estou escrevendo este livro, notícias de assédio sexual e mesmo de pedofilia por líderes evangélicos no Brasil e no exterior estão ocupando as mídias sociais. Casos antigos estão sendo trazidos à tona, mesmo depois que o abusador morreu, como é o caso de um apologeta mundialmente famoso. Estão sendo trazidos à tona, também, casos de igrejas e denominações que acabaram demorando em agir em casos de pastores acusados de assédio sexual, ou que acabaram protegendo e escondendo esses casos. Tudo isso traz profundo vexame sobre a igreja evangélica e, pior, descrédito ao evangelho que nós pregamos. É claro que os evangélicos repudiam todo tipo de assédio sexual e pedofilia, mas a mídia secular raramente faz essa diferença e coloca o cristianismo em geral no paredão do cancelamento.

Assim, quero deixar algumas sugestões para o pregador que deseja evitar cair na tentação de assediar mulheres que o procuram sinceramente para aconselhamento e ajuda. Primeiro, mesmo que os problemas da mulher que o procura para ajuda não sejam na área sexual, cuide para que você não acabe se envolvendo demais com os problemas dela. Se perceber que as sessões de aconselhamento estão se tornando frequentes e mais íntimas, o melhor a fazer é trazer sua esposa para as sessões ou então encaminhar a mulher para conselheiras maduras que podem continuar a ajudá-la.

Segundo, invista em seu casamento. Se o seu relacionamento com sua esposa for bom, sólido, firme e fundado em amor e respeito, você não se sentirá tão tentado a buscar amor, amizade, intimidade e realização sexual com outras mulheres. Ser bem casado não significa que você nunca será tentado sexualmente, mas com certeza diminuirá as possibilidades de queda.

Terceiro, seja sempre transparente com sua esposa quanto a tentações nessa área. Não sei qual seria a melhor tradução para a palavra inglesa *accountability*. Talvez "prestação de contas". Todo pregador deveria ter alguém a quem ele possa "prestar contas" das tentações na área sexual, de preferência a esposa. No caso de a esposa não ser madura suficiente para isso, um conselheiro ou pastor de confiança pode servir.[4] Se for solteiro, poderia procurar um colega e amigo de confiança. No meu caso, Minka é a pessoa a quem presto contas de minha vida espiritual. Agradeço a Deus pela maturidade dela em compreender as tentações que um pregador casado enfrenta nessa área.

Política

Essa tentação sobrevém mais a pregadores famosos e populares. Refiro-me à tentação de usarem seu prestígio para fins políticos, quer por iniciativa deles mesmos, quer pelo convite de outros que veem em sua popularidade uma oportunidade política. O pregador é um cidadão também. Como tal, tem seu direito a voto e de expressar suas posições e opiniões políticas. Creio, aliás, que ele pode participar de atos, passeatas, manifestações, desde que de maneira ordeira e legal. Creio que ele pode se expressar nas redes sociais quanto a acontecimentos políticos ou relacionados com a política.

A minha restrição é com respeito a pregadores que usam seu prestígio para se candidatar e eventualmente ocupar um cargo político, ou para aceitar uma nomeação para um cargo político. Sou da opinião de que pastores que pretendem ingressar na vida pública em algum cargo político deveriam se licenciar do pastorado. Essa foi a posição do pastor calvinista Abraham Kuyper, político holandês que fundou a Universidade Livre de Amsterdam. Em 1874, ele renunciou ao pastorado da Igreja Reformada de Amsterdã para assumir a liderança do Partido Antirrevolucionário. Foi ministro da educação da Holanda e em 1901 se tornou primeiro-ministro daquele país.

---

[4] Infelizmente nem toda esposa de pregador é madura o suficiente para ouvir as confissões de seu marido quanto às tentações na área sexual. Com isso não estou dizendo que a esposa do pregador deveria aceitar os *pecados* dele nessa área. Estamos tratando das tentações. Veja no início deste capítulo a diferença entre tentação e pecado.

Podemos ainda citar o exemplo do pastor pentecostal Lewi Pethrus. Em 1958, renunciou ao pastorado de sua igreja na Suécia para fundar o Partido Democrático Cristão, do qual se tornou mais tarde vice-presidente. Pregadores que são pastores de igrejas locais e que passam a ocupar cargos políticos acabam misturando as duas coisas. Se cometerem erros na política, eles certamente respingarão sobre sua igreja. Em casos graves, trarão vergonha e vexame aos membros de sua denominação. Correm o risco de usar o poder político para beneficiar as igrejas. Recentemente fomos surpreendidos com um caso desses, em que um pastor em atividade e que estava ocupando importante cargo político do governo foi acusado de favorecer igrejas evangélicas por meio de sua pasta, o que o levou a sair do cargo, ser indiciado e preso por um dia. O fato trouxe profundo constrangimento aos evangélicos em geral e a sua denominação em particular.

Embora existam outras tentações relacionadas com a posição do pregador, creio que tratei de algumas bem representativas. Queira Deus nos livrar de todo mal e nos preservar, de forma que cheguemos ao final da nossa carreira aprovados por ele.

15

O perigo da rotina

Tenho em mente aqui o pregador cuja rotina de preparação e pregação é a de um pastor de igreja local. Contudo, o pregador itinerante que tem uma agenda de compromissos cheia também pode tirar proveito do que abordaremos aqui.

Perda do entusiasmo

Quando falo do perigo da rotina, refiro-me ao risco de o pregador perder o entusiasmo por seu trabalho, devido à repetitividade, e realizá-lo apenas por obrigação, caindo em diversas práticas não saudáveis de ministério. Algo parecido com o que havia acontecido com os sacerdotes do templo de Jerusalém, após o retorno do cativeiro e na época da restauração. Deus, por intermédio do profeta Malaquias, assim os repreendeu: "Vocês estão profanando o meu nome, quando pensam que a mesa do Senhor é impura, e que a comida que é oferecida sobre ela pode ser desprezada. E vocês dizem ainda: 'Que canseira!' E torcem o nariz para isso, diz o Senhor dos Exércitos" (Ml 1.13, NAA).[1]

A "canseira" dos sacerdotes era resultante do trabalho diário e repetitivo de oferecer sacrifícios no altar, várias vezes ao dia. Eles eram os únicos em Israel que podiam fazê-lo, e a Lei de Moisés previa um número grande dessas ofertas. A rotina deles era realmente pesada. Depois do retorno do cativeiro, tanto o povo como os sacerdotes estavam desanimados com o progresso lento da restauração de Jerusalém e do templo. Alguns sacerdotes, entediados, passaram a realizar as tarefas desleixadamente, por mera obrigação e força do ofício, aceitando para os sacrifícios animais

---

[1] A ideia refletida em "que canseira" é também seguida pela ARA, NVI e NTLH. A NVT preferiu traduzir como "É difícil demais servir ao Senhor".

com defeito e negligenciando a renovação diária dos pães da proposição. Provavelmente, ao realizar suas funções rotineiras, eles pensavam: "Que canseira! Que enfado! Quando esse culto vai terminar?". O mesmo pode acontecer com o pregador. A rotina de preparação e pregação pode acabar levando-o ao tédio, ao trabalho malfeito, sem ter seu coração no culto e na pregação, tão somente cumprindo agenda.

Outro perigo associado com a rotina é o pregador se acostumar com as coisas de Deus, e assim chegar a tratá-las como algo corriqueiro. Os dois filhos do sacerdote Eli cresceram ministrando no tabernáculo e, com o tempo, assumiram o cuidado dos sacrifícios oferecidos a Deus. Perderam completamente o respeito pelas ofertas consagradas a Deus e toda consideração para com Deus e o ministério. Ao separar para si largas porções da carne sacrificada que não eram, pela Lei, destinadas aos sacerdotes, o texto nos diz que eles "tratavam com desprezo as ofertas para o Senhor" (1Sm 2.12-17). É claro que o problema todo era o coração ímpio deles. Contudo, a familiaridade com os sacrifícios trazidos pelo povo diariamente ao tabernáculo, sem dúvida, contribuiu para a atitude deles.

Sacerdotes tementes a Deus não se deixariam chegar a esse ponto em sua rotina diária, mas o risco sempre existe. Lembro-me de um conselho que recebi de um pastor experiente quando eu estava prestes a entrar no seminário. Ele me disse que um risco que os vocacionados ao ministério da Palavra corriam durante os anos de estudo era se acostumarem com as coisas de Deus. Ele se referia à Bíblia, às doutrinas, à teologia e à vocação pastoral. De fato, o risco é grande diante da quantidade de leituras exigidas, trabalhos a serem feitos e aulas sobre o pastorado, a pregação, a teologia, e outros pontos cruciais relacionados com o futuro ministério do pregador. Um seminário sério, que preza pela qualidade do ensino e pela formação teológica de seus alunos, costuma impor uma carga pesada de leituras e tarefas, que ocupam o estudante muitas horas do dia. Lembro-me de calouros que começaram o seminário cheios de zelo e fervor por Deus e pelo evangelho e que durante os anos de estudo acabaram se "acostumando" com as coisas que rotineiramente faziam. Ao final de quatro anos, não se via mais neles o zelo, o amor e o cuidado com os ensinamentos das Escrituras, com uma vida santa e reta, e com a paixão pelos perdidos. Parecia que as verdades bíblicas, as grandes doutrinas da graça, a própria pessoa de Cristo não mais os impressionavam. Acostumaram-se a tudo isso. É o que geralmente ocorre quando fazemos o mesmo durante muitos anos, e por muito tempo. Sem querer nos acostumamos com o que fazemos. A rotina do pregador pode levá-lo a acostumar-se com as Escrituras a ponto de não ter mais aquela paixão pela leitura, pelo estudo e pela preparação de sermões biblicamente embasados. O resultado é a falta evidente, no púlpito, de paixão e zelo pela mensagem que está pregando.

Fechar-se para o extraordinário

Menciono ainda mais um perigo da rotina, que é nos fecharmos para coisas fora do comum ou extraordinárias. O pregador pode ficar tão preso a sua rotina de preparação e pregação que não percebe outras coisas acontecendo ao redor. Ou, então, perde o interesse por aquilo que não esteja dentro do que ele faz habitualmente. Um exemplo que me ocorre para ilustrar esse princípio é o do povo da época de Noé. Assim Jesus se referiu àquela geração: "Nos dias antes do dilúvio, o povo seguia sua rotina de banquetes, festas e casamentos, até o dia em que Noé entrou na arca. Não perceberam o que estava para acontecer até que veio o dilúvio e levou todos. Assim será na vinda do Filho do Homem" (Mt 24.38-39).

É claro que a causa da condenação daquela geração não foi o fato de que davam festas, banquetes e farras habitualmente. Foi a rebeldia e incredulidade de seu coração. Mas o ponto de Jesus aqui é que eles não perceberam os sinais do juízo vindouro sob a forma de um dilúvio e continuaram a fazer o que sempre fizeram por gerações. Algo extraordinário estava para acontecer, algo totalmente fora da rotina deles, mas eles só perceberam quando aconteceu. O Senhor disse que será assim também quando ele estiver para retornar a este mundo. As pessoas estarão seguindo sua vida normal, o ritmo de vida habitual, e só perceberão a chegada do dia do juízo final quando for tarde demais. A lição que quero tirar dessas palavras do Senhor Jesus é que a rotina nos habitua a ver sempre as mesmas coisas, a não esperar algo extraordinário, e com isso nos fechamos para a possibilidade do inusitado em nosso ministério de pregador.

Deus pode surpreender o pregador de muitas maneiras e agir fora da caixa, por assim dizer. Mais uma vez cito o exemplo de Jonathan Edwards, puritano americano do século 18. Edwards era pregador em sua igreja local e seguia sua rotina regular de estudos, preparação e pregação, domingo após domingo. Um dia, foi surpreendido com os gritos e lamentos de sua congregação durante seu sermão "Pecadores nas mãos de um Deus irado", em que ele descrevia os horrores do inferno. Alguns gritavam que viam o chão se abrir e o inferno pronto para engoli-los. Homens fortes choravam agarrados às colunas da igreja. Foi algo totalmente fora da rotina. Outros pregadores talvez tivessem interpretado o acontecido como mero emocionalismo, e rejeitado a experiência. Mas Edwards reconheceu ali sinais da obra do Espírito Santo convencendo as pessoas de seus pecados, ainda que de maneira totalmente fora da rotina dos cultos de sua igreja. Eram sinais de um poderoso avivamento espiritual, que havia se espalhado por aquela região. Muitos pastores de Massachusetts, estado onde isso aconteceu, rejeitaram radicalmente o evento e outros similares.

O pregador deve estar preparado para ser surpreendido por Deus no curso de seu ministério e não permitir que a rotina lhe feche o coração para o inusitado. Não estou aqui abrindo portas para todo tipo de experiência em nome de Deus. Creio que a Bíblia é muito clara ao nos advertir quanto a nosso próprio coração enganoso, a atuação de falsos profetas, experiências falsificadas e a atuação de Satanás, o pai da mentira. Todavia, o pregador precisa estar aberto para o inesperado e ao mesmo tempo ter capacidade de analisar, com sabedoria, tais experiências, tendo como referência sempre a Palavra de Deus.

O sacerdote Zacarias tinha passado a vida cumprindo a rotina dos serviços levíticos no templo de Jerusalém, até o dia em que foi surpreendido pela aparição do anjo Gabriel:

> Certo dia, Zacarias estava servindo diante de Deus no templo, pois seu grupo realizava o trabalho sacerdotal, conforme a escala. Foi escolhido por sorteio, como era costume dos sacerdotes, para entrar no santuário do Senhor e queimar incenso. Enquanto o incenso era queimado, uma grande multidão orava do lado de fora. Então um anjo do Senhor lhe apareceu, à direita do altar de incenso.
>
> Lucas 1.8-11

Anjos não apareciam rotineiramente aos sacerdotes durante suas ministrações. Zacarias ficou apavorado e até mesmo duvidou, sendo castigado por isso. A rotina do pregador cria uma zona de conforto para ele, o que em si não é ruim. A rotina responde à pergunta: "O que vou fazer hoje?" e dá um propósito e um alvo sobre como usaremos nosso tempo.

Contudo, ela pode nos impedir de atender ao inesperado, como um membro da igreja que descobriu que está com câncer e liga desesperado, um pai choroso que descobriu que a filha adolescente está grávida, ou um jovem que lhe manda um texto com ideias suicidas. Para alguns pregadores, sair da rotina é penoso, pois ela lhe traz segurança. Mas a vida do pregador nunca deve ser marcada e guiada por uma rotina que o impeça de seguir o Espírito Santo, que, como o vento, sopra onde quer, e ninguém sabe de onde ele vem nem para onde vai (Jo 3.8).

Pregações monotemáticas

Outro perigo da rotina é o pregador se tornar monotemático nas pregações. Depois de muito tempo preparando e pregando sermões, o pregador vai se acostumando a pregar em determinados assuntos nos quais se sente mais à vontade ou pelos quais descobre uma habilidade especial para pregar. Alguns pregadores, após um tempo de ministério, tornam-se conhecidos por pregarem em certos temas ou por sempre "baterem" na audiência, ou ainda por "passar-lhes a mão na cabeça". Por exemplo, quando um pregador conhecido por suas mensagens fortes contra o pecado é convidado para pregar em uma igreja, os membros comentam entre si: "Prepare a cabeça, lá vem paulada este domingo". O risco desse tipo de ministério, para mim, é que o pregador deixa de anunciar todo o conselho de Deus para a igreja, como Paulo disse aos anciãos de Éfeso, ao se despedir deles: "não deixei de anunciar tudo que Deus quer que vocês saibam" (At 20.27).

Nas Escrituras encontramos não somente denúncias contra o pecado e advertências quanto a suas consequências, mas também a graça, a misericórdia e o perdão de Deus para os arrependidos, feridos e quebrantados. Não somente lei, mas também graça. Nos primeiros anos de ministério, eu tinha uma mensagem apenas, que era a denúncia contra o pecado. Em qualquer lugar que eu fosse convidado a pregar, minhas mensagens tinham o mesmo tom e conteúdo: expor o pecado e suas consequências. Depois de uns anos, entendi que a exposição da graça de Deus e da obra completa de Cristo têm enorme poder para levar pecadores ao arrependimento, como Paulo disse: "Não vê que essas manifestações da bondade de Deus visam levá-lo ao arrependimento?" (Rm 2.4). Passei a pregar sobre a graça, o amor e o perdão de Deus na mesma proporção que pregava sobre seu juízo sobre pecadores impenitentes. A rotina de pregações nos inclina a pregar sempre no que é mais fácil para nós. O pregador precisa ficar atento para isso, para não se tornar monotemático em seu ministério.

Para evitar os perigos da rotina

Existem coisas que podem ser feitas para minimizar esses perigos da rotina. Vejamos algumas delas. Em primeiro lugar, o pregador deve procurar observar rigorosamente o princípio bíblico de trabalhar seis dias e descansar um (Êx 20.8-11).[2] Como geralmente ele prega aos domingos, qualquer outro dia da semana pode ser o descanso. Pregadores que guardam esse princípio correm menos perigo de cair na rotina, pois quebram o ciclo de trabalho com um dia para descansar de fato. Pregadores que trabalham sete dias por semana, sem pausa ou descanso, estão num ritmo perigoso de vida e cedo ou tarde a fatura chegará, na forma de esgotamento, ansiedade, depressão ou simplesmente enfado e perda do entusiasmo e prazer em preparar sermões e pregá-los com alegria. Observar um dia semanal de descanso o ajudará a não se cansar com as coisas de Deus.

Segundo, além de ter um dia regular de descanso, o pregador deveria tirar férias regularmente, conforme o acordo que tiver com sua igreja. Seria ótimo, também, se ele pudesse tirar três ou quatro dias de vez em quando para sair com a família ou mesmo para retiro espiritual e descanso para si mesmo ou com a esposa. Para esses períodos especiais, ele precisará contar com a compreensão e a boa vontade da igreja. Infelizmente nem todas as igrejas entendem a necessidade de descanso e retiro espiritual do pregador. Para alguns conselhos e mesas diretoras, o pastor é empregado da igreja e deve ser tratado como tal. Em casos assim, a rotina do pregador tem grandes chances de se tornar enfado e canseira, trazendo prejuízo para a própria igreja. O escritor da carta aos Hebreus recomendou o seguinte às igrejas, com referência a seus líderes: "Deem-lhes motivo para trabalhar com alegria, e não com tristeza, pois isso certamente não beneficiaria vocês" (Hb 13.17).

Feliz é o pregador de uma igreja local cujos líderes entendem suas necessidades e são generosos com ele. O perigo é menor quando o pastor

---

[2] Não vou entrar aqui na polêmica de guardar o sábado. Os interessados em conhecer minha posição sobre o assunto podem pesquisar na internet, onde há vários vídeos meus sobre o assunto.

consegue, a intervalos regulares, sair da rotina e alegrar-se com a família. Os efeitos positivos serão sentidos pela própria igreja.

Terceiro, o pregador poderia investir na área de pregação, fazendo cursos que o ajudem a pregar melhor. Ler, estudar, pesquisar, escrever, assistir a aulas e apresentar trabalhos representam uma quebra significativa da rotina do pastor de uma igreja local. Além de contribuir para melhorar seu desempenho como pregador, ajuda a diversificar suas atividades e diminuir o risco do enfado com a pregação. Existem bons cursos virtuais de teologia, os quais não requerem que o pregador se ausente com frequência de seu campo de trabalho. Muito embora existam vantagens insuperáveis em cursos de teologia presenciais, aulas à distância podem ser tão exigentes e ter um nível de qualidade igual ou maior, pois permite a participação de professores convidados com quem o pregador jamais poderia ter aulas presenciais. Enfim, meu ponto aqui é que estudar mantém o pregador atualizado e renova seu amor e paixão pela pregação.

Pode parecer estranho para alguns essa minha defesa da academia como fator renovador do ministério. Tive o privilégio, refletido em bênção, de continuar estudando durante meus quarenta anos de ministério. Fiz teologia no Recife, mestrado na África do Sul, doutorado nos Estados Unidos e Holanda e pós-doutorado nos Estados Unidos. Esses estudos renovaram meu apreço pelo que faço. Sou grato a Deus por essas oportunidades, que me ajudaram a pregar melhor. Mais uma vez, infelizmente, algumas igrejas não oferecem condições ao pregador para que estude e se aprimore. Feliz o pastor que conta com a compreensão de sua igreja para investir em seu ministério.

Quarto, acrescento mais uma sugestão que pode parecer mundana para alguns. Creio que por causa da graça comum de Deus, o pregador pode ler regularmente outras coisas que não somente a Bíblia e livros teológicos. Ele pode maratonar séries e assistir a filmes não evangélicos (e não imorais, é claro). Pode acompanhar um jogo de futebol com os filhos ou amigos, ou fazer outras coisas, não necessariamente ligadas à igreja e ao ministério, que ajudem a quebrar a rotina e a monotonia, desde que, obviamente, não sejam contrárias à Palavra de Deus.

Quinto, o pregador deve renovar diariamente sua paixão por Deus e pelo ministério pelo uso dos meios da graça, a saber, a leitura da Palavra com oração. Mais importante que ir para o púlpito com o sermão bem preparado é ir para o púlpito com o coração bem preparado. Para isso, o pregador, conforme já vimos e ainda destacaremos mais à frente, precisa ter uma vida de comunhão profunda com Deus, pela oração e meditação devocional nas Escrituras.

Sexto, ele deve cultivar uma disposição mental e espiritual que lhe permita enxergar quando Deus faz algo fora de sua rotina habitual. O pregador corre o risco de viver como se Deus não estivesse presente e agindo ao seu redor. A tentação de funcionarmos como as pessoas que nos rodeiam, como os incrédulos que não percebem a presença de Deus, é sempre muito grande. O pregador deve viver *coram Deo*, sempre na presença de Deus e aberto para a intervenção divina em sua vida e ministério.

Sétimo, se o pregador adotar o sistema de pregação expositiva sequencial, isto é, pregar sequencialmente, versículo a versículo, em um livro da Bíblia, ele pode evitar o risco de se tornar pregador de um tema só. A variedade de temas e ênfases que ele vai encontrar no livro exposto o impedirá de pregar toda vez sobre o mesmo assunto e com o mesmo tom.

Em suma, a vida de pregador é emocionante e cheia de realizações. Eu não queria ser outra coisa na vida. Lloyd-Jones considerava a vocação do pregador a mais elevada que alguém poderia ter aqui neste mundo, superior a reis e governadores. É assim que me sinto, sempre procurando agradecer humildemente àquele que "me considerou digno de confiança e me designou para servi-lo" (1Tm 1.12).

16

Conselhos ao pregador itinerante

Já tratamos de vários aspectos do pregador itinerante nos capítulos anteriores. Aqui eu me limitarei a dar algumas dicas práticas àqueles que são convidados a ministrar a Palavra de Deus em diferentes locais, para onde precisam se locomover constantemente e passar um dia ou mais como hóspedes da igreja ou do evento. São dicas em grande parte resultantes da minha experiência como itinerante. Sempre estive ligado a uma igreja local, mas isso nunca me impediu de aceitar convites para pregar em outras igrejas ou em eventos fora da minha região. Acho um privilégio o pregador servir a irmãos de diferentes igrejas e denominações, em diferentes lugares do mundo. Sou muito grato a Deus por todas as oportunidades que ele me deu. Espero poder de alguma maneira ajudar aos meus colegas envolvidos no ministério de pregação itinerante.

O sermão

Se o pregador itinerante é também pastor de uma igreja a tendência natural é que ele use os mesmos sermões que prega em sua igreja local. Não vejo problema nisso. A questão é que os sermões que pregamos costumeiramente em nossa igreja têm um contexto e foram preparados com base no conhecimento que temos de nossa congregação. São personalizados, por assim dizer. Um sermão que foi uma bênção em sua igreja local não atenderá, necessariamente, às necessidades da igreja que o convidou. Portanto, antes de decidir por um sermão já pregado, procure se cientificar do contexto e das circunstâncias daquela igreja, para que você não pregue um sermão fora das expectativas ou que seja irrelevante para a necessidade da congregação.

Em contrapartida, o fato é que as igrejas apresentam, em geral, necessidades semelhantes. Sempre haverá irmãos precisando de conforto, de orientação e, ainda, de correção, o que acaba nos permitindo usar sermões já pregados em nossa igreja local. Daí ser comum o pregador itinerante combinar antecipadamente o tema do sermão com o pastor que o convida. Creio que é uma prática legítima, especialmente se o pregador itinerante não conhece as necessidades da igreja onde ministrará.

Alguns podem entender isso como falta de confiança no Espírito Santo, mas eu me pergunto se o Espírito Santo não pode agir antecipadamente, por meio de uma decisão de sermão baseada nas informações fornecidas pelo pastor da igreja visitada. Várias das cartas do Novo Testamento foram escritas com base em informações que os apóstolos receberam delas. Por exemplo, a primeira carta de Paulo aos coríntios foi escrita com base em informações de familiares de Cloe (1Co 1.11) e de uma comitiva que veio da cidade com uma oferta e informações da igreja (1Co 16.17). Lembremos que as cartas apostólicas eram para ser lidas, como sermões, no culto das igrejas para onde eram enviadas.

Tenho como prática sempre aceitar as sugestões e os temas fornecidos pelo pastor da igreja onde vou pregar, uma vez que ele conhece a igreja melhor do que eu. Mas pode acontecer que o pastor anfitrião tente induzir uma linha de pregação ou um tema com o qual o pregador itinerante não concorda ou considera impróprio. Nesse caso, é preciso deixar muito claro, antecipadamente, que você preferiria pregar em outro assunto. Acertar essas coisas antes evita constrangimentos posteriores.

O pregador convidado deve ter cautela na escolha dos temas do sermão quando for pregar em igrejas ou eventos de outras denominações e posições teológicas. Eu já fui convidado para pregar em igrejas bem diferentes da minha. Já preguei em muitas igrejas pentecostais. Seria, no mínimo, deselegante para um pregador tradicional, por exemplo, ao ser convidado para pregar numa igreja pentecostal, trazer um sermão em assuntos polêmicos como batismo com Espírito Santo, dom de línguas, profecias e revelações ou outros pontos que marcam a diferença entre pentecostais e tradicionais — a menos que o pastor da igreja tenha pedido algum desses temas antecipadamente. Existe uma área muito ampla de concordância entre os evangélicos em geral. Não faltam passagens e temas que podem ser pregados pelo itinerante e que serão abençoadores para igrejas de outras denominações, sem levantar polêmicas desnecessárias. Por exemplo, o itinerante pode pregar sobre santificação, plenitude do Espírito, a obra completa de Cristo, a graça de Deus, a salvação pela fé e assim por diante.

Fique atento para a tentação de pregar o que agrada aquela igreja, a fim de ser convidado novamente para pregar ali e receber a oferta generosa que eles costumam dar. Essa é uma tentação real. Já me aconteceu de pregar algumas vezes em uma grande igreja de linha mais emergente e pentecostal, que voluntariamente me dava uma oferta generosa cada vez que eu pregava lá. Percebi que receber essas grandes ofertas poderia acabar gerando uma tentação em meu coração. Para acabar de vez com essa tentação, da última vez que estive lá agradeci e recusei com gentileza o cheque do tesoureiro ao final da série de pregações.

Quando se tratar de um evento do tipo congresso ou conferência, normalmente o pregador é informado antecipadamente do tema do evento e até mesmo do subtema no qual ele deve pregar. Isso ocorre principalmente quando há outros preletores na conferência. A divulgação antecipada dos temas e preletores de um evento tem como objetivo, entre outras coisas, atrair os interessados sobre aqueles assuntos. A grande maioria dos que se inscrevem em eventos dessa natureza o faz porque deseja aprender sobre os temas propostos. Fica feio e deselegante, para dizer o mínimo, o pregador falar sobre um tema completamente diferente e pregar um sermão que foi provavelmente usado no domingo anterior em sua igreja. Entendo que pregadores itinerantes possam ter uma agenda muito cheia e pouco tempo para preparar material novo, contudo isso deve ser analisado com antecedência.

Recebi há um tempo um convite para falar em um congresso de grandes proporções. O tema que eu deveria abordar exigiria, a princípio, muita pesquisa e preparação, pois eu nunca havia pregado sobre ele. Na ocasião, eu precisava atender a muitos compromissos e não teria o tempo necessário para me preparar à altura. Procurei entre o meu estoque de sermões preparados um que ao menos tocasse em alguns dos pontos do tema sugerido. Conversei, então, com o organizador do evento e propus que, em vez daquele tema e daquela passagem, eu falasse com base em um outro que se assemelhava com a proposta original. A grande vantagem é que eu já o havia pregado algumas vezes e estava bem familiarizado com ele. O organizador entendeu perfeitamente e aceitou minha proposta. Isso me livrou da angústia de ver a data do evento se aproximando e não ter nada preparado, sem mencionar o risco de pregar um sermão que em nada se assemelhasse ao tema do evento.

Mais uma vez, alguns queridos irmãos dirão que esse conselho acaba por restringir a liberdade do Espírito Santo em guiar o preletor naquilo que ele deve falar. Minha resposta é a mesma: o Espírito Santo tem liberdade para agir também antes do evento, guiando as conversações do preletor e do organizador para que a escolha seja aquela do Espírito Santo.

Gostaria de trazer, ainda, uma última questão. Até que ponto o pregador pode se abster de participar de qualquer atividade ou atitude no culto a que vai como convidado? Segue um exemplo que me foi dado por um pastor, amigo meu, que havia sido convidado para pregar em uma igreja. Ele escreveu: "Eu mesmo já fui pregar em uma igreja em que na hora do louvor foi cantada uma série de músicas com as quais eu não concordava teologicamente, entre elas, 'Sabor de mel'. Fiquei parado e em silêncio, sem cantar. Como estava na plataforma, de frente para a audiência, todos observaram minha atitude".[1]

Não deixa de ser uma situação constrangedora. O pregador itinerante deve estar preparado para deparar com situações como essa. Por um lado, ele não quer ser mal-educado ou deselegante, nem afrontar abertamente as práticas litúrgicas da igreja que o convidou. Por outro, ele também não quer ferir a própria consciência. Embora a liturgia da minha igreja seja tradicional, não tenho problemas com levantar as mãos e bater palmas. Contudo, quem me convida para pregar sabe que não vou dançar na hora do culto nem "cair no Espírito". Se a posição do pregador quanto a determinadas práticas litúrgicas é conhecida, ninguém estranhará se ele se abstiver de algumas atitudes durante o culto, geralmente encorajadas pelos dirigentes de louvor.

O deslocamento

Creio que vale a pena mencionar questões de natureza mais logística. Se você for viajar de avião, acerte com boa antecedência quem comprará a passagem. Já me aconteceu de chegar o dia de viajar e não ter o bilhete. Os que me convidaram não compraram passagem pensando que eu compraria! Foi uma dificuldade conseguir passagem de última hora, além de, em geral, ser mais cara. Normalmente, prefiro que a passagem seja comprada pela igreja ou pela organização do evento. Eles costumam ter

---

[1] "Sabor de mel" é uma música da cantora Damares, que teve grande sucesso, mas também causa muita polêmica pelo teor da letra, que sugere que o crente pode ter algum prazer em exibir sua vitória diante dos que o criticaram.

alguma experiência em fazê-lo, e lhe pouparão um tempo enorme. Além disso, como as despesas de viagem recaem geralmente sobre a igreja que convida, deixe-os escolher a passagem que mais atenda à condição financeira deles. Será um tanto constrangedor se comprar uma passagem que poderia ter sido mais barata, se você tivesse pesquisado mais ou se estivesse disposto a pegar um horário mais inconveniente.

Se quem o convida comprará a passagem, peça que lhe mandem os dados do voo o mais breve possível. Mantenho no celular os aplicativos das principais companhias aéreas do Brasil, pelos quais posso acompanhar meu voo, fazer o *check-in* antecipado e até escolher assentos, se quem comprou a passagem se esqueceu de fazê-lo na hora da compra. Mas, para isso, são necessários os dados do voo. Já me ocorreu mais de uma vez de ter de viajar separado da esposa e espremido em um assento do meio porque não reservei os assentos com antecedência. É bom lembrar também que as companhias aéreas têm políticas diferentes quanto às bagagens. Algumas cobram por mala despachada e marcação de assento, o que pode ser mais uma despesa a considerar. Guarde os comprovantes de todos esses gastos, para apresentá-los no momento do reembolso. Não será um problema se você não os tiver, mas fica mais elegante e transparente estar pronto para mostrá-los.

Se viajar de avião, não faça muitas exigências, como espaço extra ou primeira classe, a não ser que sua saúde exija algo assim. Os assentos da classe econômica dos aviões são sempre muito apertados, mas nada que não possa ser suportado em voos de poucas horas. Entretanto, pelo menos um mínimo de conforto permite que o pregador chegue em condições melhores para pregar. Para começar, peça que a passagem lhe permita chegar com tempo suficiente para um breve descanso antes de dar início a seu compromisso. Sei que nem sempre é possível. Já me ocorreu várias vezes de sair correndo do aeroporto para a igreja, onde o culto já havia começado. Além disso, tenha em mente os atrasos comuns das companhias aéreas. O ideal é conseguir um voo que lhe permita não só chegar em tempo de descansar antes como também ter uma margem de segurança. Voos na madrugada, ainda que mais baratos, são mais desgastantes, pois o privam de uma noite de sono, que pode afetar seu desempenho no dia seguinte. O mesmo se dá no voo da volta. Peça um horário que lhe permita chegar em casa e ainda aproveitar aquele dia.

Uma das poucas coisas que peço é que o assento seja no corredor, se possível. Já que não consigo dormir em avião — e, nesse caso, para quem consegue, o ideal é o assento na janela —, o corredor facilita levantar, ir ao banheiro e pegar a bagagem de mão. Não deixe para marcar na hora do embarque. Você pode terminar lá no fundo, espremido em um banco do meio. Um verdadeiro inferno. Creia-me, já passei por isso.

Por fim, tenha em lugar acessível o contato da pessoa responsável por buscá-lo no aeroporto e mesmo o endereço da igreja ou do local das pregações, para não ser surpreendido pela ausência de quem deveria recebê-lo. Já passei por isso, sem telefone de contato e sem endereço, e lhe garanto, é desesperador!

A bagagem

Se for de avião, esteja preparado para não só pagar pela bagagem como para possíveis extravios. O mais recomendado é viajar com pouca bagagem e acomodar seus pertences em uma única mala ou bolsa que você possa levar como bagagem de mão. Para isso, verifique, antes, quantas vezes você vai pregar, se a igreja exige paletó, a temperatura média do local etc. Todas essas coisas são importantes na hora de escolher a vestimenta. Se não tiver jeito de colocar tudo de que precisa na bagagem de mão, leve pelo menos uma muda de roupa com você. As chances de extravio de bagagem são grandes. Já me ocorreu de chegar em Goiânia para pregar em um grande evento, e minha mala ter se extraviado. Tive de correr a um *shopping center* para comprar de última hora uma roupa completa e todos os acessórios (por causa do meu tamanho, sempre é difícil conseguir paletó emprestado). A mala só apareceu dois dias depois. Se eu tivesse levado um terno e camisa extra comigo, não precisaria ter feito aquela despesa, que a igreja que me convidou bondosamente assumiu.

O costume quanto à indumentária do pregador varia muito nas igrejas do país. Em alguns lugares, usar terno é sagrado. Em outras, indiferente. Meu conselho é que pergunte antes ao pastor da igreja que indumentária ele costuma usar. E caso isso não tenha sido possível, leve um terno completo, por via das dúvidas. Esteja preparado para tudo — rasgar as calças, manchar o único paletó que levou logo na primeira refeição, descosturar o zíper da calça do único terno etc. Isso me ocorreu na encantadora Porto Velho. Minha sorte foi que havia uma irmã que era excelente costureira e deu um jeito no zíper a tempo para o culto da noite! Às vezes, em uma emergência, os irmãos com quem estamos hospedados podem dar um jeito de conseguir roupa.

A hospedagem

Meu conselho é que o pregador não imponha como condição ficar em hotel. Pega muito mal. Infelizmente, muitos pregadores evangélicos de renome, quando aceitam um convite, impõem como condição, além da oferta já determinada, hospedar-se em hotéis de várias estrelas, comer em determinados locais etc. Para mim, é coisa de mercenário. O pregador deve dizer que aceita ficar hospedado na casa de uma família, desde que ele tenha tempo para descansar e rever seus sermões, e orar. No meu caso, acrescento que não consigo dormir com mosquito (pernilongo, muriçoca... lembre-se que, dependendo do lugar para onde vai, o nome muda) e calor. Mas se a família tiver pelo menos um bom ventilador e repelente já basta. Deixe que a igreja decida onde hospedá-lo.

Há ainda um ponto importante referente ao sono. Se o convite for para pregar em um retiro de jovens, por exemplo, em que todos dormem em um mesmo lugar, em beliches ou algo assim, talvez pior que muriçocas e calor sejam os roncos. Simplesmente não consigo dormir com gente roncando perto de mim. Nunca me esquecerei de um episódio ocorrido no Instituto Bíblico Palavra da Vida, em Paudalho, Recife, durante um encontro de pastores e esposas. A Minka e eu estávamos presentes junto com cerca de cinquenta outros casais para a reunião da noite. O preletor, para quebrar o gelo, começou pedindo a cada um de nós, pregadores, que mencionasse o que considerava a maior virtude da esposa. Parece que estou vendo o saudoso rev. Valmir Soares pegar o microfone, levantar-se e dizer: "Ela não ronca!". Quase aplaudi de pé.

Já passei noites e noites insones em retiros e acampamentos, deitado em um quarto que tive de compartilhar com outros preletores, quase todos roncadores. O pior é que esses irmãos que roncam conseguem pegar no sono assim que a cabeça bate no travesseiro. Eu, ao contrário, preciso de um tempo até conciliar o sono. O resultado é que eles começam a roncar muito antes de eu conseguir dormir, e aí é que não durmo mesmo. Portanto, se o pregador for convidado para retiros e acampamentos, a não ser que tenha sido abençoado com a graça de conseguir dormir em qualquer lugar, com qualquer barulho e em poucos minutos, é melhor negociar com a direção do evento sobre um lugar reservado para dormir. Mas, às vezes, nem isso adianta. Lembro-me de ter me hospedado com uma querida família que me reservou um quarto muito confortável ao fim do corredor, ao lado do quarto do casal. Acontece que o dono da casa roncava tão alto que dava perfeitamente para ouvi-lo de onde eu estava, como se ele estivesse dormindo dentro do meu quarto. Foram noites de martírio!

A preparação

Como já mencionei, o pregador pode ser convidado para pregar em uma igreja ou evento de outra denominação, o que pode levantar algumas questões eclesiásticas e doutrinárias. Trataremos dessa situação mais adiante, dada sua complexidade. Por ora, seguem algumas sugestões como parte da preparação do pregador a convite de outras igrejas ou eventos.

Você deve informar-se ao máximo sobre a igreja em que pregará ou sobre os que estão patrocinando o evento em que você falará. Em 1997, paguei um dos maiores micos do meu ministério. Fui convidado para falar sobre "batalha espiritual" em uma igreja presbiteriana fora de São Paulo (eu tinha acabado de lançar meu livro *O que você precisa saber sobre batalha espiritual*, pela Cultura Cristã). O pastor e a igreja esperavam que minha fala fosse em tom de concordância. Mas não foi o que aconteceu! Se eu tivesse tomado o cuidado de me informar detalhadamente das posições do pastor da época e da situação da igreja, provavelmente teria recusado o convite ou deixado muito claro que minha fala seria discordante. Foram três dias de tensão e desconforto, na esperança de que Deus estivesse utilizando positivamente aquele constrangimento. Conhecer com antecedência sua audiência o ajudará a calibrar a pregação, determinar o conteúdo e tirar do baú do escriba coisas velhas e novas apropriadas para a ocasião (Mt 13.52).

Ainda nesse tópico, é bom o pregador itinerante estar absolutamente seguro da ocasião e do motivo do convite. O que a igreja espera? Trata-se de uma data comemorativa? Há um tema específico ou existe espaço para escolha? Que expectativa há quanto ao número de vezes que você deve pregar? Seja organizado, tenha tudo isso resolvido bem antes do evento. Eu já passei por maus momentos por causa de desorganização. Cheguei à cidade onde deveria fazer três pregações sem ter me assegurado da ocasião e do motivo. Confesso que confiei demais em minha experiência e nos sermões de reserva que tenho de memória. A ocasião era o aniversário do coral do ministério de homens! Eu não tinha sermão nenhum preparado para isso. Tive de improvisar na última hora, e é de se imaginar o resultado...

Ainda como parte da preparação, o pregador deveria perguntar antes o tempo que o pastor da igreja costuma pregar. Não abuse do fato de que você é convidado. Você vai querer que eles se lembrem de você como "ah, sim, aquele pastor que pregou tão bem sobre Lázaro", e não como "ah, sim, aquele pastor que pregou cada sermão um mais comprido que o outro". Por melhor que seu sermão seja, sempre terá quem reclame que foi longo. Também tenha em mente os idosos que não conseguem ficar muito tempo sentados num banco de madeira e dos pais com crianças pequenas, cujo tempo de concentração e de obediência é geralmente curto.

Outro conselho muito importante na fase de preparação. Pregadores itinerantes costumam ter um pacote de sermões que levam consigo e que pregam onde são convidados. Pode acontecer o desastre de você repetir o mesmo sermão num mesmo lugar. Em algum capítulo acima já mencionei o vexame que passei ao repetir o mesmo sermão na mesma igreja na mesma ocasião, que era o aniversário dela. O pregador itinerante deve achar um jeito de registrar onde pregou determinado sermão e quando, para evitar esse desastre. Na época do papel, o pregador itinerante podia fazer isso no verso da folha do esboço. Assim, como parte da preparação para pregar numa igreja ou evento onde o tema é livre, e onde o pregador já esteve antes, é bom procurar nos registros, na agenda e na memória que sermões ele já pregou ali.

O púlpito

Por incrível que pareça, o púlpito onde você vai pregar pode se tornar um problema. Há igrejas com púlpitos minúsculos e outras que nem púlpito têm mais — foram aposentados quando o pastor e a igreja adotaram grupo de coreografia, um enorme grupo de louvor e equipe de teatro. O pastor passou a pregar com microfone sem fio, andando pelo palco e pela igreja, sem anotações e sem a Bíblia diante dele, só contando histórias e experiências. Eu sei que você gosta de pregar expositivamente, de ter sua Bíblia aberta diante de você e as anotações ao lado. O que fazer em casos assim? Eu já improvisei com aquela estante do regente do conjunto coral, onde acomodei a Bíblia e as notas. Em outras vezes, não teve jeito. Tive de pregar com a Bíblia aberta em uma mão e o microfone sem fio na outra, sem chance de ter as anotações! Nesse caso, o que me salvou foi a boa memória e a experiência de pregar de improviso. Meu conselho é que você também pergunte ao pastor se haverá ao menos uma estante de regente para colocar a Bíblia e as notas. Outro conselho é que memorize os sermões, e passe a pregar sem notas. Isso vai salvá-lo de inúmeras situações similares.

A oferta

Mais adiante, falaremos especificamente sobre a questão da oferta, mas deixe-me mencionar algumas poucas coisas aqui, como introdução ao assunto. A oferta do pregador não deveria ser nem mesmo uma questão a ser tratada por ele. No máximo, é uma questão relevante para quem o convida. Quando isso passa a ser o foco do seu ministério, torna-se coisa de mercenários, os que mercadejam a Palavra de Deus. Temos várias exortações na Bíblia a respeito de mercenários, mestres, pastores, profetas e pregadores que buscam dinheiro, e não a glória de Deus. É conhecido o exemplo de Geazi, o servo de Eliseu, que ficou leproso por correr atrás de benefícios materiais que seu senhor já havia recusado (2Rs 5.20-27). Deus condena, por intermédio de Isaías, os profetas e mestres de Israel que estavam atrás de vantagens financeiras, chamando-os de "cães gulosos, que nunca estão satisfeitos", e que procuram "seus interesses" (Is 56.10-11). Jesus condenou os escribas e fariseus, entre outras coisas, por tomarem "posse dos bens das viúvas de maneira desonesta" (Mt 23.14). Paulo fala dos falsos profetas de Creta, dizendo que "sua motivação é obter lucro desonesto" (Tt 1.11).

Sei que existem muitos pregadores que não têm outras fontes de sustento a não ser o ministério itinerante. Esses irmãos precisam de muita sabedoria para tratar desse assunto. Se viverão das ofertas do povo de Deus, precisam aprender, realmente, a depender da providência e do cuidado de Deus. Estipular preço de oferta não combina com o chamado do pregador. Já recebi muitos convites que vinham com a pergunta receosa: "Quanto o irmão cobra por palestra?". Obviamente respondi que não cobro absolutamente nada, só preciso que paguem as despesas de passagem e hospedagem. Se quiserem oferecer algo mais, é inteiramente uma decisão de quem me convida. E, na grande maioria das vezes, a igreja ou a administração do evento, ao final de tudo, entrega ao pregador um envelope com uma oferta de gratidão. Já houve casos em que eu mesmo acabei pagando a passagem de avião para ir pregar em outro estado, em uma igrejinha que não tinha condições de pagar a passagem. De ônibus, levaria dois dias para ir e mais dois dias para voltar. Meu conselho é que não conte com ofertas como algo certo. Não é. Trata-se de um extra, um bônus, que pode ou não haver. Se, todavia, a igreja ou entidade patrocinadora lhe oferecer uma oferta, aceite com alegria e gratidão. Se recusar, você os ofenderá.

17

Convites para pregar

Gostaria de abordar aqui a questão dos convites que chegam ao pregador, mais especificamente os critérios de que ele pode lançar mão para decidir ou não por sua aceitação. Embora o foco esteja mais sobre o pregador itinerante, por receber muitos convites para pregar em diferentes locais, pregadores que também são pastores de igrejas locais e que recebem eventuais convites para pregar poderão igualmente beneficiar-se da discussão.

Convites na Bíblia

Não temos muitos casos ou exemplos de convites para pregação na Bíblia, mas podemos mencionar o caso do convite de Cornélio a Pedro para que fosse pregar em sua casa. Pedro só aceitou o convite depois que o Espírito Santo o persuadiu de que aquele apelo vinha da parte de Deus (At 10.1-23). Há também o convite do povo da sinagoga de Antioquia a Paulo para que retornasse no sábado seguinte e anunciasse o evangelho aos presentes (At 13.42). E ainda o convite vindo a Paulo por meio de uma visão, na qual um homem da Macedônia lhe dizia: "Venha para a Macedônia e ajude-nos!" (At 16.9).

Todos esses convites tinham como objetivo a pregação da Palavra. Todos foram aceitos. Os pregadores do período apostólico aproveitavam cada oportunidade para anunciar Cristo. Hoje, porém, com a complexidade estrutural e eclesiástica da cristandade, nem sempre é fácil para o pregador que teme a Deus avaliar convites e tomar uma decisão. A dificuldade é maior para aqueles que recebem regularmente muitos convites e que não podem atender a todos. Ele precisa decidir quais aceitará e quais recusará. Como proceder, então?

Quem decide?

Alguns pregadores famosos e populares, que mensalmente recebem dezenas de convites, têm uma equipe que recebe, avalia e sugere ao pregador que convites aceitar. Trata-se de uma estratégia muito boa, especialmente se o pregador não tem tempo de estudar sua agenda, buscar informações a respeito da igreja ou do evento do qual partiu o convite, conhecer detalhes da logística etc. Geralmente a equipe tem critérios fixos e definidos, além de conhecer a agenda do pregador. Esse tipo de estratégia não só poupa trabalho considerável, mas também evita que o pregador negue, pessoalmente, alguns convites, o que às vezes pode gerar algum desgaste. Já me deparei algumas vezes, ao organizar eventos em minha igreja, com pregadores convidados cuja agenda estava na mão de terceiros. Sempre muito gentis, a equipe do pregador respondia aceitando ou negando, e, neste caso, geralmente dava uma explicação justa para a recusa do convite. Em alguns casos, nunca consegui contato direto com o pregador convidado, mas apenas com sua equipe, o que é perfeitamente compreensível, considerando a agenda superlotada de alguns deles. Alguns pregadores mais conhecidos trabalham com um horizonte de dois ou três anos para sua agenda.

Em outros casos, o pregador tem um assistente que cuida de sua agenda, recebendo os convites, colhendo informações sobre o evento ao qual o pregador foi convidado, verificando a disponibilidade, horários de voo e assim por diante. Ajuda bastante ter alguém assim. No meu caso, sou grato a Deus pela vida de um querido irmão diácono da minha igreja, já aposentado, que voluntariamente cuida da minha agenda. Tem sido uma bênção para mim.

Na grande maioria dos casos, porém, é o pregador quem resolve a questão dos convites. Às vezes, ele pode contar com a secretaria da igreja, mas apenas para questões relacionadas com a logística. Em todas as demais situações, a decisão final será sempre do pregador. Para isso, existem alguns critérios que devem ser levados em conta na tomada de decisão. Vejamos alguns deles, não necessariamente na ordem de importância.

Primeiro, o pregador deveria orar e pedir ao Senhor sabedoria para decidir sobre os convites que recebe. Mesmo que existam critérios bem objetivos na escolha, deveríamos sempre lembrar que a palavra final é do nosso Deus: "É da natureza humana fazer planos, mas a resposta certa vem do Senhor. [...] É da natureza humana fazer planos, mas é o Senhor quem dirige nossos passos" (Pv 16.1,9).

Não estou dizendo que o pregador deve esperar que Deus lhe diga, por meio de sonhos, visões ou revelação profética, quais convites aceitar. Estou dizendo que precisamos de sabedoria, humildade e discernimento espiritual ao avaliar as oportunidades que nos são oferecidas de ministrar em outros lugares. Isso tudo procede do Senhor. Assim, a primeira coisa que o pregador deve fazer ao avaliar os convites que recebe é orar pedindo sabedoria a Deus e que ele mostre, mediante sua providência e critérios justos, quais convites deveria aceitar.

Segundo, o pregador deveria considerar o tipo de evento para o qual está sendo convidado. Pregadores são geralmente convidados para falar em cultos regulares de igrejas locais e em ocasiões especiais, como o aniversário da igreja; para trazer palestras temáticas em congressos, encontros, simpósios e fóruns; para participar de debates em uma mesa redonda; para trazer uma mensagem evangelística em uma cruzada, uma palavra para os líderes de uma igreja ou, ainda, para falar em um congresso de adolescentes e jovens. Podemos incluir aqui, também, convites para participar de *podcasts*, *lives* na internet, programas de rádio etc. Cada evento desse exige habilidades e preparação específicas. O pregador deve avaliar cuidadosamente se está à altura deles e se pode trazer alguma contribuição positiva. Pessoalmente, costumo recusar os convites para participar de debates. Na minha experiência, eles costumam produzir mais calor do que luz. Contudo, há pregadores bem capacitados, com habilidade de raciocínio e de expressão, que gostam de participar desse tipo de eventos, e geralmente se saem muito bem.

O pregador, portanto, deve analisar humildemente o convite à luz de suas habilidades. Conheço excelentes pregadores que evidentemente são evangelistas natos. Contudo, se fossem convidados a participar de um evento teológico, teriam muita dificuldade. O inverso também é verdade. Há pregadores muito capacitados na área teológica e que dariam uma excelente contribuição em um evento dessa natureza, mas que não têm facilidade em pregar aos incrédulos e anunciar de maneira persuasiva as boas-novas do reino. Devemos nos lembrar de que Deus concedeu a sua igreja evangelistas, pastores e mestres (Ef 4.11). O pregador deve estar consciente de seus dons e não se aventurar em áreas nas quais ele não tenha segurança, domínio e habilidades. Nenhum pregador reúne todos os dons.

Para mim, um fator decisivo é o potencial multiplicador do evento. Por exemplo, se eu tiver de escolher entre pregar em uma igreja ou em um encontro de pastores e líderes, ainda que de menor proporção, escolherei este último. A razão é óbvia. Se eu conseguir ser uma bênção para aqueles pastores por meio da minha pregação, estarei indiretamente alcançando muito mais pessoas do que se eu tivesse ido pregar na igreja.

Terceiro, é importante que o pregador atente para a viabilidade de atender ao convite, tendo em vista compromissos anteriormente assumidos. Em seu desejo de atender ao maior número possível de convites, o pregador pode "imprensar" um evento entre outros já aceitos e, no final, não ter tempo para descansar e recuperar as forças. Já fiz muito isso no passado. Sempre tive dificuldade em dizer não aos convites que me chegavam. Quando mais jovem, conseguia organizar minha agenda de tal maneira que chegava a pregar em três ou quatro eventos diferentes em uma mesma semana. Contudo, o desgaste das viagens de avião, ônibus e carro, o tempo de espera em aeroportos, o transporte terrestre longo e cansativo, a atenção dada aos irmãos após os cultos, tudo isso somado a outros fatores acabou me trazendo uma exaustão física e mental que praticamente me levou a um *burnout* e a outros problemas de ordem espiritual, mental e física. Hoje, diminuí muito o número de convites que posso aceitar e geralmente levo em consideração a necessidade de um tempo após o evento, especialmente se for em outro estado ou país, para descanso e recuperação.

Alguns pregadores vivem em uma cruzada frenética, sem reservar tempo para descanso e refazimento das forças espirituais e físicas. No entanto, deveriam considerar isso seriamente. Lembremos que o próprio Senhor Jesus, em seu ministério de pregador itinerante, reservava um tempo para descanso (Mc 6.31).

Quarto, o pregador deveria perguntar se haverá outros preletores no evento. Considero esse um critério muito importante. Já me aconteceu mais de uma vez de ter aceitado um convite para falar em um evento e, ao chegar, descobrir que também havia sido convidado outro pregador de linha teológica totalmente diferente. Quando o evento foi para a internet e as redes sociais, minha imagem juntou-se à do outro preletor, causando confusão nos crentes em geral. Não faço objeção em pregar em igrejas e eventos de linha teológica distinta da minha, mas quero ser informado sobre os demais participantes. Embora eu pense que tenha uma visão mais ampla do reino de Deus do que alguns reformados, ainda assim tenho alguns critérios.

Em outra ocasião, depois de aceitar um convite para pregar em uma grande igreja neopentecostal, descobri pela propaganda inserida nas redes sociais poucos dias antes do evento que o pastor da igreja também havia convidado outros dois preletores conhecidos nacionalmente por defenderem a batalha espiritual e a teologia da prosperidade. Em um primeiro momento, minha imagem correu pela internet ao lado dos dois preletores. Apressei-me em avisar o pastor, com toda educação, que eu preferia cancelar minha ida, pois não queria ser associado a eles. Para mim, não se tratava de uma questão de imagem, mas de não causar uma impressão errada para quem me visse junto deles. A organização do evento ofereceu-me uma solução intermediária, que aceitei. A divulgação nas redes sociais seria cancelada. Eu falaria todas as manhãs em um evento para pastores e líderes, criado de última hora para resolver a situação, e os preletores neopentecostais falariam todas as noites, no evento maior, para o público em geral. E foi assim que aconteceu.

Para evitar situações análogas, hoje, quando sou convidado para falar em um congresso ou encontro, procuro saber de antemão se haverá e quais serão os demais pregadores. A resposta poderá determinar minha decisão de aceitar ou não o convite. Para deixar claro, não tenho problema algum em partilhar o púlpito com outros colegas pregadores em um mesmo evento, mas preciso cuidar para não parecer que concordo com ensinos que considero erros ou mesmo heresias teológicas, ou até que seja indiferente a eles.

É bem conhecido o fato ocorrido em 1963 em que Billy Graham convidou Martyn Lloyd-Jones para presidir o primeiro Congresso sobre Evangelismo, que seria realizado em Berlim. Lloyd-Jones se recusou porque não concordava, entre outras coisas, com a prática de Billy Graham de convidar para a plataforma de suas cruzadas padres e pastores liberais. Em uma entrevista concedida nos anos 1970, Lloyd-Jones explicou sua posição:

> Estou insatisfeito com campanhas [evangelísticas] organizadas e ainda mais com o sistema de convite para chamar as pessoas à frente. Note bem, considero Billy Graham um homem totalmente honesto, sincero e genuíno. Ele, de fato, me pediu em 1963 que fosse presidente do primeiro Congresso sobre Evangelismo, então projetado para Roma, não para Berlim.

Eu disse que faria um trato: se ele parasse com o patrocínio geral de suas campanhas — parasse de ter liberais e católicos romanos na plataforma — e abandonasse o sistema de apelo (convites para vir ao altar), eu o apoiaria de todo o coração e presidiria o congresso. Conversamos por três horas, mas ele não aceitou essas condições.[1]

Quinto, o pregador deveria considerar o acesso ao local do evento. A princípio, pode parecer que o pregador deve estar pronto para ir a qualquer lugar para pregar o evangelho. O Senhor Jesus passou os três anos de seu ministério pregando em vilas, povoados, pequenas cidades e em Jerusalém. Foi pregar em lugares inóspitos, além das fronteiras de Israel, como na Síria e Fenícia. Contudo, na quase totalidade do tempo, ele se ateve aos limites de Israel, porque sua missão era, primordialmente, anunciar o evangelho aos descendentes de Abraão. O livro de Atos nos diz que Pedro passava "por toda parte" pregando o evangelho (At 9.32). Ainda assim, seu ministério se resumiu, na maior parte, à Judeia. O apóstolo Paulo foi a lugares diversos para pregar, mas certa vez foi impedido pelo Espírito Santo de pregar na província da Ásia e depois na Bitínia, para então levá-lo para Trôade (At 16.6-10). O que quero dizer é que, embora o pregador deva estar disposto a ir a qualquer lugar, ele precisa observar alguns critérios. Como disse o Pregador: "Quem é sábio encontrará o tempo e o modo apropriado de fazer o que é certo" (Ec 8.5).

Relendo as cartas que troquei com a Minka quando éramos noivos, encontrei uma que escrevi de Sirigi, um povoado de 1.500 habitantes no interior de Pernambuco, onde fui atender ao convite de uma pequena igreja congregacional em 1982. Na época, eu tinha 28 anos, jovem, impetuoso e corajoso. Na carta escrevi: "A viagem para cá foi ruim, três horas de ônibus por trechos de areia e poeira. Mal dava para ler meu Novo Testamento". Mais adiante: "Boa noite, o sono está chegando... aqui é muito quente e tem muriçocas [mosquitos]... e preciso dessa noite de sono, estou cansado". Em outra carta de 1983, escrita da cidade de Neves, interior de Pernambuco, onde fui pregar em um congresso de mulheres, escrevi

---

[1] Entrevista a Carl F. H. Henry, "Martyn Lloyd-Jones: From Buckingham to Westminster", *Christianity Today*, 8 de fevereiro de 1980, <https://www.christianitytoday.com/ct/1980/february-8/martyn-lloyd-jones-from-buckingham-to-westminster.html>. Acesso em 28 de fevereiro de 2023.

para a Minka: "Estou hospedado em uma casa desocupada, com mais dois irmãos. Tem morcegos e é escura, sem água. Vamos dormir em colchonetes, no chão...". E mais adiante, referindo-me ao dia seguinte: "Dormi mal, não consegui me acostumar com o lugar de dormir".

Hoje, perto dos 70 anos, eu não poderia aceitar um convite semelhante, a não ser que houvesse uma logística enorme para o transporte e hospedagem. Já faz algum tempo que os fatores "onde é" e "como chegar lá" desempenham um papel importante em minhas decisões. Para não me sentir egoísta e incapaz de sofrer pelo evangelho, lembro-me de que existem muitos pregadores jovens que são fiéis expositores da Palavra e que podem ser convidados para esses lugares de difícil acesso. Consola-me também saber que Deus não exige de mim que eu atenda a convites que impliquem me levar além dos meus limites físicos e mentais. Para compensar a minha negativa, às vezes sugiro o nome de jovens pregadores que poderiam ir em meu lugar.

Sexto, o pregador deve avaliar bem o tempo de preparo necessário, caso decida atender ao convite. Na maioria dos casos, o pregador poderá usar uma mensagem que ele já pregou, se o convite vier de alguma igreja ou evento em que ele nunca tenha pregado. Ele possui um vasto arquivo, como o escriba citado por Jesus em Mateus 13.52, de onde pode escolher as pregações mais adequadas à situação. Entretanto, se o convite demandar a preparação de um sermão ou estudo novo, uma palestra sobre um tema no qual ele nunca tenha pregado, ele deve ponderar se é conveniente ou não aceitá-lo. A maioria dos pastores que aceitam convites para pregar em outros lugares tem uma agenda apertada, e preparar um sermão novo sobre um tema novo, além dos sermões novos que ele tem de preparar semanalmente para a sua igreja, toma bastante tempo. Já me ocorreu de recusar um convite para falar em um evento, para o qual eu teria de preparar pelo menos três novas palestras. Meu tempo simplesmente não permitia. Tive de declinar. Uma alternativa, que já mencionei, é negociar com o organizador do evento a possibilidade de alterar o tema proposto, para que o pregador possa usar algum material que já tenha pronto.

Sétimo, alguns pregadores incluem nos critérios de decisão o número de pessoas que estarão presentes no evento. Pode parecer mercenário, à primeira vista, mas existe um lado racional e lógico para esse critério. O pregador quer sempre alcançar o maior número possível de pessoas e, se ele tiver de escolher entre um evento para cinquenta pessoas e outro para quinhentas, a decisão mais racional é optar pelo evento maior. Se, porém, ele pode atender a ambos, que o faça. Estou acostumado a atender convites de igrejas com menos de cem membros. É sempre uma alegria pregar em igrejas pequenas. Também já preguei para públicos com milhares de pessoas, como o aniversário da Igreja Presbiteriana do México, em 2012, onde havia vinte mil pessoas ao ar livre. Digo isso para não dar a impressão de que o tamanho da igreja que convida seja um fator de decisão para o pregador — a não ser quando se tratar de convites com datas conflitantes.

Oitavo, o pregador deve ter em mente a linha teológica da igreja ou do evento que fez o convite. Por se tratar de um tema importante, falaremos em detalhes dele no próximo capítulo.

Nono, o pregador que é pastor de uma igreja local deve levar em consideração as necessidades de sua igreja. É ela que o sustenta, ora por ele, provê suporte e cuidados. É justo e bom que o pregador sempre dê prioridade às necessidades de seu rebanho. Portanto, ao avaliar convites, ele deve levar isso em conta. Pregadores que se ausentam demais de sua igreja local para atender a convites de pregação acabam privando seu rebanho dos benefícios de seu ministério entre eles e passando a ideia de que seu povo não é prioridade. Lembremos que Paulo, mesmo tendo um ministério itinerante, devotava um enorme cuidado pastoral às igrejas que ele havia plantado: "Além das coisas exteriores, ainda pesa sobre mim diariamente a preocupação com todas as igrejas. Quem enfraquece, que eu também não enfraqueça? Quem se escandaliza, que eu não fique indignado?" (2Co 11.28-29, NAA).

Uma estratégia capaz de resolver esse problema é o pregador acertar com sua igreja ou conselho um número de vezes que ele pode sair para atender a convites. O acordo mais comum é o pregador poder ausentar-se um domingo por mês. Uma vez que isso fique acertado e comunicado à igreja, dificilmente a ausência do pregador será causa de conflitos.

No caso de recusar um convite, o pregador deve ter o cuidado de responder de modo a não magoar, desprestigiar ou entristecer quem o convida. A melhor resposta é sempre dizer a verdade, como a falta de espaço na agenda, a falta de saúde ou disposição física para viajar muitas horas, compromissos já assumidos com sua igreja local etc. Na maioria das vezes, as pessoas que convidam ficam satisfeitas em receber uma resposta do pregador, ainda que negativa. Muitos pregadores simplesmente não dão resposta aos convites, o que, de fato, acaba entristecendo a pessoa que o convidou. Na minha experiência, responder o mais breve possível, ainda que seja para não aceitar o convite, tem boa recepção dos irmãos.

Fatores que nunca deveriam ser levados em conta

Uma coisa que nunca deveria entrar como critério de avaliação de convites é o valor da oferta ou o *status* da igreja que convida. Infelizmente, pregadores itinerantes que vivem de ofertas são muito tentados a decidir por convites que ofereçam mais prestígio e remuneração financeira. Entendo a situação. Itinerantes dependem da generosidade das igrejas que o convidam. E nem sempre essas igrejas são muito generosas. Isso, entretanto, não justifica que o pregador itinerante estabeleça um valor para atender a um convite. Sei que há pregadores que o fazem. Considero lamentável esse procedimento. Se alguém foi chamado para viver da pregação itinerante do evangelho, deve estar preparado para viver com aquilo que receber. Cobrar para pregar contraria aquilo que o Senhor ensinou aos discípulos: "Deem de graça, pois também de graça vocês receberam" (Mt 10.8). Meu amigo e colega Renato Vargens postou um tuíte enquanto eu escrevia este capítulo, que reproduzo aqui com sua permissão:

> Lamentavelmente se tornou comum os pastores cobrarem para pregar o evangelho da salvação eterna. Infelizmente sei de casos de pastores cobrando até R$ 15 mil para "ministrar" numa conferência. Além disso, muitos destes exigem hotel 5 estrelas, cardápio variado, carro do ano à disposição e segurança *full time*.

Mais adiante teremos um capítulo dedicado a esse assunto, mas quero adiantar aqui este ponto para não ser mal compreendido: não estou dizendo que o pregador não deva receber das igrejas onde ele serve. Estou dizendo que ele não deveria impor condições financeiras para pregar.

Da mesma forma, o prestígio da igreja ou do evento que convida não deveria ser um fator decisivo. É muito tentador aceitar convites para pregar em igrejas grandes e eventos onde centenas de pessoas estarão presentes e rejeitar convites para pregar em igrejas pequenas e eventos desconhecidos. Tornar-se conhecido e popular nunca deveria ser uma motivação para o pregador.

Desmarcar compromissos assumidos

Pode haver situações em que o pregador precise fazê-lo, como, por exemplo, doença dele ou na família, morte de familiares, uma reunião marcada por seus superiores para a mesma data ou outras questões justificáveis. O apóstolo Paulo cancelou uma ida à igreja de Corinto, embora tivesse dito em sua primeira carta que o faria (1Co 16.5-9). Depois, mandou avisar que os visitaria duas vezes, na ida e na vinda da Macedônia. Ele fez a primeira visita, mas cancelou a segunda porque a primeira havia sido muito triste e penosa. Paulo escreveu-lhes uma carta pesada depois disso e, até onde sabemos, não voltou mais à igreja (2Co 1.15-24).

Assim, pensando nos pregadores atuais, podem surgir razões que justifiquem um cancelamento, embora, infelizmente, alguns cancelem compromissos por motivos não corretos. Lembremos que cancelamentos podem trazer prejuízo para os que convidam. Passagens podem já ter sido compradas, reservas feitas em hotéis, divulgação já feita nas redes sociais, expectativa da igreja. Por essas e outras razões, o pregador sempre deveria cumprir os compromissos assumidos, exceto em casos claramente justificáveis.

Uma das causas de cancelamentos é a falta de organização do pregador, que acaba marcando dois compromissos para a mesma data. Outra causa é a vantagem financeira. Já fui muito tentado a desmarcar um compromisso com uma igreja de pequeno porte para atender ao convite de uma igreja grande e prestigiada. Na ocasião, eu até precisava de uma oferta generosa para poder pagar as contas. Sou grato a Deus por ter resistido à tentação e mantido meu compromisso com a igrejinha. Tenho experimentado que Deus abençoa os pregadores fiéis, honestos e justos em seus compromissos.

Quero terminar este capítulo com uma palavra aos pregadores que raramente recebem convites para pregar em outra igreja ou palestrar em um evento. Creio ser esse o caso da grande maioria dos pastores. Começo dizendo que o sucesso ministerial de um pregador não se mede pela quantidade de convites que ele recebe. Deus não nos chamou para sermos bem-sucedidos aos olhos do público, mas para sermos fiéis, conforme Paulo ensinou (1Co 4.2). Há muitos pregadores fiéis e consagrados que desenvolvem um ministério constante e fiel, ainda que de pequenas proporções e sem despertar muita atenção pública. Raramente recebem convites para pregar. Durante o tempo em que desfrutei um sabático nos Estados Unidos, ocasião em que escrevi este livro, Minka e eu frequentamos uma pequena igreja presbiteriana na Carolina do Norte, distante cerca de uma hora de nossa residência. Seu pastor, um excelente pregador, firme doutrinariamente, com um coração pastoral dedicado ao rebanho, abençoa sua igreja, como nos abençoou, domingo após domingo com suas exposições bíblicas. Não duvido que ele se sairia muito bem como pastor de uma igreja de grandes proporções ou como pregador itinerante. Contudo, seu ministério é praticamente desconhecido, o *site* de sua igreja não tem muitos seguidores, a transmissão ao vivo do culto dominical raramente tem mais de dez pessoas. Creio que ele é o retrato de muitos pastores e pregadores no mundo todo. No dia do juízo, o Senhor levará em conta não os números de nosso ministério e a quantidade de convites recebidos, mas a fidelidade com que cumprimos o ministério que ele nos deu. "Muito bem, meu servo bom e fiel. Você foi fiel na administração dessa quantia pequena, e agora lhe darei muitas outras responsabilidades. Venha celebrar comigo" (Mt 25.23).

Queira nosso Deus nos dar um coração sempre voltado para a busca da sua glória, e não da nossa. O dia final revelará que muitos pregadores conhecidos não tinham a motivação correta e que muitos desconhecidos serviram ao Senhor com fidelidade e pelos motivos corretos.

18

A questão denominacional, doutrinária e teológica

A questão teológica é um item a considerar na decisão do pregador de aceitar ou recusar um convite. Refiro-me a convites feitos para pregar em igrejas ou eventos cuja denominação ou tradição teológica seja diferente da que o pregador abraça. E eles de fato ocorrem. Com o advento das redes sociais, pregadores têm seus sermões publicados na internet e alguns acabam se tornando conhecidos além dos limites de sua denominação. Cedo ou tarde é possível que ele receba convites para pregar em outras denominações ou para participar de eventos promovidos por entidades cujo perfil teológico é distinto e mesmo contrário ao seu. Como ele deveria proceder? Não abordarei, aqui, a questão do ecumenismo evangélico, isto é, a discussão em torno das diferentes denominações protestantes e as circunstâncias e condições em que elas deveriam trabalhar juntas. Pessoalmente, acredito que o reino de Deus é muito maior do que qualquer denominação protestante, inclusive a minha. Deus tem os seus eleitos em muitos mais lugares do que, às vezes, imaginamos. A sua Igreja talvez seja mais vasta do que suspeitamos. Contudo, o pregador deve ter alguns cuidados quanto a sua participação em eventos transdenominacionais.

Aproveitar as oportunidades

Em princípio, e considerando o que acabo de dizer, sou da opinião de que o pregador pode aceitar convites fora de sua denominação e igreja local. Já preguei inúmeras vezes em igrejas cuja teologia é diferente da minha em pontos que considero secundários. Vejo esses convites como uma oportunidade de pregar a Palavra de Deus em lugares onde nem sempre é possível ouvir uma exposição bíblica mais acurada. Percebemos no Senhor Jesus, conforme o relato dos Evangelhos, uma disposição para anunciar o reino de Deus em todos os lugares e a todas as pessoas possíveis, inclusive aquelas que eram malvistas pelos judeus, como os samaritanos. É verdade que sua pregação em Samaria não foi resultado, a princípio, de um convite feito por seus moradores, mas após conhecê-lo os samaritanos "pediam--lhe que permanecesse com eles" (Jo 4.40). E Jesus ficou ali, pregando a Palavra, por mais dois dias, levando muitos a crerem nele (Jo 4.41-42). Quando pessoas de outras linhas teológicas me convidam, entendo que já conhecem o que prego e sigo, e que estão dispostas a ouvir o que tenho a dizer a partir das minhas convicções teológicas. Sempre estou disposto a aceitar esses convites.

Evitar polêmicas

Será que o pregador deveria fugir de certos assuntos, a fim de evitar constrangimentos, ou deveria justamente aproveitar a oportunidade para dizer o que pensa sobre o que considera ser erro de pensamento ou prática de quem o convidou? Essa é uma questão bastante delicada. Na maioria das vezes que fui convidado para pregar fora da minha denominação, o convite já continha o tema escolhido. A razão é óbvia. Embora quem me convide tenha já alguma afinidade ou concordância com o que ensino, permanecem diferenças quanto a batismo, dons espirituais, ministério feminino, governo da igreja etc. Então, para evitar o desconforto, o convite já explicitava que tema a igreja desejava ouvir, geralmente temas abrangentes, em áreas onde não havia conflitos. Sempre entendi esse procedimento como justo. Mas eu também já fui convidado para pregar em igrejas batistas e assembleias de Deus, por exemplo, sem que o tema fosse determinado de antemão. Acredito que os que me convidaram confiavam que eu seria maduro e sábio o bastante para pregar em um dos muitos temas que unem os evangélicos em geral, evitando gerar polêmicas desnecessárias.

Aqui reside uma das bênçãos e vantagens do pregador expositivo. A sua audiência verá que ele está claramente pregando a Palavra de Deus, e não suas ideias ou o pensamento de sua denominação. Certa vez fui convidado para pregar em uma igreja batista nos Estados Unidos. O pastor era de linha reformada e estava havia pouco tempo na igreja, cujo pastor anterior era de linha arminiana. Ele me pediu explicitamente que pregasse em alguma das doutrinas da graça, como são conhecidas. Preguei em outros temas no sábado, mas no domingo de manhã fiz uma exposição em Efésios 1.3-14, sobre a doutrina da eleição e predestinação. Dava para sentir a tensão no ar. Versículo a versículo fui expondo o texto, interpretando e mostrando seu sentido simples e natural. Ao terminar, abri para perguntas. À exceção de um senhor que estava bem zangado comigo, todas as perguntas revelaram que a igreja ouvira atentamente a exposição bíblica e a havia recebido muito bem.

Em outra ocasião, fiz uma exposição de 1Coríntios 11—14 em um evento de uma igreja pentecostal. O tema era o culto. Esses capítulos acabam tratando do dom de línguas e profecia em geral. Segui rigorosamente o texto e expus o que Paulo disse, conforme meu entendimento. Não disse, por exemplo, que Deus não pode dar o dom de línguas hoje, uma vez que o texto não diz isso. Mas o texto fala que existem limites e condições para a manifestação dos dons no culto, e isso preguei com tranquilidade. A recepção foi a melhor possível, pois ficou claro que eu estava expondo a Bíblia e não qualquer posicionamento denominacional.

Igrejas pentecostais têm um alto apreço pela Bíblia e gostam quando ela é ensinada. Obviamente, esse resultado positivo nem sempre pode acontecer. Mas, até hoje, tenho sido agraciado com uma boa recepção, que atribuo ao fato de sempre pregar expositivamente.

Passar vexame

Entretanto, creio que existem limites. Para mim, um pregador evangélico não deveria pregar em eventos patrocinados por igrejas geralmente conhecidas como seitas, a não ser que ele seja o único preletor do evento e que tenha liberdade para pregar a Palavra de Deus.[1] Ainda assim, haverá riscos e situações imprevisíveis. Por exemplo, o caso (improvável, mas já acontecido) de um pregador ser convidado para falar em uma missa, por um padre que seja mais aberto para os protestantes. O pregador pregará fielmente a Palavra, mas estará presente durante a celebração da Eucaristia, que geralmente se faz em todo culto católico. Será constrangedor para

---

[1] As igrejas geralmente consideradas como seitas pelos evangélicos históricos são aquelas defensoras e praticantes da teologia da prosperidade, cujos cultos giram em torno da arrecadação financeira e da libertação de demônios e promessas de prosperidade e vitória. Embora teoricamente elas não neguem os pontos básicos do cristianismo, a ênfase naqueles pontos acaba por diminui-los e torcê-los, a ponto de pregarem outro evangelho.

o pregador. Certamente ele não deveria participar da Eucaristia, o que será constrangedor para o padre e para a audiência.

Para usar um exemplo menos radical, já fui pregar em uma igreja emergente e passei pelo constrangimento de ser convidado, inesperadamente, pelo pastor da igreja, para orar pelos que tinham vindo à frente para receber prosperidade financeira. Constrangido, tomei o microfone e orei por bênçãos espirituais sobre a vida de cada pessoa ali, tentando, na oração, dizer alguma coisa que pudesse fazer contraponto com aquela prática.

O pregador deve também ficar atento para um detalhe que pode acabar trazendo algum embaraço, caso ele seja convidado para pregar em uma igreja que pratica a Ceia exclusiva, isto é, que só serve a Ceia para membros da denominação ou da própria igreja. Isso nunca me aconteceu, mas sei de casos de pregadores que foram preteridos na hora da Ceia do Senhor — o diácono, zeloso, não lhes serviu o pão e o vinho. Ouvi de pregadores que passaram por esse vexame e sei de pelo menos um que se levantou e saiu do culto, naquele momento. Talvez não precisasse agir assim, mas de fato é bastante constrangedor. Você é crente o suficiente para pregar lá, mas não para tomar a Ceia. Por isso, cuidadosamente, pergunte antes ao pastor que o convidou se haverá celebração da Ceia no culto em que você pregará e se haverá restrição a sua participação. E, então, decida se passará por isso, ou não. O que é acertado antes, não sai caro depois.

Para resumir, creio que o pregador deveria aproveitar todas as oportunidades que aparecerem para pregar a Palavra de Deus, com a exceção, mencionada, sobre as seitas. Contudo, ele deve estar preparado para possíveis situações constrangedoras durante o culto, mesmo em igrejas evangélicas.

Os outros

Até que ponto o pregador deve recusar participar de um evento em que estarão presentes pregadores evangélicos de outras linhas teológicas? Já mencionei o assunto brevemente no capítulo sobre os convites. Contudo, creio que cabem ainda, aqui, alguns comentários.

Algumas igrejas possuem regras muito estritas quanto a quem pode pregar nos púlpitos da denominação. Sei de igrejas reformadas nos Estados Unidos que não admitem no púlpito nenhum pregador de outra denominação, a não ser depois de um processo de análise e aprovação pelo conselho da igreja das convicções do pregador convidado. Esse problema que estamos estudando aqui dificilmente ocorreria em um evento promovido por uma dessas igrejas.

Se o pregador participará de um evento em que pregadores de outras linhas teológicas também terão a palavra, ele deve estar preparado para algumas possíveis situações. Já estive em um evento em que o pregador da palestra que se seguiu à minha se ocupou em contradizer tudo que eu tinha dito, o que gerou um clima de tensão e constrangimento. Contudo, confesso que não sou inocente nessa área. Já me aconteceu o oposto, de em um evento plural eu intencionalmente contrapor as ideias do pregador que me antecedeu.

Em ambos os casos, a controvérsia não se deu devido a algum ponto essencial do evangelho, como a suficiência de Cristo, a justificação pela fé ou a inspiração das Escrituras. Mas fica no mínimo deselegante. Alguns podem achar que isso é bom, que enriquece o evento, que a pluralidade de ideias é essencial para o bom andamento da igreja etc. Penso o contrário. Não sou contra conhecermos, estudarmos e nos relacionarmos com quem pensa diferentemente de nós, mas não de uma forma a dar a impressão de que não existe verdade ou que cada um tem sua própria verdade. Durante os anos em que fui chanceler da Universidade Presbiteriana Mackenzie, promovi eventos sobre a origem do mundo e da vida para os quais convidei, como participantes, ateus, agnósticos e evolucionistas, assim como cientistas cristãos adeptos do *design* inteligente.[2] Creio que esse tipo de evento cabe em um ambiente universitário e acadêmico, mas não em nossas igrejas.

Vejamos agora uma situação improvável, mas não impossível, em que o pregador é convidado a falar em uma igreja ou evento patrocinado por uma igreja ou movimento que segue uma linha teológica que claramente afronta as verdades básicas do evangelho. Aqui nesse contexto, posso mencionar que o apóstolo Paulo explicitamente instruiu Tito a não dar oportunidade a falsos profetas de falarem nas igrejas de Creta: "É preciso fazê-los calar, pois, com seus ensinamentos falsos, têm desviado famílias inteiras da verdade. Sua motivação é obter lucro desonesto" (Tt 1.11).

O apóstolo João exortou os membros de uma igreja a quem escreveu a não receber em casa, onde os cultos se realizavam, pregadores que não

---

[2] Os defensores do *design* inteligente são criacionistas e se opõem ao evolucionismo darwinista.

professassem a verdade sobre Cristo: "Se alguém for a suas reuniões e não ensinar a verdade de Cristo, não o convidem a entrar em sua casa, nem lhe deem nenhum tipo de apoio. Quem apoia esse tipo de pessoa torna-se cúmplice de suas obras malignas" (2Jo 1.10-11).

Sei que as duas passagens mencionadas estão proibindo as igrejas cristãs de darem oportunidade a falsos profetas de falarem em seus cultos. Não tratam da situação oposta, de pregadores cristãos participarem em eventos promovidos por seitas. No entanto, creio que o princípio é o mesmo, e funciona nas duas direções. Pregadores comprometidos com o evangelho de Cristo não deveriam coparticipar de um mesmo evento com obreiros de seitas. Algumas denominações evangélicas são rigorosas quanto ao envolvimento de seus ministros em cultos, eventos e cerimônias ao lado de membros de seitas. A Igreja Presbiteriana do Brasil, denominação à qual pertenço, tem uma decisão que proíbe que seus pregadores participem de celebrações ecumênicas com sacerdotes católicos. Ao longo do meu ministério, tenho recusado muitas vezes participar de cultos ecumênicos junto de padres, em formaturas, por exemplo. Pessoalmente, mesmo que não houvesse essa decisão, eu não participaria. Para mim, a igreja romana é uma das maiores seitas da história da igreja. Esse tipo de celebração acaba dando a impressão de que no final está todo mundo certo, que a verdade teológica é irrelevante para Deus e para nós, e que os protestantes aceitam o catolicismo romano.

Unidade na diversidade

Acredito que é muito produtivo e rico que pregadores evangélicos de diferentes tradições se sentem para dialogar, respeitosamente, em vez de recusarem estar nos mesmos ambientes. Já participei de inúmeros congressos de teologia com colegas de outras denominações, em que havia uma mesa redonda ao final. Sempre foi uma excelente oportunidade de expor em que creio e entender melhor em que os outros creem, sobre diferentes temas. No geral, esses congressos eram de linha reformada e os preletores, convidados cuidadosamente entre presbiterianos, batistas reformados, congregacionais reformados e mesmo irmãos pentecostais de soteriologia reformada.

Também já participei de vários congressos em que as linhas teológicas eram mais distantes, como arminianos, calvinistas e pentecostais. Mas sempre houve respeito e consideração. Recordo-me dos intervalos entre as pregações, em que os palestrantes se encontravam na sala dos preletores para um cafezinho. Era o momento de conversar, conhecer uns aos outros e estabelecer contatos. Congressos assim geralmente versavam sobre um tema dentro daquelas doutrinas comuns a todos os evangélicos, como o senhorio de Cristo, a autoridade da Palavra de Deus, a obra do Espírito Santo, a justificação pela fé etc., e os convidados eram conhecidos pela firmeza bíblica e seriedade no ensino. Assim, ao final, a mensagem trazida por todos os palestrantes era a mesma.

Infelizmente, após ter participado vários anos de um evento anual de amplitude nacional para pastores e líderes, tive de me afastar porque os organizadores começaram a convidar pregadores conhecidos por defenderem o movimento de batalha espiritual e o movimento G12, que, naquela época, estava em alta no meio evangélico e dividindo igrejas e denominações.[3] Ao recusar o convite naquele ano, dei minhas razões. Expliquei que o movimento de batalha espiritual adotava conceitos claramente contrários à Palavra de Deus e que a participação de pregadores adeptos do movimento poderia levar à percepção geral, e errônea, de aceitação dos demais palestrantes ou mesmo dos organizadores do evento. Não fui ouvido e, com o tempo, o grupo que promovia o evento se tornou adepto do movimento de batalha espiritual.

Aproveito para dizer que existem pontos inegociáveis na mensagem de um pregador convidado a estar em um evento de uma igreja ou de um grupo de outra linha. Parto aqui do pressuposto de que o pregador é evangélico, dentro do cristianismo histórico. Há um centro doutrinário que expressa o pensamento histórico dos pregadores e que está expresso no Credo dos Apóstolos e nas grandes confissões após o período da Reforma. Esse centro é composto de doutrinas como a Trindade, a divindade de Cristo, a pessoalidade do Espírito, a autoridade das Escrituras, a justificação pela fé, a morte vicária de Cristo, a ressurreição literal de Cristo e sua ascensão em corpo aos céus, sua segunda vinda e as penas eternas. Eu não participaria de um evento em que me fosse solicitado pregar alguma coisa que fosse diminuir ou mesmo negar essas doutrinas. Também teria muita dificuldade em participar de um evento ao lado de pregadores que não

---

[3] Para o que penso sobre o movimento de batalha espiritual, ver meu livro *O que você precisa saber sobre batalha espiritual* (São Paulo: Cultura Cristã, 2020).

acreditassem, por exemplo, na infalibilidade e inerrância da Bíblia. Para mim, essas doutrinas são inegociáveis e servem para definir meus limites e, por extensão, os eventos de que participo.

Não tenho problemas em pregar ao lado de colegas premilenistas, amilenistas, arminianos, pentecostais, de pregadores adeptos de que todos os dons do Novo Testamento estão disponíveis hoje, ou dos que se contrapõem ao batismo de crianças, desde que mantenham todos os pontos comuns mencionados no parágrafo anterior, como normalmente o fazem. Entretanto, não participaria de um evento com liberais e defensores de doutrinas estranhas, ainda que se digam evangélicos.

Ser tudo para com todos

O apóstolo Paulo disse aos coríntios, certa vez, que estava disposto a renunciar a coisas secundárias para se adaptar a seus ouvintes. Em suas próprias palavras:

> Quando estive com os judeus, vivi como os judeus para levá-los a Cristo. [...] Quando estou com os que não seguem a lei judaica, também vivo de modo independente da lei para levá-los a Cristo. [...]. Quando estou com os fracos, também me torno fraco, pois quero levar os fracos a Cristo. Sim, tento encontrar algum ponto em comum com todos, fazendo todo o possível para salvar alguns.
>
> 1Coríntios 9.19,22

Quando eu disse "coisas secundárias", referi-me ao que Paulo tinha em mente nesse texto, como as leis dietárias e o calendário judaico. Quando estava entre os seus patrícios judeus, o apóstolo seguia a alimentação deles e seus dias sagrados. Mas quando entre os gentios, mesmo sendo judeu, Paulo comia a comida deles, sem recusar, como um judeu normalmente faria. Para Paulo, essas questões não faziam parte do centro do evangelho e ele se sentia à vontade para segui-las ou não, dependendo da conveniência. Assim, se o pregador é convidado com alguma frequência para pregar em eventos de outras denominações ou grupos, deve estar pronto a seguir a mesma regra. Quando prego em igrejas pentecostais, às vezes me vejo sendo mais efusivo e pregando mais alto. Em igrejas episcopais, estou pronto a chamar seu líder de bispo, que é seu título eclesiástico, embora os presbiterianos não tenham esse ofício. Em algumas igrejas levanto as mãos durante o louvor e me ajoelho na hora da confissão, o que não é prática comum em minha igreja local. Em igrejas litúrgicas, visto a toga e uso a estola dos pastores. Existem práticas litúrgicas diferentes entre os evangélicos e pessoalmente não tenho problemas em participar de algumas, desde que não firam minha consciência e tenham fundamento bíblico.

Pregar Cristo, e não sua denominação

Um querido amigo meu escreveu as seguintes palavras, que reproduzo aqui pela propriedade:

> Já vi pregadores que parecem muito mais divulgadores de certas linhas do que proclamadores de Cristo. Por exemplo, certo pregador passou a pregação inteira em uma igreja de outra linha dizendo "a teologia reformada diz", em vez de "o evangelho diz" ou "a Bíblia diz", quando teria sido a mesma coisa no contexto. Isso é correto? Não seria um pouco deselegante essa posição, que parece promover uma certa segmentação propositada?

Quando somos convidados para pregar em outra denominação ou grupo distinto do nosso, aqueles que nos convidam já sabem a que denominação pertencemos e qual tradição doutrinária seguimos. Eles confiaram em nós ao nos ceder espaço para falar em sua igreja ou evento, e o fizeram na expectativa de nos ouvir falar sobre determinados temas comuns a todas as tradições evangélicas, como santificação, por exemplo. Nessas ocasiões, devemos expor as Escrituras e nada mais, a não ser que sejamos explicitamente convidados a falar sobre o que nossa tradição pensa sobre um assunto em particular. Portanto, atitudes como essa mencionada acima pelo meu amigo são deselegantes, constrangedoras e fecham as portas para futuros convites.

O ponto é que o pregador deveria expor a Palavra de Deus e deixar claro que aquilo que ele está dizendo se baseia nela, a não ser que um ponto específico, sobre o qual existem diferenças entre os evangélicos, o obrigue a explicar que sua interpretação do texto seguirá a interpretação tradicional dos reformados sobre aquela passagem. Quando, por exemplo, acabo expondo uma passagem sobre disciplina de membros faltosos (p. ex., 1Co 5), preciso levar em conta que existem diferentes procedimentos para processos disciplinares entre os evangélicos. Seria bom explicar que minha exposição daquela passagem pressupõe a maneira reformada de disciplinar.

Mais uma vez menciono a vantagem da pregação expositiva. Se o pregador explica a passagem bíblica escolhida, atendo-se ao que ela diz, sua audiência verá que as verdades sendo defendidas não se baseiam em dogmas denominacionais, mas na própria revelação escrita. O pregador está pregando o evangelho, e não os distintivos de sua denominação.

Para resumir, creio que o pregador deveria aproveitar todas as oportunidades que aparecerem para pregar em ambientes onde raramente a Palavra de Deus é anunciada com fidelidade, exceção feita às seitas. Contudo, ele deve estar preparado para possíveis situações constrangedoras durante o culto, mesmo em igrejas evangélicas.

19

O acerto prévio

É bastante natural em nossos dias o pregador e quem o convidou fazerem um acerto prévio sobre uma série de questões logísticas. Por isso, creio que este capítulo pode ser útil para os pregadores que recebem um convite para pregar em outra igreja ou em um evento organizado por outros irmãos.

O ensino bíblico

Quando examinamos as Escrituras em busca de textos, acontecimentos ou orientações a respeito desse assunto, não encontramos muitas coisas. Normalmente, tanto os pregadores do Antigo como do Novo Testamento simplesmente chegavam aos locais onde haviam sido convidados para trazer a Palavra de Deus ou onde sentiam que Deus os guiava para pregar, sem muita preparação antecipada. No período inicial da igreja cristã, os evangelistas que saíam por toda parte pregando o evangelho contavam com a hospitalidade dos irmãos em cada cidade, para a hospedagem. Não havia nenhum arranjo ou acerto prévio. Era um pressuposto do amor cristão a boa recepção dos obreiros e viajantes em geral. Os pregadores da igreja cristã apostólica podiam contar com casa e comida à medida que prosseguiam por todo o Império Romano pregando a Palavra de Deus (Hb 13.2; 2Jo 1.9-11; 3Jo 1.5-8 etc.). Lembremos ainda as recomendações do Senhor Jesus aos seus discípulos, quando os enviou em missão de evangelização pelas vilas e povoados da Galileia: "Sempre que entrarem em uma cidade ou povoado, procurem uma pessoa digna e fiquem em sua casa até partirem" (Mt 10.11).

No período do Antigo Testamento, lemos sobre a mulher sunamita que mandou preparar um quartinho para o profeta Eliseu, a fim de que ali se hospedasse toda vez que passasse por lá (2Rs 4.10). Esse caso parece ser uma exceção no panorama geral, mas não tanto. O próprio Jesus, ao se aproximar de algumas cidades, enviava seus discípulos para lhe prepararem pousada (Lc 9.52). O apóstolo Paulo, escrevendo de sua primeira prisão em Roma e diante da perspectiva de ser solto, mandou um aviso ao seu amigo Filemon nestes termos: "Por favor, prepare um quarto para mim, pois espero que as orações de vocês sejam respondidas e eu possa voltar a visitá-los em breve" (Fm 1.22). Assim, se por um lado o pregador deve estar disposto a se acomodar ao que lhe é oferecido onde ele for pregar, por outro não faz mal fazer alguns arranjos antes. Afinal, as coisas se tornaram muito mais complexas depois de dois mil anos de história da igreja, muito embora os breves princípios bíblicos que vimos acima ainda valham para hoje.

Existe uma série de questões que precisam ser tratadas previamente entre o pregador e quem o convida. Várias delas já receberam algum tipo de atenção nos capítulos anteriores. Tentarei não ser repetitivo. Menciono, entre outras coisas, passagem aérea (se for o caso), hospedagem, programação, temas, transporte terrestre, se o preletor casado pode levar esposa ou um assistente, trajes, transmissão do evento etc. Ainda que alguns pregadores contem com uma equipe ou um assistente para tratar desses assuntos, esses acertos precisam ser feitos, e o pregador tem a palavra final.

Quando fazer exigências é razoável

Não creio que o pregador deva fazer algum tipo de exigência, como hospedar-se somente em hotéis e comer em certos tipos de restaurante. Mas algumas demandas são razoáveis. Alguns pregadores têm restrições alimentares, impostas pelo médico. Outros, após certa idade e por limitações de saúde, não conseguem fazer longas viagens de avião nas cadeiras convencionais, que são mais baratas. No mínimo, precisam de assentos com mais espaço e conforto, quando não assentos na classe executiva. Isso precisa ser acertado antes. Também, por causa de saúde, alguns pregadores precisam ser acompanhados pela esposa, por exemplo, para viagens longas. Meu sogro tem mais de 90 anos e ainda prega! Entretanto, por motivos óbvios, só pode viajar em classe executiva e com a esposa ao lado. Em muitos casos, essas condições necessárias inviabilizam que o pregador atenda a convites a longa distância. Contudo, se ele tem condições físicas e de saúde, deveria procurar dar o mínimo de despesa possível a quem o convida. O mais importante em tudo é que o pregador nunca pareça estar impondo condições e, se tiver de fazê-lo, que o faça com humildade e honestidade, dando razões justas para elas.

Levar alguém ao seu lado

Ao ser questionado pela igreja de Corinto quanto ao seu sustento, Paulo menciona que Pedro e outros apóstolos costumavam levar a esposa em viagens de pregação: "Acaso não temos o direito de receber comida e bebida por nosso trabalho? Não temos o direito de levar conosco uma esposa crente, como fazem os outros apóstolos, e como fazem os irmãos do Senhor e Pedro? Ou será que só Barnabé e eu precisamos trabalhar para nos sustentarmos?" (1Co 9.4-6).

O precedente acima permite que o pregador não pareça insensível ao perguntar a quem o convida se pode levar a esposa. Raramente receberá um não por resposta, a não ser que quem o convida realmente não tenha condições financeiras para isso. Nesse caso, o pregador deve humildemente entender a situação e manter o compromisso, ainda que vá sozinho e se sua saúde permitir. Quanto a levar um assistente, isso pode parecer demasiado, a não ser que seja extremamente necessário por alguma contingência na vida do pregador convidado. Paulo sempre viajava com obreiros que o ajudavam, como Timóteo e Tito, mas não sabemos se as igrejas pagavam pelas viagens de navio ou em montarias. Eu nunca precisei ter um assistente pessoal em meu ministério, mas sei de colegas pastores que têm, dada a enorme demanda sobre eles como pregadores conhecidos no Brasil e no exterior. Não deveríamos julgar esses irmãos sem saber todos os fatos.

Agora, pensemos no caso oposto, quando o convite se estende à esposa do pregador — para, por exemplo, falar às mulheres da igreja — e ela não pode ir. Isso já nos aconteceu muitas vezes, especialmente quando as crianças eram pequenas e a Minka tinha de ficar em casa cuidando delas. Sei de mulheres que são excelentes palestrantes e bem conhecidas nacionalmente, mas que não podem atender a convites para estar com o marido em eventos pelo mesmo motivo. Nesse caso, uma vez explicada a impossibilidade de participação da esposa, não haverá problemas. É o tipo de justificativa que todo mundo entende.

Acertos sobre a programação

Outro arranjo importante é a quantidade de falas do pregador. Se não houve acerto prévio, pode ocorrer de ele ter de falar mais vezes do que pensava. Eu, pessoalmente, nunca liguei muito para isso. Quando viajo para pregar em um lugar, procuro ir com a disposição de servir àqueles irmãos o melhor que posso. É comum os que convidam, diante da perspectiva de terem o pregador em uma ocasião especial, procurarem ouvi-lo o máximo que puderem. Assim, arranjos de última hora, como uma palavrinha de manhã no café dos homens, ou um encontro à tarde com a mocidade, ou ainda pregar duas vezes no culto da noite sempre acabam sendo espremidos na escala de pregações. A não ser que o pregador tenha severas restrições físicas ou seja uma demanda de fato excessiva, creio que deveria aceitar todas as oportunidades para pregar e servir a quem o convida. Um amigo me contou que os organizadores de um evento para o qual ele fora convidado lhe pediram que fizesse cinco palestras em um dia. Ele entendeu que seria demais, e acertaram em três palestras.

Nesse mesmo sentido está o acerto quanto ao tipo de programação. Pode parecer inconsistente com o que acabo de dizer, mas não creio que o pregador deva aceitar tudo o que aquele que o convida idealiza para a programação. Por exemplo, participar de uma mesa redonda ao final de suas palestras, ou ainda de uma sessão de perguntas e respostas. Eu, pessoalmente, gosto demais do período de perguntas e respostas ao final de uma palestra minha, mas há pregadores que não se sentem confortáveis nem preparados para isso. Outros consideram que uma sessão dessas após um sermão no culto de domingo não cai bem. Nesse caso, o acerto deve prever cuidadosamente que tipo de participação os organizadores esperam do pregador.

Pode parecer arrogante, mas já recusei participar de uma mesa redonda no final de um congresso porque os demais participantes pensam de forma bastante diferente da minha, e eu não queria passar à audiência a ideia errada de que todos os participantes do debate comungavam opiniões e posições. Deixei isso claro no acerto prévio e, portanto, não participei da mesa redonda. Sei que alguns colegas entenderiam como uma excelente oportunidade de expor a verdade em um ambiente plural, mas tenho minhas reservas se esse tipo de estratégia realmente funciona. Não consigo conceber Jesus se assentando em uma mesa redonda com fariseus, essênios, saduceus e zelotes, para um debate sobre a natureza do reino messiânico esperado pelos judeus. Ou ainda Paulo participando de um debate com legalistas em um evento promovido pelas igrejas da Galácia sobre a justificação pela fé somente, e não pelas obras da lei.

Já fui convidado algumas vezes a participar de debates com padres, liberais e representantes de outras religiões em um programa de televisão de alta audiência. Sempre me recusei. Certa ocasião, aceitei ser entrevistado nesse programa sobre um assunto em vez de participar de um debate envolvendo pessoas de linhas tão contrárias. Aqui me lembro da recomendação de Paulo aos romanos quanto a pregadores que ensinavam algo diferente da mensagem apostólica: "E agora, irmãos, peço-lhes que tomem cuidado com aqueles que causam divisões e perturbam a fé, ensinando coisas contrárias ao que vocês aprenderam. Fiquem longe deles" (Rm 16.17).

O pregador deve, portanto, deixar claro no acerto prévio seus limites quanto a participação conjunta com outros preletores.

Quando o acerto sofre alterações

O acerto prévio não impede mudanças de última hora, ainda que sem razões justas. Um pregador me contou que havia passado apertado em uma ocasião. Reproduzo aqui o que ele escreveu:

> Cheguei para pregar em uma igreja e, no carro do aeroporto para o hotel, a pessoa que me pegou disse que o líder da igreja havia mudado o conceito da reunião daquela noite e que eu falaria apenas a líderes. Tive de passar o pouco tempo que tinha até o momento da ministração refazendo toda a preleção.

Quem convida alguém para um evento precisa ser sensível ao fato de que pregadores sérios gastam tempo e energia para o cumprimento do compromisso e que nem sempre estão preparados para alterações de última hora que exijam mudança de tema, como no exemplo acima. Em casos assim, o pregador precisará fazer o melhor que puder, contando com sermões já usados e, naturalmente, com o socorro do Espírito Santo.

Passagem e acomodação

Uma parte do acerto prévio é a passagem e a acomodação do pregador. Já tratei disso, mas aqui quero enfocar dois pontos apenas. Primeiro, o horário de voos ou de viagens de ônibus marcados para a madrugada, por serem mais econômicos, sem que tenha sido acertado com antecedência. Nem sempre o pregador tem condições físicas para passar uma noite mal dormida, tanto na ida quanto na volta. Como já disse, dentro do que for possível os pregadores convidados deveriam custar o menos possível para seus anfitriões. Contudo, se o pregador não consegue dormir em aviões ou ônibus (meu caso) ou se recuperar rapidamente de uma noite mal dormida (meu caso também), ele poderia conversar com quem o convida a fim de ver a possibilidade de alterar o horário da viagem, explicando os motivos. Ainda que a mudança implique despesas altas, fica a lição aprendida sobre a importância do acerto prévio. Paulo ensinou que há situações em que é melhor arcar com o prejuízo (1Co 6.7).

Segundo, a acomodação. Será que o pregador pode exigir algum tipo de acomodação? Por exemplo, pedir para ficar em hotel e não na casa de algum irmão da igreja? Ficar hospedado com irmãos da igreja traz uma série de benefícios. Comida boa, acolhida calorosa, comunhão à mesa, carona para passear e conhecer a cidade, fazer compras etc., além da consciência de que está custando menos ao evento ou à igreja. Contudo, há alguns incômodos, como pessoas que roncam no quarto ao lado, uma bateria interminável de perguntas teológicas à mesa, jantar tarde demais após um culto cansativo, acordar cedo demais com o barulho dos moradores da casa, a impossibilidade de mudar de quarto, caso o ar-condicionado quebre ou a cama seja desconfortável demais, entre tantos outros. Ficar em hotel apresenta várias vantagens, como já ficou implícito. A maior desvantagem é a falta de contato com pessoas da igreja ou do evento fora da programação. Cada pregador deveria pesar cuidadosamente as possibilidades e acertar previamente o tipo de acomodação que prefere. Confesso que, atualmente, prefiro ficar em hotel, sempre que essa opção é oferecida. Mas já me acomodei muitas vezes na casa de queridos irmãos, com muita alegria e gratidão.

Trajes e aparência

Um ponto que vale a pena mencionar é a questão do traje. Deveria fazer parte do acerto prévio se o pregador precisará de paletó e gravata ou, ainda, vestes clericais. Alguns pregadores podem não se sentir bem-vestidos numa toga, ainda que genebrina.[1] Os trajes podem ser bem variados, dependendo de igreja, e o pregador não gostaria de se sentir um peixe fora d'água, como, por exemplo, ser o único de paletó e gravata ou, ao contrário, sendo o único de camisa polo quando todo mundo veste terno. Acho que faz parte da estratégia de Paulo, de ceder e se acomodar a práticas não essenciais, o pregador se trajar de acordo com o costume da igreja em que vai pregar (1Co 9.19-23). Para isso é preciso incluir esse item no acordo prévio. Eu pessoalmente só uso paletó e gravata quando requerido. Sinto-me bem com um paletó e calças *jeans*, ou mesmo com uma camisa social.

Algumas igrejas são bem estritas não somente quanto ao traje de quem vai pregar, mas também quanto à aparência pessoal. Curiosamente, enquanto eu escrevia este capítulo alguém comentou o seguinte em uma rede social, que reproduzo aqui:

> Fui convidado para pregar em uma igreja de hábitos legalistas. Dois dias antes, o pastor me ligou, um pouco preocupado, perguntando se eu poderia ir de paletó e, se não fosse pedir muito, se eu poderia tirar a barba...

Acho que a situação acima é bem rara, embora possa acontecer. Aqui é bom lembrar também que nesse tipo de igreja, a esposa do pregador, se estiver com ele, poderia usar saia comprida, em vez de calças compridas, em uma demonstração de humildade e atenção à prática da igreja.

Mas, voltando à questão da barba, se fosse comigo, o evento seria cancelado...

A tradução usada na igreja

Outro ponto interessante do acerto prévio é a tradução da Bíblia utilizada pelo pastor local. Se o pregador é um expositor bíblico, ele desejará que a audiência acompanhe passo a passo sua exposição, conferindo na Bíblia as palavras do pregador. Embora as traduções, no geral, digam o mesmo, algumas passagens divergem significativamente. Para não correr esse

---

[1] Togas pretas e simples, sem estolas, usadas por Calvino e pelos pastores de Genebra, no século 16, que acabaram se tornando, em algumas igrejas, o traje obrigatório do pastor calvinista.

risco, o pregador pode indagar previamente a versão usada na igreja que o convida. Fui convidado a pregar em uma igreja presbiteriana nos Estados Unidos que, segundo seu pastor, não adotava uma tradução específica. O pastor costumava escolher entre as traduções mais conhecidas e confiáveis aquela que melhor expressasse o que ele queria dizer em cada sermão. Achei um critério curioso de escolha de versão, mas, uma vez que ele possui um número limitado de versões para escolher e todas confiáveis, não vi problema.[2] Se a versão usada pela igreja que convida é diferente daquela usada geralmente pelo pregador, ele deveria saber com alguma antecedência a fim de fazer adaptações em sua mensagem, especialmente em pontos da pregação que dependem da tradução de determinado termo grego ou hebraico.

Canais digitais: YouTube e redes sociais

Muitas igrejas transmitem seus cultos e eventos *on-line* e disponibilizam os vídeos no canal da igreja ou em outro. Alguns pregadores não se sentem confortáveis com isso. Já me aconteceu de pedir aos organizadores de um evento que não postassem no canal da igreja o vídeo de um sermão em particular que eu havia pregado durante uma série de mensagens. Foi um daqueles sermões que, quando acabam, buscamos um buraco para nos esconder. Percebi claramente que algumas coisas que eu dissera (e que não deveria ter dito) eram inapropriadas e acabariam por causar mais dano que bênção.[3] Alguns eventos de grandes proporções pedem aos pregadores que assinem a cessão de uso de imagem, a fim de evitar reclamações futuras de preletores por postagem indevida de sua imagem nos canais digitais da instituição organizadora. Acho uma boa medida. Faz parte do acordo prévio. Em geral, não me incomodo que a igreja ou evento publique os vídeos de minha pregação em seus canais digitais. Não coloco nenhuma restrição. Na verdade, encorajo os irmãos a fazê-lo, para que a mensagem tenha o maior alcance possível.

---

[2] No caso, o pastor costumava usar a NIV (New International Version) ou a NASB (New American Standard Bible). Eu escolhi a última.
[3] Uma opção possível seria editar a pregação, cortando os trechos considerados impróprios.

Um pouco relacionado com isso está a questão da divulgação do evento. Seria bom deixar claro qual será a participação do pregador nela. Normalmente, pedem que eu grave pequenos vídeos e áudios e os poste antes do evento em minhas redes sociais, além de uma arte com informações sobre o culto. É algo trabalhoso. No meu caso, algumas pessoas me ajudam com isso e, portanto, quase sempre posso atender a tais pedidos. Mas fico pensando no pregador que não tem quem o ajude a gravar um vídeo de boa qualidade e a postar nos melhores horários em suas redes sociais. Já cheguei a pensar em estabelecer como condição no acordo prévio que eu não me comprometeria em fazer qualquer divulgação do evento, e que isso seria competência de quem convida. Mas, pensando bem, o que custa? Se eu estiver com uma camisa apresentável, faço o vídeo na hora e já envio aos organizadores e àqueles que me ajudam com as redes sociais.

Há mais um ponto, de muita importância, que deixei para tratar no próximo capítulo: o acerto financeiro.

Embora os acertos aqui mencionados sejam importantes para evitar desgastes futuros, o pregador deve estar disposto a servir os irmãos, ainda que em condições desconfortáveis. Nosso alvo é a glória de Deus, e não o nosso conforto.

20

O acerto financeiro

Vários dos pontos aqui tratados já foram mencionados nos capítulos anteriores. Entretanto, dada a importância desse assunto, resolvi concentrar essas questões em um único capítulo, mesmo com o risco de repetição.

A relação do pregador com o dinheiro é um ponto sensível de seu ministério, e ele precisa ter muita sabedoria, advinda de Deus, sobre como lidar com questões relacionadas a valores financeiros, desde seu sustento fixo na igreja local até as ofertas e a venda de livros. Infelizmente, o mau uso do dinheiro, junto com uma conduta sexual inapropriada, são os maiores fatores da queda de pastores. Deixe-me colocar aqui alguns pontos sobre esse tema.

Primeiro, não creio que seja correto o pregador cobrar um valor fixo para pregar. Isso se aplica inclusive se ele for itinerante e viver das ofertas recebidas por onde prega. Estabelecer um valor fixo para suas pregações já abre a porta para que as pessoas o vejam como um mercenário, isto é, alguém que está mais interessado em obter lucro financeiro que em difundir o evangelho de nosso Senhor Jesus Cristo. Temos muitas advertências na Bíblia quanto ao perigo de o pregador se deixar levar pela cobiça e pela ganância, a ponto de alterar a mensagem do evangelho com o objetivo de conquistar mais ouvintes, e com isso também um lucro maior.

> Pois os vigias do meu povo
>   são cegos e ignorantes.
> São como cães de guarda mudos,
>   que não avisam quando perigo se aproxima. [...]
>   como cães gulosos, nunca estão satisfeitos.
>
> Isaías 56.10-11

> Desde o mais humilde até o mais importante,
>   sua vida é dominada pela ganância.

Desde os profetas até os sacerdotes,
   são todos impostores.
Oferecem curativos superficiais
   para a ferida mortal do meu povo.

> Jeremias 6.13-14

Que aflição os espera, mestres da lei e fariseus! Hipócritas! Tomam posse dos bens das viúvas de maneira desonesta e, depois, para dar a impressão de piedade, fazem longas orações em público.

> Mateus 23.14

[Falsos mestres] têm a mente corrompida e deram as costas à verdade. Para elas, a vida de devoção é apenas uma forma de enriquecer.

> 1Timóteo 6.5

É preciso fazê-los calar, pois, com seus ensinamentos falsos, têm desviado famílias inteiras da verdade. Sua motivação é obter lucro desonesto.

> Tito 1.11

Outras passagens poderiam ser acrescentadas, mas creio que essas são suficientes para mostrar a seriedade do assunto. Sempre houve na história da igreja pregadores, pastores e mestres muito mais interessados em obter lucro por meio seu encargo do que em promover o reino de Deus em sua simplicidade. Assim, por mais explicações que o pregador dê, se ele cobrar um valor fixo para suas pregações será sempre interpretado à luz do triste histórico de centenas de falsos mestres que se valeram do rebanho para enriquecer. A impressão passada é que ele vê o ministério como um negócio, suas pregações como o produto a ser entregue a quem pagar e sua audiência como meros consumidores e clientes.

Infelizmente, em décadas recentes, as igrejas que seguem a teologia da prosperidade acabaram por passar para o público geral uma imagem distorcida dos evangélicos. Os pastores, sem distinção, passaram a ser vistos como aproveitadores que arrancam até o último centavo daqueles que os seguem. As igrejas passaram a ser vistas como locais de abuso financeiro, e seus cultos como aquele momento em que as pessoas dão suas ofertas em busca de retorno material da parte de Deus. Como as seitas neopentecostais são muito grandes e têm forte presença na internet e em redes sociais, o público geral identifica todo pastor como um aproveitador.

Lembro-me de quando fui alugar meu primeiro apartamento, na década de 1980, como pastor recém-ordenado. O dono do apartamento exigiu um fiador, e eu não tinha nenhum, nem dinheiro para dar em garantia. Ele então perguntou minha profissão, e respondi que era pastor evangélico. Ele abriu um largo sorriso e disse que não precisava de fiador, já que eu era pastor. E aluguei o apartamento sem mais requerimentos. Hoje, se eu for alugar um apartamento e disser que sou pastor evangélico, é provável que os donos nem queiram alugar! Infelizmente, existe um clima de desconfiança profunda quanto às intenções e motivações dos pastores em geral, e portanto os pregadores devem ter muito cuidado para não serem mal interpretados ao lidar com dinheiro.

Diante dos abusos nessa área cometidos por pastores, pregadores e mestres ao longo da história da igreja, alguns grupos cristãos não têm pastores em tempo integral e não oferecem sustento a seus pregadores e obreiros. Acho que essa reação é desproporcional. Muito embora as Escrituras claramente condenem a ganância dos pregadores, elas ensinam que as igrejas devem prover algum sustento para eles. O próprio Jesus disse a seus discípulos que "os que pregam o evangelho vivam do evangelho" (1Co 9.14, NAA). O apóstolo Paulo fez uma defesa dos direitos dos obreiros de receberem ajuda das igrejas onde ministram (1Co 9.1-16). Ele assim orientou os crentes da Galácia: "Aqueles que recebem o ensino da palavra devem repartir com seus mestres todas as coisas boas" (Gl 6.6). E orientou Timóteo que instruísse a igreja de Éfeso a cuidar financeiramente de seus mestres: "Os presbíteros que fazem um bom trabalho na igreja merecem pagamento em dobro, especialmente os que se esforçam na pregação do evangelho e no ensino cristão" (1Tm 5.17, NTLH).[1]

Tanto o pregador quanto sua igreja local devem tratar esse assunto do sustento pastoral com muita sabedoria. Da parte do pregador, ele deve procurar ter sempre em mente que seu objetivo não é lucrar ou acumular algum patrimônio (se der para fazê-lo não é pecado). Da parte da igreja, os líderes devem ter em mente que o pregador possui necessidades financeiras como qualquer outro membro da igreja. Igrejas sem essa visão acabam tornando a vida do pregador difícil e por vezes amarga,

---

[1] No original, "dupla honra" (NVI, NVT). O contexto e o uso da do grego *time* ("honra") em outras passagens permitem traduzir como uma recompensa financeira (ARA, NAA).

carregando o peso angustiante do sustento de sua família, o que me leva ao ponto seguinte.

Segundo, caso seja pastor de uma igreja local, o pregador deve acertar com ela, previamente, o seu sustento fixo. Esse tema é delicado. Conheço pastores que nunca tocam nesse assunto com a liderança de sua igreja e deixam que eles decidam o valor de seu sustento mensal, preferindo sair da reunião a fim de permitir que os líderes discutam a matéria com liberdade. Creem que Deus haverá de guiar a liderança e de suprir as suas necessidades e de sua família, qualquer que seja o sustento que a igreja lhe oferecer. Outros pastores fazem questão de estar presentes e de discutir com a liderança da igreja o seu salário. Isso nem sempre é falta de fé da parte do pregador. Ele também crê que Deus haverá de prover o seu sustento e não vê incompatibilidade entre essa confiança e o uso dos meios que conduzam a tal. Talvez uma solução seja o pastor apresentar à liderança um orçamento para uma vida modesta, porém tranquila, uma relação de suas necessidades reais, e deixar a liderança decidir, sem necessariamente participar da discussão.

É importante observar que, por mais que o pregador deseje paz para poder se dedicar ao intenso trabalho espiritual envolvido em pregar e pastorear, ele deve ter em mente que a maioria das pessoas de sua igreja vive apertada financeiramente, luta com a ansiedade e angústia de contas que não batem, sofre com a falta de coisas necessárias etc. Digo isso para que o pastor não julgue injustamente aqueles líderes que têm poder decisório sobre seu salário. Muitos vivem fazendo contas na ponta do lápis. O que eu não concordo é com o conceito bem disseminado de que quanto mais o pastor vive apertado mais ele ora e busca a Deus, é mais espiritual e desligado das coisas do mundo. Sei que há igrejas que pensam assim. Há presbíteros e diáconos que entendem que sua missão dada por Deus é apertar o pastor financeiramente o máximo que puderem. Creio que essa visão é antibíblica. O autor de Hebreus instrui seus leitores a tratarem seus guias espirituais de maneira que eles façam seu trabalho com alegria, e não com tristeza (Hb 13.17). Embora ali o contexto seja obediência, o princípio é o mesmo. Pregadores que trabalham contentes só trazem benefícios para as igrejas.

Terceiro, o pregador deveria ter cuidado para não ostentar bens materiais. Creio que o carro, as roupas e o nível de vida do pregador deveriam estar em harmonia com o padrão médio de sua igreja. Pega muito mal o pregador de uma igreja de classe baixa ter um carro de luxo, especialmente se ele for de tempo integral e viver somente do que a igreja lhe dá. Infelizmente, nas igrejas adeptas da teologia da prosperidade, os pregadores e pastores ostentam um nível de vida muito acima dos membros de sua igreja. A desculpa é que precisam mostrar que a prosperidade financeira pregada funciona na prática. Assim, nos casos mais extremos, tornam-se donos de jatinhos, carros de luxo, fazendas, mansões e outros bens, enquanto os fiéis vendem até a cama em que dormem para "plantar uma semente" ou "fazer um propósito". Vi no YouTube a "pastora do pix", também conhecida como "pastora ostentação", pedir às pessoas que lhe transferissem dinheiro via pix em troca de prosperidade profética. Ela é conhecida pela ostentação de roupas e joias em seu perfil no Instagram, que tem mais de 2 milhões de seguidores.

O pregador que ama verdadeiramente a Deus e não deseja colocar tropeço diante de seu povo vive modestamente, ainda que tenha condições de usufruir um nível de vida mais elevado que seu rebanho. Lembremos da visão pastoral de Paulo, que chegou a recusar salário dos coríntios, em um contexto em que o receber daria margem para que seus inimigos o condenassem como falso profeta mercenário: "Se outros têm o direito de esperar isso de vocês, será que nós não temos muito mais direito do que eles? No entanto, nós não temos usado esse direito. Pelo contrário, temos aguentado tudo para não atrapalhar o evangelho de Cristo" (1Co 9.12, NTLH).

Quarto, há pregadores que não estipulam o valor da oferta, mas dizem a quem o convida que "espera uma oferta generosa". Sinceramente, não vejo muita diferença, pois permanece a impressão de que esse pregador tem interesses financeiros naquilo que ele faz, que é pregar o evangelho (e alguns nem isso fazem). Durante esses anos de pregação, nunca deixei de ser abençoado pelos irmãos que me convidaram e nunca estipulei valores ou sugeri que esperava alguma oferta. Minha prática tem sido sempre dizer que preciso apenas de passagem e hospedagem, e nada mais. E mesmo quando nada foi dito ou acertado, sempre experimentei a gratidão do povo de Deus na forma de ofertas generosas. Na verdade, chego até a ficar constrangido quando ao final do culto o tesoureiro da igreja se achega, nem sempre discretamente, e coloca um envelopinho no bolso do paletó ou dentro da minha Bíblia.

Em algumas ocasiões, quando eu sabia que a igreja estava passando por problemas financeiros, costumava não aceitar a oferta e devolver o envelopinho. Sempre recebi de volta a recusa da igreja. Até que o pastor de uma pequena igreja, sem muitos recursos, me disse: "Pastor, assim o senhor nos ofende. A oferta é pequena, mas é uma amostra da nossa gratidão. Aceite, por favor!". Nunca mais recusei as moedinhas da viúva pobre. Paulo se refere em sua segunda carta aos coríntios à generosidade dos crentes da Macedônia, que mesmo passando por dificuldades financeiras contribuíram generosamente para a coleta que o apóstolo estava levantando para os crentes pobres da Judeia: "Irmãos, queremos que vocês saibam o que a graça de Deus tem feito nas igrejas da província da Macedônia. Os irmãos dali têm sido muito provados pelas aflições por que têm passado. Mas a alegria deles foi tanta, que, embora sendo muito pobres, eles deram ofertas com grande generosidade" (2Co 8.1-2, NTLH).

Creio que o pregador deve deixar totalmente a critério da igreja que o convida a decisão sobre como dar a oferta, desde a transferência bancária até um cheque. Exigências nessa área também podem soar muito mal, a não ser que o pregador tenha razões justas. Enquanto estava no meu período sabático nos Estados Unidos, em 2022, fui convidado para pregar no culto dominical de uma igreja americana. A secretária da igreja me mandou um *e-mail* durante a semana solicitando algumas informações, entre elas meu endereço para enviar um cheque como oferta. Respondi dando todas as informações que ela pedia e acrescentei que eu não tinha conta bancária nos Estados Unidos, e que, portanto, não teria como descontar aquele cheque. Pronto. É claro que fiquei tentado a dizer: "Mas se for em *cash* para mim está bom". Mas não disse. Achei melhor não fazê-lo. Deixei a solução do problema com eles.

Quinto, a questão da venda de materiais do pregador. Muitos têm livros publicados. Dependendo do acerto que eles têm com as editoras, às vezes ele recebe seus direitos autorais em livros. Ele precisa vender esses livros para poder ter em dinheiro o equivalente aos seus *royalties*. Outros pregadores recebem das editoras os direitos autorais em valores, mediante transferência bancária. O mais importante para o pregador é que seus livros alcancem o maior número de pessoas possível, levando a mensagem do evangelho e instruções para a vida da igreja.

Então, como o pregador deve proceder quando convidado a pregar em um lugar onde ele sabe que haverá pessoas dispostas a comprar seus livros? Antes de entrar nesse assunto, preciso esclarecer que a venda de livros não faz do pregador um mercenário. Muitas vezes, após ter anunciado o lançamento de algum livro meu, recebi comentários em minhas redes sociais me acusando de mercenário, que eu estava vendendo o evangelho e que deveria dar esses livros de graça, com base em Mateus 10.8: "Deem de graça, pois também de graça vocês receberam".

Na verdade, nunca cobrei um único centavo para pregar o evangelho. No texto citado, Jesus estava se referindo à pregação do evangelho. Qualquer pessoa pode acessar gratuitamente centenas de vídeos de pregações e palestras minhas nos canais digitais, além de textos, artigos e *podcasts* com séries de sermões ou mensagens avulsas. Não cobro ingresso das pessoas que entram em minha igreja para ouvir a mensagem do evangelho. Contudo, a produção de um livro, desde a escrita até a chegada ao leitor, traz custos altos para o autor, para a editora, para a gráfica, para a livraria. Um bom livro é resultado de pesquisas feitas pelo autor, que se preparou investindo, com recursos próprios muitas vezes, em um curso de teologia, mestrado e doutorado. Ele não recebeu esse conhecimento de graça. Nada mais justo que o autor receba os direitos autorais de sua obra. Ele não está vendendo o evangelho. Por isso, creio que não faz mal o pregador perguntar a quem o convida sobre a possibilidade de levar alguns livros de sua autoria para oferecer às pessoas, após o culto. Na minha experiência, na grande maioria dos casos a resposta é positiva.

Seria bom também o pregador verificar se a igreja possui uma livraria em que seus livros já sejam oferecidos. Nesse caso, sempre optei por não levar livros, para não concorrer com a livraria local. O ponto é que a venda de minhas obras nas igrejas ou em eventos nunca foi uma exigência, mas somente um pedido.

A exemplo do que ocorre com a oferta, o pregador deve guardar o coração para que a venda de seus materiais não se torne o elemento motivador de sua ida a algum lugar. Obter retorno financeiro nunca deveria ser a motivação do pregador, mas, sim, expor as Escrituras e servir de instrumento de Deus na vida das pessoas. O pregador precisa ter muito cuidado na hora de divulgar a venda de seus livros e outros materiais de modo a não deixar a impressão de puro comércio ou a não prejudicar o clima logo após sua pregação. Confesso que esse tem sido um ponto difícil para mim. A maioria das igrejas que me convida para pregar também pede que eu leve livros para oferecer à igreja após o culto. A divulgação de que os livros estão à disposição ao final do culto precisa ser feita, mas prefiro que o próprio pastor da igreja o faça. Nem todos podem receber bem.

Se houver a venda de livros no local do evento, o pregador deve estar preparado para assinar e tirar fotos com os irmãos. Essa parte pode levar algum tempo e se tornar cansativa. Contudo, a alegria dos irmãos, a proximidade do pregador com eles, aqueles poucos segundos gastos com cada um compensam, muito, qualquer cansaço ou tempo dispendido.

É possível que algum pregador se recuse a levar seus livros para vender na igreja, por acreditar que se pode confundir a missão com o comércio de produtos. Nesse caso, ele deve explicar cuidadosamente a quem o convida o motivo da recusa. Creio que esse assunto fica a critério de cada pregador, de acordo com sua consciência. Não consigo encontrar base teológica para vender ou não vender livros nas igrejas e eventos onde sou convidado. Atualmente esse problema não me afeta, pois as editoras que publicam minhas obras já fazem o trabalho de divulgação e venda dos livros. E isso pode ser uma solução para o pregador que não se sentir tranquilo com vender, ele mesmo, seus livros, uma vez que pode orientar quem o convida a que adquira os livros para venda diretamente das editoras, antes do evento, e os disponibilize após os cultos ou palestras.

21

A esposa do pregador

Neste e no próximo capítulo trataremos de um assunto extremamente importante para o pregador, talvez o mais importante: sua família. Fica claro, portanto, que o pregador que tenho em mente aqui é principalmente o casado e pastor de uma igreja local, muito embora pregadores itinerantes e solteiros também possam tirar proveito do aqui exposto.

Alguém poderia acertadamente perguntar por que um capítulo sobre a esposa do pregador. Afinal, o que precisa ser dito sobre ela que seja diferente do que precisa ser dito sobre as mulheres casadas com médicos, advogados, pedreiros, motoristas de ônibus, professores e assim por diante? Bem, a razão está no fato de que ser pregador do evangelho é uma categoria em si mesma. É uma profissão, por assim dizer, diferente de todas as demais em muitos aspectos. Para começar, ainda que a esposa de um advogado possa traí-lo, comportar-se como prostituta, viver embriagada, não cuidar dos filhos, nada disso fará diferença para a clientela do advogado, desde que ele seja bom e apresente resultados. O mesmo não pode ser dito da esposa do pregador, cujo único bem permanente é sua reputação.

A importância da família

A relevância do assunto vem à tona quando examinamos as condições requeridas nas cartas pastorais do apóstolo Paulo para alguém que almeja se tornar líder em sua igreja. Reproduzo aqui o que elas dizem sobre esse tema:

> Esta é uma afirmação digna de confiança: "Se alguém deseja ser bispo, deseja uma tarefa honrosa". Portanto, o bispo deve ter uma vida irrepreensível. Deve ser marido de uma só mulher [...]. Deve liderar bem a própria família e ter filhos que o respeitem e lhe obedeçam. Pois, se um homem não é capaz de liderar a própria família, como poderá cuidar da igreja de Deus?

1Timóteo 3.1-2,4-5

O presbítero deve ter uma vida irrepreensível. Deve ser marido de uma só mulher, e seus filhos devem partilhar de sua fé e não ter fama de devassos nem rebeldes. O bispo administra a casa de Deus e, portanto, deve ter uma vida irrepreensível.

Tito 1.6-7[1]

A razão por que as Escrituras enfatizam a família do pregador é óbvia. A família é sua primeira igreja. Conforme Paulo argumenta acima, se ele não for bem-sucedido com ela, como poderá ser bem-sucedido ao cuidar da família de outros? Se seu casamento não vai bem, como poderá pregar sobre o assunto com autoridade? Ou que autoridade terá para o serviço de aconselhamento matrimonial e de ajuda a casais em crise que o procuram? Não estou dizendo que ele precise ser perfeito e ter uma família perfeita antes de poder pregar e pastorear. Entretanto, existe um grande espaço entre perfeição e caos completo. Estou consciente de que todo casamento tem problemas e que a criação de filhos é um processo demorado, complicado e cheio de falhas da parte dos pais. Se nossos filhos se salvam, é sempre apesar de nós. Contudo, existe uma diferença entre uma família displicente, desinteressada dos princípios bíblicos referentes ao relacionamento familiar e outra família que luta contra os efeitos do coração pecaminoso a fim de viver dentro dos padrões determinados por Deus, ainda que de maneira imperfeita. Assim, reitero, não estou dizendo que o pregador deve ter um casamento e filhos perfeitos, mas que ele deve ter uma esposa e filhos que desejam andar nos caminhos do Senhor, ainda que em luta constante contra o pecado para prosseguir nesse propósito.

A importância da esposa

Ao incluir esse tópico não estou querendo dizer que todo pregador deva ser casado. Embora muitos achem que sim, não vejo base bíblica para essa

---

[1] Bispo e presbítero se referem à mesma pessoa. Não se trata de dois ofícios diferentes. Paulo usa os termos de maneira intercambiável. Bispo reflete o trabalho do pregador, que é supervisionar seu rebanho. Presbítero indica seu caráter maduro. Paulo se refere aos presbíteros de Éfeso como bispos que pastoreiam o rebanho (At 20.28). Os dois termos cedo passaram a ser usados para designar pastores e mestres da igreja.

posição. Jesus e Paulo não tinham esposa. Através da história da igreja, vários pregadores solteiros vêm sendo usados por Deus. Menciono John Stott entre os mais recentes e conhecidos. Embora existam, naturalmente, algumas vantagens em um pregador ser casado, não existe desvantagem em ser solteiro que o impeça de exercer sua função e cumprir sua vocação.

Não tenho como enfatizar em demasia a importância do papel desempenhado pela esposa no ministério do pregador. A experiência tem mostrado que, se a esposa do pregador não entender o ministério e o chamado dele, acabará por dificultar o trabalho do marido, e em alguns casos mais graves destruí-lo completamente. É conhecido o dito entre os evangélicos de que a esposa é metade do ministério do pastor. Na verdade, creio que ela acaba trazendo influência na totalidade do ministério dele. Esposas podem ser uma fonte de bênção ou de maldição.[2]

Tive um colega de seminário que passou por uma experiência humilhante, que lhe custou o pastorado da igreja onde servia. O acontecido, sem dúvida, é em parte culpa dele mesmo. Não sei se ocorreu durante o culto ou uma classe de escola bíblica dominical única, quando ele estava falando sobre os deveres do marido para com sua esposa e ela se levantou e disse alto e bom som: "Não escutem o que ele diz, ele não pratica nada disso em casa!". Ficou claro que o casamento não ia bem e que sua esposa estava realmente furiosa com ele! Tiveram de sair daquela igreja.

Há vários casos, no Antigo Testamento, de reis que fizeram o que era mau diante do Senhor pela influência da esposa. Acerca de Salomão, por exemplo, é dito que "amou muitas mulheres estrangeiras" e que "elas o induziram a adorar outros deuses em vez de ser inteiramente fiel ao Senhor, seu Deus". O resultado foi que "Salomão fez o que era mau aos olhos do Senhor" (1Rs 11.1-8). Acabe talvez seja o caso mais emblemático: "casou-se com Jezabel, filha de Etbaal, rei dos sidônios, e começou a se prostrar diante de Baal e adorá-lo" (1Rs 16.31), tornando-se referência para o pecado de Jeorão: "Seguiu o exemplo dos reis de Israel e foi tão perverso quanto a família do rei Acabe, pois se casou com uma das filhas de Acabe. Jeorão fez o que era mau aos olhos do Senhor" (2Cr 21.5-6).

Creio que fica claro desses exemplos o papel crucial que a esposa desempenha no casamento, a ponto de influenciar o marido, quer para o

---

[2] Claro que maridos também podem ser uma fonte de bênção ou maldição para a esposa, mas esse não é o tema deste nosso capítulo.

bem, quer para o mal. Quando se trata da esposa de um pregador do evangelho, essa importância é ainda mais ressaltada. Talvez possamos afirmar que ser esposa de pregador é uma vocação e que nenhuma mulher deveria casar-se com quem pretende ser um pregador do evangelho sem ter plena convicção e clareza do que isso representará para ela e para uma eventual carreira que ela pretenda seguir. Conheço casos de esposas de pregador que simplesmente abandonaram o marido para poder seguir a profissão. Em um deles, ela tinha um emprego muito bom em determinada cidade e o marido, como pregador, precisou mudar-se para outra cidade onde havia sido convidado para pastorear uma igreja. Ela optou por seguir sua carreira profissional. O divórcio veio logo em seguida.

Quando me converti, aos 23 anos de idade, namorava uma moça que também havia se convertido mais ou menos na mesma época que eu. Quando lhe declarei sentir o chamado de Deus para ser pregador do evangelho, ela respondeu com toda sinceridade que não tinha recebido nenhum chamado para ser esposa de pastor, que não se via como tal e, portanto, não tinha convicção de que deveria casar-se comigo. O namoro terminou. Foi doloroso à época, mas, olhando para trás, agradeço a Deus a sinceridade e a franqueza dela. Se todas que têm compromisso com candidatos ao ministério da pregação da Palavra usassem da mesma franqueza, talvez tivéssemos menos casamentos de pregadores desfeitos.

Além dos exemplos negativos, o Antigo Testamento também ressalta o valor inestimável de uma esposa fiel a Deus e ao marido. O livro de Provérbios, por exemplo, é cheio de recomendações e de louvor a esse tipo de esposa, e diz que ela provém de Deus: "A mulher virtuosa coroa de honra seu marido" (Pv 12.4); "Quem encontrará uma mulher virtuosa? Ela é mais preciosa que rubis" (Pv 31.10); "O homem que encontra uma esposa encontra um bem precioso e recebe o favor do SENHOR" (Pv 18.22); "Os pais deixam casas e riquezas como herança para os filhos, mas apenas o SENHOR pode dar uma esposa prudente" (Pv 19.14).

Conselho ao pregador solteiro que deseja se casar

Considerando a importância de ter um casamento abençoado e estável para os que desejam ser pregadores da Palavra de Deus, gostaria de deixar um conselho ao pregador solteiro que busca se casar. Procure uma esposa, e não uma pastora. Esse é um equívoco comum. Jovens pregadores desejam casar-se para ter uma ajudante, parceira, cooperadora para seu ministério. Não é errado procurar casar-se com uma mulher engajada no serviço do reino. Mas esse não deve ser o primeiro critério do pregador. Sua esposa deve ser, antes de tudo, sua mulher, amiga, companheira e confidente. A prioridade dela é você, e não a igreja. Ela até pode não reunir muitos dons, não ter jeito para dar aula às crianças, não ser afinada para cantar no coral nem eloquente o suficiente para fazer palestras às mulheres da igreja. Mas se ela ama o futuro marido, entende os sacrifícios que terá de fazer ao longo do ministério dele e está pronta para enfrentar o que der e vier ao seu lado, ela então tem o que mais importa para ser uma esposa de pregador.

O ministério pastoral apresenta determinadas exigências e demandas que o difere das profissões mais comuns. Para um advogado ou médico, seu casamento não fará muita diferença para o desempenho de sua profissão. Existem excelentes profissionais em todas as áreas cujo casamento é fonte de brigas e discórdias. Esse fato faz pouca ou nenhuma diferença para os clientes e pacientes. Mas, como já disse, esse não é o caso do pregador. Seu casamento fará toda diferença para aqueles que o ouvem. Sua autoridade e credibilidade decorrem disso. A coisa mais importante que o pregador tem é sua reputação. E ela depende diretamente de seu casamento e de sua família.

Quando pedi a Minka em casamento disse-lhe que ela se casaria com um pastor pobre. Na época, eu tinha apenas uma moto que meus pais me haviam comprado. Morava sozinho em uma casa alugada pela igreja central e trabalhava na plantação de uma igreja, que se reunia na sala de casa. Havia dias que eu não sabia o que comeria no dia seguinte, e não tinha dinheiro nem para comprar selos para as cartas que queria enviar para ela, que na época estudava nos Estados Unidos. A resposta dela foi que estava disposta a morar comigo sob a ponte, com apenas alguns grãos de arroz para comer todo dia. Eu não tive dúvidas que era a mulher certa para mim. E ela estava falando sério, a julgar pelos quarenta anos de casamento abençoado, uma parte dos quais passando bastante aperto.

Conselhos ao pregador casado

Minha primeira recomendação ao pregador casado é que proteja a esposa das exigências explícitas e implícitas das igrejas e de seus líderes. Existe uma expectativa quanto à esposa do pregador por parte de membros e da liderança de algumas igrejas que a meu ver não é correta. Ela tem de cantar no coral, presidir o ministério de mulheres, dar aulas às crianças, fazer doces e salgados para as festinhas de aniversário e liderar o grupo de estudos para as mulheres casadas toda semana. Digo que essa expectativa não está correta porque pressupõe que a esposa do pregador tenha todos os dons espirituais das listas do Novo Testamento, e tempo suficiente para fazer tudo e ainda cuidar do marido, dos filhos e da casa. O pregador deve proteger a esposa dessas expectativas. Li nas redes sociais o comentário de uma mulher sobre a esposa do pregador, que reproduzo aqui por entender que seja bem real: "Nome sempre presente nas rodinhas maldosas das línguas 'santas', não pode ter uma falha sequer... se não faz, é errada porque não se envolve; se faz, é intrometida e quer ser dona da igreja! Difícil, desgastante... muitas levam consigo as dores que possivelmente só serão curadas na glória".

Em todas as igrejas em que fui convidado a pastorear informei tanto à igreja quanto à liderança, nas entrevistas preparatórias, que eles estavam contratando um pastor, e não dois. Disse que o ministério primeiro da Minka era cuidar de mim e de nossos filhos, e que ela se envolveria com as atividades da igreja somente se ela quisesse. Bem, a Minka toca piano, tem uma voz maravilhosa, tem mestrado em aconselhamento, sabe falar em público e tem outras aptidões para os trabalhos na igreja. Contudo, ela nunca se envolveu com atividades com as quais não desejasse voluntariamente. Uma vez que isso foi acertado previamente com as igrejas onde fui pastorear, ela nunca sofreu pressão ou cobrança quanto ao seu envolvimento nas atividades da igreja além da expectativa normal que se tem sobre qualquer esposa cristã da comunidade.

Não estou dizendo que seja tranquilo a esposa do pastor não participar de nenhuma das atividades da igreja. Creio que ela deveria se envolver, sim, na medida do possível, como as demais mulheres da congregação. Li o seguinte comentário em uma postagem minha nas redes sociais sobre esposa de pastor: "Congreguei em uma igreja por dez anos, a mulher do pastor quase nem ia aos cultos de domingo, não interagia com ninguém, não participava de nada a não ser dos casamentos em que entrava com o pastor. Achava muito esquisito, mas o pastor dizia que era ele o pastor e ele é que devia ir à igreja, não ela".

Não sei quanto desse comentário é verdadeiro (sempre precisamos ter cuidado com o que é escrito em redes sociais), mas ele soa bastante plausível. Deve haver esposa de pastor assim, e eu não quero encorajar nenhuma a se abster completamente dos trabalhos da igreja em que o marido é pastor e pregador. Meu ponto é que ela deveria fazê-lo espontaneamente e não sob a pressão e a demanda da igreja por ela ser a esposa do pastor. Seu marido deveria protegê-la de cobranças injustas.

Segundo, lembre-se de que sua esposa não é pastora. Não só a proteja das cobranças da igreja, mas evite igualmente exigir dela que assuma posições em trabalhos da igreja para os quais ela não se sinta à vontade. Pregadores que cobram da esposa o envolvimento em praticamente todos os ministérios da igreja podem acabar ganhando uma pastora auxiliar, mas perdendo uma esposa. A participação da esposa na igreja deveria ser conversada e acordada entre ela e o pregador, de antemão, em oração. Acredito que a prioridade dela é o marido e os filhos, o que não quer dizer que não possa dedicar-se a algum ministério na igreja. Creio que ela deve ajudá-lo no que puder, mas não forçadamente. Lembremos que todos os que trabalham nas atividades da igreja são voluntários, no sentido de que não são obrigados a fazê-lo. A esposa do pastor não é exceção.

Em contrapartida, há esposas perfeitamente capacitadas, porém tímidas e receosas, que precisam de um pequeno empurrão do marido para assumir algumas funções, especialmente de liderança. O pregador deve conhecer a esposa o suficiente para não forçá-la além de seus limites. Dentro deles, contudo, creio que está correto encorajá-la a assumir responsabilidades em algum ministério da igreja em que ela se sinta capacitada.

Existem situações em que a esposa do pregador não terá muita escolha. Refiro-me, por exemplo, ao caso em que seu marido é pastor de uma pequena igreja no interior, onde existe falta de pessoas capazes para assumir alguns ministérios. Nesses casos, a esposa do pregador acaba tendo de entrar em cena e ajudar com as crianças, com o coral, com o grupo de senhoras e outros. Ainda assim, o pastor precisará colocar limites ao que sua esposa pode fazer, para não acabar prejudicando o casamento e a família. Aliás, creio que esse ponto vale para todos os casais da igreja. Algumas igrejas têm programação todos os dias da semana. Alguns homens e mulheres participam ativamente de vários ministérios. O resultado é que acabam não deixando tempo para o casamento e a família. Em se tratando do pregador e sua esposa, em igrejas pequenas, essa demanda é maior ainda.

Terceiro, reserve regularmente tempo de qualidade com ela. Isso é de extrema importância para manter o casamento em ordem. O pregador é geralmente muito requisitado para desenvolver o trabalho pastoral, atender pessoas, aconselhar membros de sua igreja ou quem o procura em busca de ajuda espiritual. Em meio a toda essa demanda, ele acaba esquecendo que a esposa precisa de companhia, precisa conversar, compartilhar, enfim, precisa do marido dela. Li em algum lugar que uma esposa de pastor pediu à secretária da igreja que marcasse na agenda do marido um atendimento para ela, entre os atendimentos diários que ele fazia, já que ele não tinha tempo para conversar com ela em casa. Depois de quarenta anos casados, a Minka ainda precisa desse tempo. Todas as mulheres casadas precisam. O pregador tem de estar atento a isso. Um dos maiores segredos do ministério é manter a esposa feliz!

Quarto, faça dela sua melhor confidente. Eu sei que o pregador que ama sua esposa deseja protegê-la e poupá-la das agruras, amarguras e tristezas do ministério. E não são poucas. Crises com a liderança da igreja, críticas infundadas dos membros, casais se divorciando, jovens da igreja cedendo à bebida e às drogas, tudo isso faz parte do trabalho pastoral, trazendo uma carga pesada aos ombros do pregador e cobrando um pedágio alto em sua saúde emocional, física e espiritual. A pessoa mais próxima dele é sua esposa. É perfeitamente natural que seja com ela que ele reparta o fardo. Às vezes, o pregador não precisa que a esposa o aconselhe ou ofereça uma solução para os problemas compartilhados e que o angustiam. Ele precisa apenas de alguém que o ouça e ore com ele. A esposa sábia perceberá quando precisa apenas abraçar o marido e orar com ele, com palavras de consolo e encorajamento, sem pretender resolver os assuntos.

Aqui o pregador precisa ter alguns cuidados. Algumas igrejas exigem sigilo quanto ao que se discute em reuniões de liderança. Nas igrejas presbiterianas, as reuniões do conselho (pastores e presbíteros) são privativas. Não estou seguro quanto ao procedimento de outras denominações. A razão para o sigilo nas igrejas presbiterianas é que nessas reuniões são discutidos assuntos que envolvem a vida particular dos membros, como, por exemplo, casos de adultério, fornicação, desonestidade e outros que não são do conhecimento público. O sigilo é para proteger o nome dos envolvidos. O pregador, portanto, deve cuidar ao compartilhar esses assuntos angustiantes com a esposa. Creio que ele pode falar de maneira geral, como: "Estamos tratando de um caso de embriaguez no conselho, um caso complicado, ore por isso". A esposa do pregador deve estar pronta a ouvir e guardar segredo. O pregador deve conhecer as fraquezas da esposa e, se uma delas é não conseguir ser discreta, ele deve evitar confidenciar-lhe o que se passa nessas reuniões ou em seu gabinete pastoral.

Quinto, ouça o que ela diz sobre seus sermões. A esposa é a melhor crítica que o pregador pode ter, já que ela acompanha regularmente o ministério do marido e conhece mais que ninguém o homem por trás da mensagem. Além disso, ela não tem receio de falar o que pensa sobre o que o marido pregou, pois nem esposas críticas nem críticas de sermão são causa bíblica para divórcio. Entretanto, a esposa precisa de sabedoria para dizer o que pensa. Talvez o melhor momento não seja após o culto, quando estão voltando para casa. Pode ser que o pregador esteja contente consigo mesmo e seu sermão. Uma crítica direta naquele instante pode azedar o restante do dia. O melhor é esperar a poeira baixar, como se diz, e mais tarde, com jeito, dar sua opinião, a não ser, é claro, quando o próprio marido perguntar o que ela pensa. Ela nunca deve esquecer de trazer uma palavra de encorajamento ao marido. Geralmente, pregadores saem do culto bem conscientes de suas deficiências e precisam mais de consolo que de chicote.

Nossa tendência como pregadores é nos fecharmos para as críticas ao sermão, talvez por pensar que Deus nos usa de qualquer maneira. Isso é verdade. Sempre me consolei dessa maneira, pois se Deus usou a queixada de um jumento, quanto mais um jumento inteiro![3] Contudo, isso não nos impede de procurar corrigir erros e trabalhar as deficiências. A esposa do pregador é uma excelente ajuda para isso, desde que o faça com sabedoria. Lembro que a tendência do ser humano é reagir negativamente às análises críticas de seus atos. Confesso que nem sempre tenho reagido muito bem às críticas da Minka. Contudo, olhando para trás, foram essas críticas que sempre me ajudaram a procurar ser um pregador melhor. Quando conquisto comentários positivos dela após um sermão, meu dia já valeu a pena!

Sexto, ajude sua esposa a não se tornar a líder da igreja. Esse conselho não se aplica a todas as esposas de pregador. Tenho em mente aquelas irmãs que, por serem a esposa do pastor da igreja, entendem que estão em

---

[3] Referência à história curiosa de Sansão, que derrotou seus inimigos usando uma queixada de jumento (Jz 15.15).

posição de autoridade na comunidade e com toda naturalidade assumem a liderança dos ministérios em que se envolvem e até mesmo nos negócios administrativos da igreja. Não são muitas, acredito, mas existem. Creio que cabe a seu marido ajudá-la a ficar em seu próprio lugar. Esposa de pastor não é pastora, por definição. Ela deveria ter senso suficiente para não querer usar sua posição para impor sua opinião e visão. E cabe ao marido alertá-la e ajudá-la, embora eu suspeite que, quando uma esposa de pastor age dessa forma, é porque, talvez, seu marido já tenha perdido a liderança em casa.

A esposa e os compromissos

Primeiro, há esposas de pregador que impõem restrições ao marido de viajar sem ela para cumprir compromissos de pregação em outras igrejas. O motivo pode ser desde ciúmes até preocupação com o bem-estar do marido. Se for este último caso, é compreensível, especialmente se o marido já tiver certa idade e alguma fragilidade física, embora seja necessário explicar a situação a quem convida a fim de que seja analisada a possibilidade de a esposa acompanhá-lo. Entretanto, quando não há necessidade clara de acompanhante e, portanto, o marido é capaz de viajar sozinho, a restrição da esposa deixa de ser razoável. Não é justo sobrecarregar financeiramente quem convida sem um bom motivo. O pregador precisa tratar do assunto com a esposa, especialmente se o motivo for ciúmes. Nesse caso, algo muito errado existe no casamento, e talvez seja necessário aconselhamento matrimonial. Durante anos viajei sozinho para pregar em lugares no Brasil e no exterior. Sentia falta da Minka, mas nossos filhos precisavam mais dela do que eu. Talvez o fato de ser filha de pregador tenha ajudado. Sou grato a Deus pela confiança que ela sempre depositou em mim, e rogo ao Senhor a graça de ser fiel até o fim.

É possível também que a esposa queira sempre acompanhar o marido simplesmente porque gosta de estar com ele e não há motivos para ficar sozinha em casa, no caso de não terem filhos para cuidar. Depois que nossos filhos cresceram e saíram de casa, a Minka passou a me acompanhar nas viagens, sempre que possível. Em muitos casos, fiz um acordo prévio com a igreja ou evento que me convidava, que eu pagaria a passagem dela e eles cuidariam da hospedagem. Posso compreender o desejo da esposa de sempre acompanhar seu marido, mas, como em todas as demais profissões, nem sempre isso é possível. As demandas domésticas, a falta de recursos financeiros e outras contingências dificultam para o pregador levar sempre a esposa aos compromissos. A esposa do pregador deve entender isso e não se tornar um tropeço para o ministério do marido.

Segundo, existe a situação contrária, de esposas que não querem acompanhar o marido em suas pregações, mesmo que quem convida pague a passagem e hospedagem de ambos. Pode acontecer, também, que a esposa não queira acompanhar o marido mesmo quando ele vai pregar em outra igreja na mesma cidade. Não posso dizer aqui que a recusa da esposa está errada, mas posso dizer que é, no mínimo, estranha. Lemos que Pedro e demais apóstolos costumavam levar a esposa quando viajavam, conforme Paulo escreveu: "Não temos o direito de levar conosco uma esposa crente, como fazem os outros apóstolos, e como fazem os irmãos do Senhor e Pedro?" (1Co 9.5).

Se não houver um motivo razoável, a esposa deveria, pelo menos algumas vezes, acompanhar o esposo em missão de pregação em outros lugares. Ouço falar de casos de pregadores casados com católicas. Pessoalmente, não conheço nenhum caso, a não ser de um presbítero. Sua esposa, católica, quase nunca ia à igreja e muito menos, obviamente, participava da vida da comunidade. Não consigo entender como alguém casado com uma mulher incrédula queira ser pregador da Palavra de Deus, diante dos requerimentos bíblicos já mencionados no início deste capítulo. Pior, como algumas igrejas aceitam essa situação? Minha sugestão não é que o pregador peça divórcio,[4] mas que peça desligamento de sua função, e que sirva a Deus com seu trabalho secular.[5]

Posso entender por que uma esposa católica não queira acompanhar o marido pastor nos cultos da igreja e nas viagens de pregação. Mas continuo sem entender como uma esposa crente se recusa a fazê-lo sem motivo justo. Aqui talvez seja relevante fazer menção ao casamento do grande pregador calvinista George Whitefield, colega de John Wesley e um dos maiores pregadores do grande avivamento do século 18. Ele foi casado com uma viúva chamada Elizabeth, que morreu antes dele. A julgar pelas

---

[4] O fato de um cônjuge ser descrente não é motivo para divórcio, conforme Paulo ensina em 1Coríntios 7.12, a não ser que o descrente queira se apartar em definitivo.
[5] De acordo com a teologia reformada, podemos servir a Deus em todas as vocações, como se fôssemos sacerdotes, desde que o trabalho seja honesto e correto.

poucas vezes que ele se refere a ela em suas cartas, parece que o casamento deles não era feliz. Depois dos cinco anos que Whitefield passou na América com ela, em trabalho de pregação (1744-1748), ela nunca mais o acompanhou em suas viagens. Em suas cartas, Whitefield escreveu que "ninguém na América poderia suportá-la". Aparentemente, a própria Elizabeth acreditava que tinha sido apenas um fardo para o marido. Um amigo próximo do casal, que conviveu com eles por um tempo, descreveu que Whitefield "não estava feliz com sua esposa". Assim, ele continua, "a morte dela deixou sua mente muito em liberdade".[6] Não quero aqui diminuir qualquer contribuição que Whitefield porventura tenha dado para a infelicidade de seu próprio casamento, mas chama atenção a recusa da esposa de acompanhá-lo, sem motivo justo, em suas viagens, o que muito deve ter contribuído para a infelicidade do pregador.

A briga antes do culto

Uma situação que é mais comum do que pensamos é a discussão do pregador com a esposa antes de saírem de casa para a igreja. Confesso que já fui emburrado pregar, lutando furiosamente com meus sentimentos de frustração e raiva, e com a consciência de que, como marido, é meu dever ter a iniciativa de pôr as coisas em ordem, mesmo naquele curto tempo entre nossa casa e a igreja. Algumas vezes conseguimos fazer as pazes a tempo, outras não. Nesse último caso, procuro aproveitar o tempo de adoração e confissão, que antecedem a pregação, para pedir perdão ao Senhor, orar pela minha esposa, confessar a dureza do meu coração e pedir que ele me abençoe e me use, apesar de mim, somente com base nas misericórdias de Cristo. Lembrar que sou justificado pela fé somente e não pelos meus méritos tem sido decisivo para que eu me levante para pregar quando a hora chega. Aqui cabe aquela palavra do meu sogro, também pastor: "A mensagem é maior que o mensageiro". Pode ser que o pregador se levante para pregar com o coração ainda cheio de raiva e ressentimento e ainda assim entregue a mensagem com fidelidade ao texto. Em sua misericórdia, Deus talvez use a verdade do que ele disse, uma vez que o Senhor

---

[6] Cornelius Winter, "Character of the celebrated Whitfield", in E. Bronson et al., *Select Reviews of Literature, and Spirit of Foreign Magazines*, vol. II (Philadelphia: Hopkins and Earle, 1809), p. 415.

usa a sua Palavra para salvar e edificar, mesmo dita por um pregador que, no momento, não está com os sentimentos corretos.

Para evitar essa situação, sugiro algumas medidas práticas. Inicialmente, deixem para conversar e resolver assuntos mais complicados para depois do culto, e não antes. Façam disto um propósito: nunca dar a chance para uma briga no tempo que antecede o culto. Lembrem-se do que disse o Sábio: "Começar uma briga é como abrir a comporta de uma represa; portanto, pare antes que irrompa a discussão" (Pv 17.14). Além disso, o pregador deve lembrar, mais que ninguém, a determinação de Paulo: "ame cada um a sua esposa e nunca a trate com aspereza" (Cl 3.19). Se tiverem de discutir sobre algum assunto sensível, que o pregador trate sua esposa conforme Pedro disse: "Sejam compreensivos no convívio com [sua esposa], pois, ainda que seja mais frágil que vocês, ela é igualmente participante da dádiva de nova vida concedida por Deus. Tratem-na de maneira correta, para que nada atrapalhe suas orações" (1Pe 3.7).

Ainda outra sugestão: quando possível, procurem fazer as pazes antes mesmo de sair de casa. Aqui cabe o que Senhor Jesus disse: "Se você estiver apresentando uma oferta no altar do templo e se lembrar de que alguém tem algo contra você, deixe sua oferta ali no altar. Vá, reconcilie-se com a pessoa e então volte e apresente sua oferta" (Mt 5.23-24).

Uma última sugestão para evitar brigas é dedicar um tempinho antes do culto para orarem juntos, suplicando sabedoria da parte do Senhor para resolverem os problemas e graça e misericórdia sobre a vida de ambos. Orem pelas pessoas que estarão presentes para ouvir a Palavra. Orem por seus filhos, caso eles também estejam na igreja. Orar juntos dissipa sentimentos de mágoa e amargura.

A força dos detalhes

Falemos sobre os procedimentos naturais quando a esposa do pregador o acompanha. Pode parecer mundano, mas brigas começam geralmente por coisas assim. Fica elegante o pastor apresentar a esposa antes de começar a pregar, ou pedir que o pastor da igreja local o faça. Isso é bom para deixar claro que ele é casado e que a patroa está com ele. Além disso, faz bem para a esposa, é claro. Se for um evento com várias pregações, fica bem que a esposa esteja em todas, em vez de ficar no local onde estão hospedados. A razão é simples: se nem a esposa do pregador tem interesse em ouvi-lo, por que os demais teriam? Se a prática da igreja for que o pastor e sua esposa fiquem à porta para cumprimentar os membros, o pregador e sua esposa devem segui-la. Se houver gente querendo tirar *selfies* com o pregador, seria bom ele não esquecer a esposa e pedir que ela esteja ao lado dele, a menos que ela não se importe ou não queira sua foto nas redes sociais. Tudo isso pode parecer coisa pequena, não espiritual, mas garanto que rende uma boa briga se não for tratado com cuidado!

"Pastoras"

Não podemos esquecer o caso de igrejas que tratam a esposa do pregador como "pastora". Existe essa prática, não nas igrejas históricas, mas nas igrejas mais recentes. Em algumas delas, a esposa do pastor, por definição, é pastora. E quando recebem pregadores de fora, costumam se referir à esposa deles como "pastora" e convidá-la para dar uma saudação à igreja ou mesmo uma breve palavra no culto. Já nos aconteceu de ir a uma igreja neopentecostal onde eu tinha de pregar e de chamarem a Minka para sentar-se à frente, junto com os demais pastores e esposas, que eram consideradas pastoras também. Ainda bem que ela não gostou muito da experiência.

Não creio que exista base bíblica para ordenação ou consagração de irmãs ao ministério da Palavra, como pastoras ou presbíteras. E muito menos para considerar pastora a esposa do pastor. Não vou demorar aqui explicando os motivos dessa minha posição.[7] Acredito que a esposa do pregador e as demais irmãs da igreja possam servir ao Senhor e aos irmãos com seus dons concedidos por Deus, sem que precisem ser ordenadas para isso, uma vez que não encontramos precedente bíblico para tal. No caso de o pregador ir a uma igreja onde existam pastoras, ordenadas ou por assimilação, como esposas de pastor, seria bom deixar claro que sua esposa não é pastora. Entretanto, ela pode trazer uma palavra de saudação à igreja e sentar-se com as demais irmãs "pastoras", se for essa a prática. Em resumo, eu não criaria obstáculos a isso e simplesmente seguiria o costume adotado pela igreja que nos convida.

Pode acontecer que a esposa do pregador não se sinta à vontade para ser tratada como pastora, sentar-se no tablado como se fosse pastora e

---

[7] Aos interessados em conhecer a argumentação bíblica contra a ordenação feminina, recomendo meu artigo sobre o assunto, já mencionado em outras notas de rodapé.

trazer uma saudação para a igreja. Eu não sei o que dizer em uma situação dessas. A Minka nunca teve problemas com isso, pois está ciente de que não é pastora, não almeja o cargo e sabe que todos sabem disso. No caso da esposa relutante, talvez o marido pudesse dar rapidamente uma palavrinha com o organizador do evento minutos antes e avisar que sua esposa não se sente bem tratada como pastora e, que se for possível, evitem chamá-la assim e convidá-la para sentar-se à frente ou falar.

Finalizando, espero ter tocado em alguns pontos importantes com respeito à esposa do pregador. Claro, muito mais poderia ser dito sobre o tema. Espaço e tempo não permitem que me alongue mais. Se eu fosse dar um conselho final ao pregador casado diria que dedique mais tempo à esposa, para que ela não venha a ver o seu ministério e a igreja como rivais. Tirar tempo semanalmente para conversar, namorar, ler um livro juntos, além do tempinho na hora das refeições, tudo isso ajuda a manter a esposa feliz e o casamento estável e agradável, que é um bálsamo para o pregador. Infelizmente não foi esse o caso de John Wesley, o grande pregador do século 18, fundador do movimento metodista. Seu casamento com Mary Vazeille foi extremamente conflituoso e infeliz, e finalmente ela o abandonou em 1758, por não conseguir competir com a dedicação que Wesley devotava ao crescente movimento metodista dentro do grande avivamento da Inglaterra. Suas alegações incluíam as viagens constantes do marido e as relações amigáveis que ele mantinha com várias mulheres do movimento metodista, ainda que contra ele não pese nenhuma suspeita ou acusação de ter cometido adultério.

Quando ela deixou a casa, Wesley escreveu em seu diário: "Por uma causa desconhecida por mim, minha esposa partiu para New Castle com o propósito de nunca mais voltar. Eu não a rejeitei, eu não a mandei embora, e eu não vou atrás dela".[8] Pode ser que Wesley não tenha percebido o motivo de sua esposa deixá-lo, mas todos os historiadores, inclusive metodistas, identificam suas longas ausências de casa como a principal razão para o divórcio que veio em seguida. Deus não deixou de usar Wesley no grande avivamento, mas certamente seu casamento fracassado entrou na história como ilustração da importância de os pregadores do evangelho dedicarem tempo à esposa.

---

[8] Stephen Tomkins, *John Wesley: A Biography* (Grand Rapids, MI: Wm. B. Eerdmans Publishing Company, 2003), p. 174.

22

Os filhos do pregador

Aqui, também, alguém poderia perguntar, não sem razão, se há necessidade de dedicar um capítulo deste livro aos filhos do pregador. Em que eles são diferentes dos filhos dos demais membros da igreja? Creio que a resposta é de conhecimento de todos. De maneira explícita ou implícita, as igrejas em geral têm uma expectativa sobre a vida e conduta dos filhos do pastor. O que se tolera nos filhos dos crentes em geral não se admite nos filhos do pregador. Essa é uma demanda silenciosa, na maioria dos casos, e que acaba fazendo parte da rodinha de conversas da igreja. Obviamente, esse tipo de comportamento está errado, mas é preciso admitir que existe alguma demanda bíblica quanto ao comportamento dos filhos do pastor e dos presbíteros. Reapresento aqui as condições requeridas nas cartas de Paulo a Timóteo e Tito para alguém que almeja se tornar líder em sua igreja, destacando em itálico os trechos referentes aos filhos:

> Esta é uma afirmação digna de confiança: "Se alguém deseja ser bispo, deseja uma tarefa honrosa". Portanto, o bispo deve ter uma vida irrepreensível. Deve ser marido de uma só mulher [...]. *Deve liderar bem a própria família e ter filhos que o respeitem e lhe obedeçam.* Pois, se um homem não é capaz de liderar a própria família, como poderá cuidar da igreja de Deus?
>
> 1Timóteo 3.1-2,4-5

> O presbítero deve ter uma vida irrepreensível. Deve ser marido de uma só mulher, *e seus filhos devem partilhar de sua fé e não ter fama de devassos nem rebeldes.* O bispo administra a casa de Deus e, portanto, deve ter uma vida irrepreensível.
>
> Tito 1.6-7

Em resumo, Paulo está dizendo que para alguém se qualificar para o ofício de bispo ou presbítero[1] precisa ter filhos que o respeitem e lhe obedeçam, que partilhem da fé cristã e que não tenham fama de devassos. Um membro de igreja evangélica pode ser um péssimo pai, com filhos desobedientes e de conduta reprovável. Embora essa situação não o impeça de ser membro da igreja, participar da Ceia e das reuniões administrativas ou assembleias, ele não pode ser aceito como pastor, pregador da Palavra de Deus. Filhos rebeldes e desobedientes revelam que ele possivelmente não foi bem-sucedido em casa, em criar e educar seus filhos. Portanto, não teria autoridade ou sabedoria para cuidar da igreja e dos filhos dos outros, como pastor, mestre e pregador. Muito embora Paulo tenha feito essas restrições aos que "desejam ser bispos" (1Tm 3.1), entendo que se estende aos que já o são. O comportamento dos filhos revela alguma coisa sobre o pai. Daí a necessidade de um capítulo sobre esse assunto.

É preciso esclarecer um ponto crucial antes de prosseguirmos. Entendo que Paulo tem em mente, ao passar essas instruções, filhos que ainda estão sob a autoridade de seu pai.[2] Não há como estabelecer uma idade limite visto que as situações familiares são distintas. O ponto central aqui é que, enquanto os filhos do pregador são pequenos, adolescentes e mesmo jovens, moram com seus pais — e, portanto, sob as regras da casa — e por eles são sustentados, devem mostrar obediência aos pais. Devem ser respeitosos, não viver dissolutamente, ir à igreja e ter outras atitudes justas demandadas pelos pais. Filhos que assim se comportam revelam uma criação zelosa e amorosa, e se tornam uma recomendação para aquele que deseja ser ministro do evangelho. Mas chegará um tempo em que os filhos sairão de casa, para estudar, casar e constituir família. A partir do momento em que já não vivem sob a autoridade do pai, cessa a demanda para os pregadores mencionada por Paulo. É a forma como entendo, pois não faz sentido responsabilizar o pregador pelo filho que se desviou do evangelho depois que se tornou adulto.

---

[1] Ver nota na p. 292.
[2] Embora o termo para "filhos" aqui seja *téknon*, que normalmente se usaria para filhos pequenos, não se pode forçar esse ponto, pois às vezes é usado para filhos crescidos. É somente pelo contexto e pela razão que podemos sustentar essa posição.

Sugestões para o pregador

Parto aqui do pressuposto, como em outros capítulos, de que o pregador é pastor de uma igreja local e que, eventualmente, vai a outros lugares em missão de pregação. A primeira sugestão é: não se ausente muito de casa. Sua prioridade é sua família. Você pode perder o ministério e preservar a família, mas não pode perder a família e preservar o ministério. Por mais que sua agenda de aconselhamento e pregação esteja cheia, resista à tentação de ocupar todos os dias da semana com trabalho pastoral a ponto de não deixar tempo para seus filhos. Uma das queixas mais frequentes de filhos de pastor que se desviaram é que o pai era ausente. É claro que isso não justifica a decisão do filho de abandonar a igreja e a fé, mas sem dúvida acaba contribuindo para tal.

Não se trata, no entanto, de apenas ficar em casa, mas de se envolver na vida de seus filhos, ajudá-los nos deveres de casa, ler livros ou assistir a séries juntos, participar com eles das tarefas domésticas, como lavar louça, limpar a casa e arrumar o quarto, e especialmente ler a Bíblia e orar com eles. No caso de ter uma agenda pesada de pregações, procure intercalar os compromissos com tempo de qualidade com os filhos. Durante os anos em que moramos em São Paulo, fazíamos anualmente a viagem de carro de São Paulo até Recife com nossos filhos, aproveitando as férias deles, para rever a família. Eram três a quatro dias na estrada, e mais vários dias na praia. Fizemos isso por onze anos. Foi muito bom para me aproximar dos filhos e fazermos coisas juntos. O pregador que tem filhos pequenos deveria planejar para conciliar suas férias com as férias deles, para poderem sair, se tiverem condições financeiras para tal, ou, se não tiverem, planejar passeios e atividades com eles.

Segundo, pense em mudar sua rotina de pregações com a chegada dos filhos. Enquanto os filhos não chegam, o pregador tem mais tempo para o trabalho pastoral e mais liberdade para sair e pregar fora. Mas, à medida que eles entram em cena, o pregador deve diminuir seu ritmo de trabalho. Não é justo deixar os cuidados das crianças nas mãos da esposa apenas. A presença do pai é importante para o crescimento dos filhos, além do suporte necessário à mãe.

Terceiro, assim que seus filhos puderem entender, explique-lhes a razão de suas ausências e a importância de seu trabalho como pregador da Palavra de Deus. Não estou dizendo que isso será suficiente para compensar a ausência constante do pregador, mas certamente ajudará a criançada a entender por que o papai nem sempre está em casa. Ajude-os a crescerem cientes do privilégio e da responsabilidade de serem filhos de um pregador do evangelho.

Quarto, quando possível, leve seus filhos aos compromissos de pregação. Obviamente, isso não poderá ocorrer em viagens longas de avião, devido aos custos. Mas levá-los a pregações na mesma cidade ou mesmo em uma cidade próxima é possível e os ajuda a entender o ministério do pai. Fiz isso algumas vezes e certamente ajudou os meninos a verem o que papai fazia quando não estava em casa.

Quinto, nunca exija alguma coisa deles usando seu cargo como motivo. Não diga, por exemplo, coisas como: "Vocês são filhos do pastor da igreja, não deveriam se comportar dessa maneira". Eles crescerão detestando a igreja por dentro. Exija que eles obedeçam simplesmente porque é o que Deus requer deles, conforme sua Palavra. Procure nunca dar motivos para que eles venham a detestar o fato de serem filhos de pastor.

Sexto, lembre-se de que você é o principal responsável pela criação deles. Em Efésios 6, o apóstolo Paulo instrui os filhos a obedecerem a seus pais, isto é, o pai e a mãe (Ef 6.1, *oneus*, no grego). Em seguida, ele instrui os pais, isto é, os homens que são pais (Ef 6.4, *pateres* no grego) a criarem os filhos conforme a disciplina e a instrução que vêm do Senhor. Infelizmente a língua portuguesa não diferencia entre *pais* (pai e mãe) e *pais* (homens que são pais), mas uma consulta no original grego deixa claro que Paulo tem em mente os pais, e não as mães, como principais responsáveis pela criação dos filhos. Em outras palavras, para que o pregador obedeça a essa injunção bíblica precisará de tempo em casa, tempo com os filhos, tempo para encorajá-los, admoestá-los e corrigi-los. Não deixe a disciplina e a correção somente para sua esposa.

Sétimo, não presuma que seus filhos são crentes e estão salvos. O fato de serem filhos de pastor de maneira alguma significa que nasceram crentes e salvos. Eles precisam ser evangelizados, confrontados e advertidos acerca do inferno e encorajados a crer no Senhor Jesus para perdão de seus pecados. Infelizmente, a quantidade de filhos de pastores desviados do evangelho é uma evidência solene do que estou dizendo.

Oitavo, não se apresse em ver seus filhos professando a fé diante da igreja. Aguarde que eles deem mostras claras de que realmente creem no Senhor Jesus e que entregaram seu coração a ele. Às vezes, por causa da pressão da igreja, o pregador colhe o fruto cedo demais, com resultados desastrosos no futuro.

Nono, proteja seus filhos das demandas injustas da igreja. Assim como ocorre com relação à esposa do pastor, algumas igrejas também fazem demandas injustas quanto a seus filhos. Há uma expectativa de que sejam as crianças mais obedientes da igreja, os adolescentes mais comportados e os jovens mais espirituais. Por um lado, isso é compreensível, considerando o que a Bíblia exige do pregador quanto a seus filhos (1Tm 3.1-5; Tt 1.6-7). Por outro, essas demandas não devem ser exigidas a ponto de esquecerem que os filhos do pregador também são pecadores como os filhos dos demais membros da igreja, que eles estão passando por um processo de crescimento e que não são perfeitos ou capazes de obedecer às demandas da Palavra de Deus, exatamente como quaisquer outros adolescentes e jovens da igreja. Também existe uma expectativa de que os filhos do pastor se engajem na banda, no grupo de jovens, no ministério de evangelismo e assim por diante. Sem dúvida, seria muito bom para eles e para a igreja, mas não por imposição e sob constrangimento. As igrejas não deveriam pressionar os filhos do pregador a assumirem a liderança de algum ministério.

Décimo, procure envolver seus filhos, o máximo possível e de maneira voluntária, nas atividades da igreja e encorajá-los a fazer boas amizades com outras crianças, adolescentes e jovens. Faça-o, porém, sem constrangê-los. Se estão na idade de querer namorar, oriente-os para que, se isso vier a acontecer, seja com alguém crente em Cristo. É muito importante que eles tenham bons amigos na igreja. Contudo, cuidado para não criar seus filhos em uma bolha, sem amigos descrentes. É claro que essas amizades têm de ser supervisionadas e que algum cuidado precisa ser tomado com relação a saídas, passeios, troca de mensagens pelo celular etc. Meu ponto é que não fomos para o céu ainda, somos chamados a viver neste mundo. Se nossos filhos forem superprotegidos e nunca tiverem experiência em lidar com amigos descrentes e estilos de vida diferentes, terão um choque tremendo ao ir para a universidade ou ao conseguir um trabalho em que a grande maioria das pessoas seja descrente.

Como uma última sugestão, quero ainda lembrar o pregador de que não deve posicionar seus filhos acima dos demais adolescentes e jovens da igreja. Não os coloque em um pedestal. Não exija para eles um tratamento diferenciado. E se eles vierem a cometer faltas que mereçam ser disciplinadas, não faça acepção por serem seus filhos. Trate-os como trataria qualquer outro membro da igreja. Infelizmente, existe essa ideia de que igreja é um negócio que o pai passa para o filho. Onde isso prevalece, os filhos do pastor são desde cedo tratados de maneira diferenciada, como se fossem os príncipes herdeiros da posição do pai. Filho de pastor não é pastor necessariamente. Ser pastor não é algo que se ganha por genética, mas por vocação divina.

Pregadores com filhos desviados

Chegamos agora a um assunto muito delicado, mas que precisa ser abordado em um livro como este. Infelizmente, existem muitos filhos de pregadores que já não frequentam uma igreja e que até mesmo abandonaram a fé um dia professada. Essa experiência pode ser uma das mais dolorosas do ministério pastoral. Não estou minimizando o sofrimento dos demais membros da igreja com filhos nessa condição. Estou apenas lembrando que, no caso do pregador, essa dor tem complicações mais profundas. Afinal, seus filhos abandonaram aquilo em que o pregador crê e que ensinou a vida toda. Seus filhos escutaram seus sermões e ouviram suas aulas na escola bíblica durante anos. A primeira impressão é que o desvio de alguns deles, ou de todos, representa uma mancha na credibilidade do pregador e de sua esposa quanto ao tipo de educação aplicada.

Durante os dez anos em que servi a Universidade Presbiteriana Mackenzie, em São Paulo, tive a triste experiência de tomar conhecimento, por meio dos capelães, de muitos jovens, inclusive filhos de pastores, que já durante o primeiro ano haviam perdido o interesse pelos estudos bíblicos promovidos pela capelania e outros ministérios para universitários. Pior, alguns deles passaram a frequentar os diversos bares ao redor da universidade, e mesmo a consumir drogas. Isso acontecia especialmente com aqueles jovens que vinham de outras cidades para estudar em São Paulo, deixando para trás família, igreja e os amigos crentes. Muitos desses jovens eram líderes em sua igreja, atuando na banda, no grupo de adolescentes e de jovens. Sair de casa, fazer amigos descrentes, não ter quem os "vigiasse", tudo isso acabou levando os jovens a uma desconexão emocional com a fé cristã e, logo, a assumir um padrão de vida e uma visão de mundo sem Deus, deixando para trás tudo o que haviam aprendido na casa dos pais.

Durante meus quarenta anos de pastorado, tive de orientar e ajudar casais desconsolados com os filhos desviados. Nunca foi fácil fazer isso. Especialmente quando se tratava de um colega pastor. E aqui introduzo meu próximo ponto: como um pregador pode lidar com a dor de ver seus filhos se desviarem dos caminhos do Senhor?

Embora seja um consolo amargo, a verdade é que o pregador não está só nesse ponto. Vários personagens bíblicos, inclusive homens de Deus, tiveram filhos que se desviaram dos caminhos do Senhor. É significativo que o primeiro pai, Adão, gerou um filho piedoso e outro ímpio, ambos frutos da mesma semente (1Jo 3.11-12). Isaque, um dos patriarcas, homem temente a Deus, gerou Esaú, chamado de profano na Bíblia (Hb 12.16). Seu filho Jacó, que mais tarde seria chamado de Israel, teve doze filhos, e aparentemente apenas um, José, era de fato temente a Deus. Seus irmãos o venderam para os midianitas (Gn 37.28). Vários dos filhos de Jacó, o homem que lutou com Deus e prevaleceu, cometeram pecados graves, desde Rubens, que teve relações íntimas com uma das concubinas de seu pai (Gn 35.22), até Levi e Simeão, que assassinaram os homens de uma cidade por vingança (Gn 34.25). O profeta Samuel, homem de Deus, teve dois filhos que ocuparam a função de juízes, mas que cometeram toda sorte de avareza, aceitando suborno e corrompendo-se. A Bíblia diz que os anciãos de Israel procuraram Samuel e lhe disseram: "Olhe, o senhor está idoso e seus filhos não seguem seu exemplo" (1Sm 8.1-5).

Davi não foi o melhor exemplo de pai, marido e homem. Entretanto, era temente a Deus e foi chamado pelo próprio Deus de "um homem segundo o meu coração; fará tudo que for da minha vontade" (At 13.22). Davi conheceu o poder restaurado do arrependimento e da confissão (Sl 32; 51). Entretanto, seu filho Amnon estuprou a irmã, Tamar, e cometeu incesto (2Sm 13), enquanto seu outro filho, Absalão, procurou matá-lo para tomar o trono (2Sm 15). Vários reis de Judá, tementes a Deus e que foram instrumentos de reformas espirituais profundas, geraram um filho idólatra e ímpio que desfez tudo de bom que o pai havia feito. O rei Josafá gerou Jeorão, que não andou nos caminhos do seu pai, mas seguiu o exemplo dos reis idólatras de Israel (2Rs 8.16-18). O piedoso Jotão gerou o ímpio Acaz, um dos piores reis que jamais subiu ao trono de Judá (2Rs 16.1-4).

O caso mais espantoso parece ter sido o de Manassés, filho do rei Ezequias, homem temente a Deus. Ezequias acabou com a idolatria e o culto a Baal e a Aserá, em Judá, e promoveu a restauração do templo. Manassés, seu filho, não somente não seguiu o exemplo do pai como ainda reconstruiu os altares que seu pai havia destruído, mergulhando Judá em uma das piores fases de idolatria (2Rs 21.1-9). O profeta Ezequiel menciona o caso de um homem justo e temente a Deus que gera um filho ímpio, que não teme ao Senhor (Ez 18.5-10). Jesus contou a história do homem que teve dois filhos, dos quais o mais novo saiu de casa para viver uma vida pródiga e dissoluta (Lc 15.11-24).

Outros exemplos poderiam ser citados aqui, mas creio que esses são suficientes para mostrar que homens de Deus podem acabar gerando filhos que não amam o Senhor e que não andam em seus caminhos. Naturalmente muitos dirão, sobre os exemplos citados, que embora fossem homens de Deus falharam tremendamente como pais, a exemplo do rei Davi, o que levou seus filhos a cometerem tais males. Ainda que seja verdade que vários desses homens de Deus fizeram um péssimo trabalho como pais, aparentemente nem todos foram assim, como o profeta Samuel ou o rei Ezequias, dos quais nada é dito em termos de fracasso paterno.

Outros poderiam ainda citar a conhecida passagem de Provérbios: "Ensine seus filhos no caminho certo, e, mesmo quando envelhecerem, não se desviarão dele" (Pv 22.6), com isso querendo dizer que, se os filhos se desviam, a culpa é sempre dos pais, que não os ensinaram no caminho em que devem andar. Acredito que seja esse o caso na maioria das vezes. Contudo, lembremos que o livro de Provérbios é uma compilação das percepções dos sábios de Israel sobre o que *geralmente* acontecia com os que temiam a Deus (que era o princípio da sabedoria) e com os que não temiam. Assim, na observação deles, quem fazia o bem normalmente era abençoado e próspero, e quem fazia o mal geralmente acabava castigado. Essa era a regra geral. Entretanto, havia exceções, quando justos como Jó eram castigados e os ímpios prosperavam. Assim, se um pai criasse um filho nos caminhos do Senhor, a criança, via de regra, continuaria naquele caminho até a velhice, embora pudesse haver exceções. Esse versículo, portanto, não deve ser lido como uma promessa, mas como um encorajamento à luz do que normalmente acontece, que é a criança não se desviar do caminho do Senhor, se for criada nele.

Eu poderia mencionar também alguns casos de pregadores internacionalmente famosos, de integridade inquestionável, que tiveram filhos que mais tarde se tornaram ateus ou se voltaram contra o próprio pai. Um dos mais conhecidos é o já falecido apologeta Francis Schaeffer, um dos maiores defensores modernos da fé cristã e fundador do ministério L'Abri. Seu filho, Frank Schaeffer, cresceu como evangélico, mas depois largou a fé e se tornou o que ele mesmo chama de "ateu cristão", tendo publicado vários livros criticando o cristianismo conservador. Chega a afirmar que, embora frequente a igreja aos domingos, nem sempre crê, e muito menos sabe, se Deus existe. Em seus livros, narra como foi crescer na família Schaeffer e faz críticas pesadas a seus pais por terem contribuído para o surgimento da direita nos Estados Unidos. Declara que seu alvo é fazer os jovens romperem com sua lealdade à Bíblia. Que tristeza! Ainda bem que Francis Schaeffer já não vive para ver o que aconteceu com seu filho.[3]

Mais recentemente, temos o caso de John Piper, que teve cinco filhos. Deles, Abraham Piper assumiu ser descrente aos 19 anos de idade e foi excluído da Igreja Batista Bethlehem, a igreja de seu pai. A partir daí, devotou-se a uma cruzada contra o cristianismo em geral, e contra o pai em particular, usando seu perfil no TikTok, que conta com quase 1 milhão de seguidores. Só podemos imaginar a dor do pregador em ver seus filhos não apenas fora do evangelho, mas também lutando publicamente contra ele.

Outros nomes poderiam ser mencionados. Há centenas de pregadores que se esforçaram por criar seus filhos nos caminhos do Senhor, com muita oração e dedicação, mas que um dia tiveram a tristeza de ver um, ou mais, assumir sua descrença em Deus ou no evangelho, e o desejo de não mais participar da membresia da igreja. É um amargo conforto para o pregador saber que ele não está só nesse caso.

É bom levarmos em conta que na maioria das vezes não são todos os filhos do pregador que se desviam, mas um ou outro. Os demais permanecem firmes naquilo que lhes foi ensinado desde a infância. Em casos assim, quando a mesma educação foi dada a todos, precisamos considerar a responsabilidade de cada filho diante de Deus. Eles são agentes morais, capazes de fazer escolhas. Uns crerão, outros não. Se todos os nossos filhos são crentes, é motivo de grande gratidão ao Senhor.

A história bíblica e a história da igreja demonstram claramente que homens piedosos, que procuraram criar seus filhos nos caminhos de Deus,

---

[3] Sobre as posições de Frank Schaeffer, ver Douglas Groothuis, "Frank Schaeffer: Still the Enfant Terrible", Christian Research Journal, vol. 38, nº 03 (2015), disponível em: <https://www.equip.org/PDF/JAF8383.pdf>. Acesso em 2 de março de 2023.

tiveram o desgosto de ver alguns deles se desviarem dos caminhos do Senhor. O oposto também é verdade. Homens ímpios geram filhos piedosos e tementes a Deus. Quantos deles não há em nossas igrejas! Jovens crentes, filhos de homens e mulheres ímpios, e oriundos de lares destroçados que vieram a conhecer o Senhor por meio de amigos, vizinhos ou da internet. Estou dizendo isso para não estabelecermos uma relação necessária de causa e efeito entre filhos desviados e uma criação totalmente errada.

Tampouco estou querendo desmotivar os pais que estão criando seus filhos na disciplina e na admoestação do Senhor. Quero apenas lembrar que a conversão de seu filho depende, em última análise, de Deus agir no coração dele. O Senhor usa geralmente o ensino dos pais para fazê-lo, mas meu argumento é que há exceções. Essa ênfase é importante para tirar do coração do pregador e de sua esposa o peso tremendo de ter um filho que não mais anda nos caminhos de Deus. Quanta dor! Quanta culpa! Certamente todos nós erramos, em maior ou menor medida, na criação de nossos filhos, e se algum deles se salva é apesar de nós, e não por nossa causa.

O pregador não é o Espírito Santo

O pregador precisa ter sempre em mente que o máximo que ele alcança são os ouvidos de seus filhos. Somente o Espírito Santo pode alcançar o coração deles. Pode parecer óbvio, mas não é assim que funciona na prática. Os pais agem por vezes como se fossem capazes de converter os filhos, e se sentem culpados quando a esperada conversão não acontece. Guardadas as devidas proporções, o testemunho de Paulo pode nos ajudar a entender esse ponto: "Digo-lhes a verdade, tendo Cristo como testemunha, e minha consciência e o Espírito Santo a confirmam. Meu coração está cheio de amarga tristeza e angústia sem fim por meu povo, meus irmãos judeus. Eu estaria disposto a ser amaldiçoado para sempre, separado de Cristo, se isso pudesse salvá-los" (Rm 9.1-3). Paulo estaria disposto a ser amaldiçoado para sempre se isso pudesse salvar seus compatriotas. Da mesma forma, pais piedosos estão geralmente dispostos ao mesmo sacrifício por seus filhos. Contudo, Paulo sabia que isso não salvaria os judeus. Sua morte não os converteria nem serviria de propiciação pelos pecados deles. Creio que existem pregadores que estariam dispostos a ocupar um lugar no inferno no lugar de seu filho desviado e ateu, mas obviamente Deus não aceitaria essa troca. Um pecador não pode oferecer satisfação a Deus no lugar de outro. Isso já foi feito por Jesus Cristo. O pregador deve sempre se lembrar disso. Ele deve educar seus filhos nos caminhos do Senhor, o melhor que puder, e *depender* do Espírito Santo para a conversão deles. Deve orar diariamente pela conversão de seus filhos e dar toda a glória a Deus quando derem sinais de ser novas criaturas.

Alguns pregadores — e os crentes em geral — às vezes lutam com a doutrina da predestinação quando pensam na possibilidade dos filhos se desviarem e eventualmente morrerem sem Cristo. Será que meu filho é eleito? Será que foi predestinado para a salvação? Essas considerações não deveriam impedir o pregador de orar por seu filho e evangelizá-lo. Se ele é eleito ou não, pertence aos mistérios divinos que não nos foram revelados.

Muitos regressam depois de um tempo

Esse fato é motivo de esperança e consolo. Acontece com alguma frequência que filhos desviados voltem para a igreja depois de um tempo. Já mencionei o caso do rei Manassés, um dos reis mais ímpios que governou Judá, filho do piedoso rei Ezequias. Manassés fez o que era mal aos olhos do Senhor, que mandou o rei ímpio para o cativeiro na Babilônia. O livro de Crônicas nos diz, entretanto, que ali na Babilônia Manassés se arrependeu, chorou e se voltou para o Senhor. Deus o perdoou e reverteu a sua situação, e Manassés voltou para Judá e para o trono, reconhecendo que o Senhor era Deus (2Cr 33.10-13). O filho pródigo da parábola contada por Jesus, depois de um tempo de miséria e sofrimento, arrependeu-se, caiu em si e voltou para seu pai, que o esperava de braços abertos (Lc 15.11-24).

Foi esse o meu caso. Desviei-me do evangelho quando tinha 17 anos de idade. Ia forçado à igreja e, assim que pude, deixei de ir. Junto com outros filhos de crentes, formamos um grupo de amigos para bebedeiras e a prática de prostituição, violência e alguns furtos. Fiquei nessa vida até os 23 anos. Nesse período, fui uma grande fonte de sofrimento para minha família. O Senhor me chamou em setembro de 1977 e vim com o coração transformado. Quanta alegria para minha mãe, que nunca deixou de orar por mim!

Há também o caso do famoso pregador Billy Graham, considerado por muitos o maior evangelista do século 20. Ele teve cinco filhos, dos quais um, Franklin Graham, se desviou cedo da fé cristã. Em sua autobiografia,

Rebel with a Cause [Rebelde com uma causa],[4] Franklin revelou que aos 22 anos, após um período de rebelião e viagens pelo mundo, entregou sua vida a Jesus Cristo enquanto estava sozinho em um quarto de hotel em Jerusalém, em 1974. Durante o tempo que passou fora da igreja, certamente foi uma fonte de dor e sofrimento para seus pais. Mas, pela graça de Deus, retornou, e hoje é um dos nomes mais conhecidos no meio evangélico, continuando em alguma medida o legado de seu pai.

Narrei os eventos acima para que o pregador não deixe de orar pelo filho desviado. Enquanto há vida, há esperança. O Senhor pode, a qualquer momento, fazer desabrochar e dar muitos frutos à semente do evangelho que foi plantada no coração do filho rebelde e regada com oração e lágrimas. Não há idade para isso. Alguns filhos de crentes se convertem já idosos, e nesses casos o pregador não chega a ver o retorno do filho rebelde, ocorrido depois de sua morte.

Um dia tudo passará

Por fim, há um ponto que considero fundamental, a saber, que na glória as relações familiares desvanecerão diante das relações espirituais. Uma das maiores dores para quem tem filhos desviados é quando pensam nos filhos que morreram sem arrependimento e sem ter voltado para Cristo, e que consequentemente sofrem na eternidade a ira de Deus por seus pecados. Pensamos como será na eternidade, quando estivermos na glória e nos lembrarmos deles. Como poderá ser céu assim? Como poderá haver alegria para sempre se me recordo do filho ou da filha sofrendo no inferno? Não diz a Bíblia que na glória não haverá mais lágrimas (Ap 7.17; 21.4)?

Na tentativa de aliviar a dor de ficar lembrando o sofrimento do filho que se perdeu, muitos adotam o pensamento que depois da morte não teremos mais lembrança das coisas da terra, não reconheceremos nossos irmãos e amigos e, portanto, não sentiremos falta de entes queridos que porventura estejam no castigo eterno. Outros passam a aceitar o aniquilacionismo, que diz que o castigo dos ímpios não é o sofrimento eterno, mas a aniquilação, deixar de existir. Assim, consolam-se com a ideia de que não há tormento eterno para os filhos rebeldes contra Cristo, pois a

[4] Franklin Graham, *Rebel With A Cause* (Nashville, TN: Thomas Nelson, 1997).

morte significa aniquilação total deles, para sempre. Eles não estão sofrendo, simplesmente deixaram de existir.

Contudo, por mais atraente e confortante que essas posições possam ser, elas não correspondem ao ensino bíblico. Reconheceremos as pessoas na glória e nos lembraremos de tudo o que aconteceu enquanto vivemos neste mundo, inclusive de nossa família, amigos, parentes e outras pessoas. Saberemos, sim, quem não está conosco e que, portanto, está debaixo do castigo divino. A negação das penas eternas também não encontra fundamento bíblico, diante das muitas passagens que se referem à vida eterna ou ao sofrimento eterno como o destino das pessoas (Mt 25.46; Mc 9.42-48; Jo 3.36; Rm 2.6-1; Ap 20.10; Lc 16.19-31). Como, então, reconciliar as passagens que falam que seremos eternamente felizes na glória, ao lado de Cristo, com aquelas outras que nos falam da eternidade do sofrimento e que nos lembraremos de nossa vida aqui neste mundo? Creio que a solução está em um episódio registrado nos Evangelhos em que Jesus revela que os laços espirituais que unem os que nele creem são mais fortes do que os laços familiares.

> Então a mãe e os irmãos de Jesus foram vê-lo. Ficaram do lado de fora e mandaram alguém avisá-lo para sair e falar com eles. Havia muitas pessoas sentadas ao seu redor, e alguém disse: "Sua mãe e seus irmãos estão lá fora e o procuram".
>
> Jesus respondeu: "Quem é minha mãe? Quem são meus irmãos?". Então olhou para aqueles que estavam ao seu redor e disse: "Vejam, estes são minha mãe e meus irmãos. Quem faz a vontade de Deus é meu irmão, minha irmã e minha mãe".
>
> Marcos 3.31-35

A reação de Jesus poderia parecer a quebra do quinto mandamento, "honra teu pai e tua mãe", mas havia algo muito mais básico por trás de toda a situação. Ele respondeu à informação de que sua mãe e seus irmãos estavam do lado de fora com uma pergunta retórica: "Quem é minha mãe? Quem são meus irmãos?". Sua pergunta podia parecer rude e mal-educada, mas tinha como alvo levar as pessoas a refletirem sobre a verdadeira natureza do reino de Deus e seus membros. A sua verdadeira família, disse ele, eram aqueles que estavam ali, sentados ao seu redor, e não aqueles que estavam do lado de fora, seus parentes de sangue. Os que estavam "ao seu redor" eram seus discípulos, aqueles que o ouviam, seguiam, amavam e lhe obedeciam. Aqueles eram sua família, pois eles estavam ali fazendo a vontade de Deus. Estavam escutando o Filho de Deus e prontos a cumprir aquilo que Jesus ensinasse. Isso indicava que eram filhos de Deus e, portanto, família espiritual de Jesus.

Jesus não quis dizer com isso que não se importava com sua mãe e seus irmãos. Ele amava Maria, sua mãe, e a amou até o momento de sua morte. Ele era um filho cuidadoso e respeitoso. Também não estava ensinando que devemos colocar nossos irmãos crentes acima da nossa família ou colocar as coisas da igreja em primeiro lugar, negligenciando os deveres familiares. Tampouco está ensinando que devemos tratar com desprezo nossos parentes que não creem nele. O que Jesus quis dizer foi que a família final e duradoura do cristão é feita dos irmãos em Cristo; que os relacionamentos e laços espirituais transcendem nossos laços de casamento e de sangue neste mundo — são os laços espirituais que durarão para sempre! E que, dessa perspectiva, Maria, sua mãe, não estava acima dos demais discípulos — Jesus não lhe deu qualquer deferência ou lugar especial. Ele estava ensinando que os verdadeiros cristãos são os que ouvem e praticam a vontade de Deus, e que por vezes, infelizmente, ser de Cristo pode implicar tensão e até separação dos familiares neste mundo.

Dessa perspectiva, acredito que, quando estivermos na eternidade, mesmo que lembremos de nossos familiares que sofrem as penas eternas, lembraremos deles à luz da justiça de Deus e de nossos laços com os irmãos e irmãs em Cristo de todas as épocas. Entenderemos perfeitamente como Deus é justo em castigar os ímpios e misericordioso em nos dar uma família para sempre. Não haverá lágrimas, ressentimentos, tristeza ou saudade. Somente plena alegria em Cristo, para todo sempre. Estaremos em casa.

23

Pregadores divorciados

O tema deste capítulo tem sido motivo de debate acirrado entre os evangélicos. Basicamente a questão é se um pastor que passou pelo divórcio pode continuar no ministério como pregador da Palavra de Deus. Existem diferentes respostas para essa questão, desde a afirmação de que em nada afeta o ministério do pastor até aquela que exige seu desligamento do pastorado. Com o aumento do número de divórcios na população e entre os evangélicos em geral, essa questão tem se tornado ainda mais sensível, visto que, acompanhando a tendência, o número de pregadores divorciados também cresce.

O conceito de casamento na Bíblia

Creio que a melhor maneira de abordarmos o assunto é entender, primeiro, seus fundamentos. Comecemos com o conceito bíblico de casamento. A posição do cristianismo tradicional é que o casamento consiste na união entre um homem e uma mulher diante da autoridade civil e celebrada pela igreja. A forma e o rito podem variar dependendo da cultura, mas os princípios são os mesmos. É uma aliança, por assim dizer, feita para durar até a morte de um dos cônjuges. Ela obriga marido e mulher a se ajudarem mutuamente, em todas as circunstâncias, e a serem fiéis um ao outro. O casamento é visto pelos cristãos conservadores como uma instituição divina, e não somente como uma conveniência social. Deus instituiu o casamento para deleite e conforto do homem e da mulher, para a perpetuação da raça humana e para impedir a propagação da impureza sexual, como prostituição, adultério, fornicação etc. Portanto, os cristãos olham historicamente para o casamento como algo sério, a ser praticado, preservado e defendido.

Atualmente, o casamento tem sido atacado duramente pelo feminismo, relativismo, ativismo LGTBQ, liberação sexual e secularização do estado. O resultado maléfico se percebe na diminuição do número de novos casamentos — as pessoas preferem viver juntas, sem casar-se — e no aumento do número de divórcios, entre outros indicadores.

Situações em que o divórcio é permitido

Em poucas palavras, divórcio significa o rompimento do contrato de casamento, seguido ou precedido pelo afastamento dos cônjuges entre si. O divórcio por qualquer motivo pode ser buscado e obtido na grande maioria dos países ocidentais. Geralmente envolve partilha de bens e guarda de filhos, se houver. Em alguns casos, pode ser um processo litigioso e penoso. A facilidade de obter o divórcio hoje tem contribuído, sem dúvida, para o escalonamento do número de casais que se separam, inclusive de membros de igrejas evangélicas e de pastores.

Existem três posições principais entre os evangélicos acerca do divórcio. Primeira, o divórcio não é permitido em nenhuma circunstância, inclusive na que tenha ocorrido adultério. Caso alguém se divorcie e case outra vez cometerá adultério, não importam as circunstâncias em que o primeiro casamento foi desfeito. Somente a morte cessa o contrato de casamento aos olhos de Deus. Existem teólogos e pastores renomados que defendem essa posição. Creio que o mais conhecido é John Piper. Pessoalmente, tenho simpatia por essa posição, pois ela procura ao máximo evitar que as pessoas se divorciem e procura zelosamente defender o casamento. Contudo, no meu entendimento, não fornece uma explicação razoável para o que Jesus ensinou (itálicos meus):

> Também foi dito: "Quem se divorciar da esposa deverá conceder-lhe um certificado de divórcio". Eu, porém, lhes digo que quem se divorcia da esposa, *exceto por imoralidade*, a faz cometer adultério. E quem se casa com uma mulher divorciada também comete adultério.
>
> Mateus 5.31-32

> E eu lhes digo o seguinte: Quem se divorciar de sua esposa, *o que só poderá fazer em caso de imoralidade*, e se casar com outra, cometerá adultério.
>
> Mateus 19.9

Fica evidente pelas passagens acima que Jesus entendia que o divórcio poderia ocorrer se um dos cônjuges praticasse a imoralidade sexual, que no contexto significa adulterar.[1] Nesse caso, seria possível para aquele que foi traído pedir e obter o divórcio e se casar outra vez. Caso, porém, se divorciasse por outra causa, estaria cometendo adultério. Além dessas duas passagens, temos ainda a instrução de Paulo aos crentes casados com um descrente que desejava sair do casamento. Paulo assim os orientou: "Se, porém, o cônjuge descrente insistir em se separar, deixe-o ir. Nesses casos, o irmão ou a irmã não está mais preso à outra pessoa, pois Deus os chamou para viver em paz" (1Co 7.15).

É aparente da passagem acima que o apóstolo reconhecia que, no caso de abandono irreversível da parte do descrente, o cônjuge crente estaria livre do contrato de casamento que o prendia àquela pessoa. Está implícito que nesse caso um novo casamento poderia acontecer. A posição que só permite o novo casamento em caso de morte se apoia fundamentalmente em Romanos 7.1-3, em que Paulo diz:

> Quando uma mulher se casa, a lei a une a seu marido enquanto ele estiver vivo. No entanto, se ele morrer, as leis do casamento já não se aplicarão à mulher. Portanto, enquanto o marido estiver vivo, se ela se casar com outro homem, cometerá adultério. Mas, se o marido morrer, ela ficará livre dessa lei e não cometerá adultério ao se casar novamente.

Contudo, em Romanos 7, Paulo não está falando de casamento, mas da libertação da lei mediante nossa união com Cristo. Se Paulo estivesse falando de casamento, divórcio e novo casamento, certamente mencionaria as exceções, como fez com a igreja de Corinto (1Co 7.10-16). Uma boa regra no uso de ilustrações é lembrar que nem todos os aspectos da ilustração se aplicam, além daquele que é o interesse focal do escritor.

Outra posição defendida por alguns evangélicos é que, uma vez que o casamento é pertinente ao magistrado civil, que concede o divórcio por

---

[1] Alguns entendem que Jesus está se referindo a uma infidelidade acontecida no período de compromisso comum em sua época, antes de o casamento acontecer, algo que já não se dá mais na sociedade moderna, o que significaria que essa passagem não se refere a divórcio. Contudo, a linguagem legal de divórcio, repúdio, adultério aponta claramente para o contexto do casamento.

qualquer motivo, a igreja não deveria recusar-se a aceitar os que se divorciam e se casam outra vez, inclusive pastores, uma vez que isso é assunto do estado e não da igreja. Tenho alguma simpatia por essa posição, porque ela reconhece que o casamento é feito pelo estado e não pela igreja. Contudo, isso não significa, para os cristãos, que sua visão de casamento e divórcio sempre acompanhará o que o estado pensa, à revelia do ensino bíblico. Por exemplo, se o estado permite o casamento entre pessoas do mesmo sexo, isso não significa que a igreja cristã deva fazer o mesmo e aceitar o casamento *gay*. O fato de o estado aceitar o divórcio por qualquer motivo não quer dizer que a igreja deva fazê-lo. E aqui vamos abordar a terceira posição.

A atitude que defendo com relação ao divórcio é a defendida na Confissão de Fé de Westminster, a confissão clássica do presbiterianismo. O divórcio é permitido somente em duas situações: adultério e abandono obstinado da parte do descrente. A pessoa que foi lesada tem direito, nesses casos, a obter o divórcio e casar-se outra vez. Entendo, ainda, que a agressão física e a violência doméstica são casos que se enquadram no abandono. Excetuadas essas situações, o divórcio é errado aos olhos de Deus, restando ao divorciado, inclusive pastores, reconciliar-se, se for possível, ou então não mais se casar (1Co 7.10-11). Essa postura é defendida não somente por presbiterianos, mas por evangélicos de outras denominações. É uma posição que zela pela manutenção do casamento e explica adequadamente as passagens que são fundamentais para nossa compreensão sem impor sobre as pessoas um fardo mais pesado do que aquele exigido por Deus. Vejamos agora como essas passagens e princípios podem ser aplicados no caso do pregador.

"Marido de uma só mulher"

Uma das passagens centrais para nosso tema é 1Timóteo 3.2, em que Paulo instrui Timóteo acerca daquele que deseja ser bispo/presbítero/pastor, dizendo que ele "deve ser marido de uma só mulher". Entendo que essa orientação de Paulo se aplica também aos que já estão no ministério de pregação da Palavra. O que exatamente o apóstolo quis dizer com "marido de uma só mulher" tem sido debatido intensamente. Existem várias interpretações dessa passagem: 1) o aspirante ao episcopado deve ser casado; 2) o aspirante não pode ser divorciado; 3) o aspirante não pode ser bígamo ou ter mais de uma mulher ao mesmo tempo. Com "aspirante" refiro-me àquele que deseja ser ordenado ou consagrado pastor para ser um pregador da Palavra de Deus e cuidar da igreja. Diferentes denominações têm diferentes processos, etapas e nomenclaturas, mas o princípio é o mesmo.

Contra essa primeira interpretação, temos o exemplo do próprio Paulo, que não era casado. Ele talvez tivesse em mente não os apóstolos, como um ofício especial na igreja, mas aqueles que haveriam de vir, os ministros do evangelho. Entretanto, raramente Paulo demandou dos presbíteros ou membros das igrejas algo que não demandasse de si mesmo. Além disso, a ênfase da passagem está em que o aspirante deve ser marido *de uma só mulher*, e não no fato de ele ser marido no sentido de estado civil.

Contra a segunda interpretação pesa o fato de que Jesus e Paulo entendiam que o divórcio era permitido em algumas situações, conforme vimos. Se esse é o caso, alguém que se divorciou por um dos motivos tolerados não estaria cometendo transgressão diante de Deus, inclusive o aspirante ao ofício pastoral. Entretanto, se o divórcio não aconteceu por adultério ou abandono cometidos pela esposa, a situação é diferente. Trato disso mais adiante.

A terceira interpretação me parece a mais justa com o texto. De acordo com ela, Paulo estaria dizendo algo assim: "O aspirante ao ministério, se for casado, deve ser com uma mulher somente. Ele não pode ser bígamo". A razão da proibição implícita é que a bigamia ou a poligamia contraria o padrão estabelecido por Deus para o casamento, que é a monogamia. Embora o Senhor tenha tolerado a prática da poligamia no período do Antigo Testamento, com a vinda do Senhor Jesus ela deixou de ser permitida ao povo de Deus. Portanto, um pregador do evangelho de Cristo, se for casado, terá de ser somente com uma mulher, e não com duas ou mais ao mesmo tempo.

O que fazer diante do divórcio

Na prática, divórcios ocorrem por iniciativa de um dos cônjuges ou de ambos e pelos mais variados motivos, de forma que é quase impossível haver regras e instruções aplicáveis indistintamente a todos. Como em muitas outras situações na vida, cada caso é um caso. Tentarei abordar aqueles mais comuns, ciente de que existem variantes e situações.

Primeiro, quando a iniciativa do divórcio é do pregador, quer por adultério cometido pela esposa, quer por abandono definitivo da parte dela. Em outras palavras, pelos motivos bíblicos já mencionados. Não estou encorajando pregadores que foram traídos por sua esposa a pedir o divórcio. Vejo o divórcio como o último recurso. Creio que o perdão, a reconciliação e a restauração do casamento são possíveis. Conheci um caso que considero exemplar. Um pregador amigo meu descobriu, para sua surpresa e da igreja que ele pastoreava, que sua esposa o estava traindo havia dois anos. Ele ficou devastado. Na ocasião, tive a oportunidade de me encontrar com ele e conversar. Meu objetivo era trazer-lhe algum tipo de ânimo. Após me contar os fatos, disse a ele que, na minha opinião, ele deveria divorciar-se da esposa e retomar seu ministério. Ele não estaria pecando com a separação, em vista do acontecido. Contudo, ele me respondeu que pretendia lutar por seu casamento. Amava a esposa e não desistiria com facilidade. Não mandou a esposa embora, mas ficou com ela, em casa. Ela se arrependeu, pediu perdão, submeteu-se humildemente à disciplina da igreja e ambos passaram um tempo em aconselhamento matrimonial. Após o tempo estipulado para a disciplina da esposa, ela voltou à comunhão da igreja e até o dia de hoje permanecem casados e servindo ao Senhor no ministério pastoral.

Não é sempre assim que acontece, eu sei. Normalmente, o divórcio é buscado após o adultério sem que qualquer tentativa de restauração seja feita. Se pela dureza do coração, conforme Jesus disse, o arrependimento e o perdão não vierem, então, infelizmente, a separação é permitida (Mt 19.8). Mas a graça de Deus tem sido derramada em casais onde houve infidelidade. Nada é impossível para Deus.

Se a esposa decide abandonar definitivamente o pregador, sem que ele tenha cometido adultério ou praticado violência doméstica, ele terá de deixá-la ir, conforme 1Coríntios 17.15. Ele não deveria tomar a iniciativa do divórcio, mas estar pronto a concedê-lo quando a esposa o requerer, após todas as tentativas possíveis de reconciliação. Entendo que a esposa, sendo membro da igreja, deve ser submetida a todo o processo disciplinar ensinado por Jesus (Mt 18.15-20). Se ela persistir no abandono sem causa, deverá ser desligada da igreja, como se fosse descrente. É claro que isso vale também para quando o pregador abandonar a esposa, conforme veremos mais adiante.

Segundo, quando o divórcio é pedido pelo pregador sem que a esposa o tenha traído ou abandonado. Geralmente são apresentadas razões como incompatibilidade de gênios, esfriamento e cessação do amor, diferentes ambições profissionais etc. Não encontro textos bíblicos que tratem diretamente de situações assim, a não ser 1Coríntios 7.10-11, em que o apóstolo Paulo menciona a opção de ficar solteiro ou reconciliar-se com o cônjuge, em caso de separação. Se não houve adultério, um novo casamento implica adultério, conforme já vimos. Assim, o pregador que se separou da esposa sem que ela o tenha traído ou abandonado, deve voltar para sua esposa ou não voltar a se casar.

Pessoalmente, ainda acho que ele deveria ser afastado do ministério pastoral, por um tempo, como disciplina, e só retornar após arrepender-se e confessar que errou ao pedir o divórcio sem causa. Mas, ainda que assim o faça, ele deve continuar solteiro ou reconciliar-se, já que um novo casamento constituiria adultério. Sei que isso parece duro. Mas casamento é coisa séria, especialmente o casamento daqueles que se apresentam como pregadores da Palavra de Deus. Eles deveriam ser os primeiros a obedecer-lhe. Todos são pecadores, inclusive o pregador? Sim. Não negamos isso, é claro. Contudo, pecados trazem consequências e, no caso dos pregadores, as consequências são mais severas, conforme Tiago avisou aos interessados em se tornarem mestres da igreja: "Meus irmãos, não sejam muitos de vocês mestres, pois nós, os que ensinamos, seremos julgados com mais rigor" (Tg 3.1).

Denominações que não levam a sério esse assunto contribuem para o enfraquecimento do casamento e das famílias, e sentirão as consequências cedo ou tarde. Não está certo a igreja aceitar e receber como natural que seu pastor se divorcie da esposa por nenhum motivo bíblico, case com outra e continue normalmente no ministério, como se nada tivesse acontecido.

Terceiro, quando o divórcio é pedido pela esposa do pregador, quer por adultério, abandono, quer por violência doméstica cometidos pelo esposo. Esse é o quadro mais severo que temos. Entendo que é caso para despojar o pastor de seu ofício. Ele não tem condições de continuar como ministro da Palavra de Deus a não ser que se humilhe profundamente, confesse seu pecado e aceite a disciplina — que a meu ver deveria durar um tempo razoável durante o qual ele estaria fora do ministério pastoral. Ao final desse tempo, havendo provas claras de arrependimento, o ex-pastor poderia pedir sua restauração e não voltar a se casar. Mesmo depois disso tudo, acredito que seu ministério não poderá mais ser como antes.

Ouvi certa vez uma ilustração que representa bem o que quero dizer. Ela foi usada por um pastor em um seminário sobre família para pastores e líderes. Ele queria defender exatamente esse ponto. Suponha, disse ele, que uma xícara de chá do seu jogo de porcelana chinesa, que você usa para servir as visitas, caiu no chão e quebrou-se. Você poderá colar os pedaços de forma que a xícara ainda tenha condições de ser usada para servir chá, mas você já não a colocará na bandeja para servir os visitantes. Ela está claramente remendada. O que ele quis dizer com isso foi que pastores que passam por esse processo mencionado, caso sejam reintegrados ao ministério pastoral, deveriam ocupar cargos e funções eclesiásticas de pouca exposição pública, como pastor assistente, capelão etc. Mais uma vez, pode parecer duro. Mas, como já dissemos, o pecado traz consequências, ainda que nos arrependamos e aceitemos a correção do Senhor.

Quarto, quando o divórcio é pedido pela esposa do pregador sem que ele tenha cometido adultério, violência ou abandono do lar. Existem casos e mais casos de esposas de pastor que fazem isso para seguir uma carreira profissional. Todos os esforços devem ser feitos pelo pregador e pela igreja para convencer a esposa a ficar. Talvez seja preciso o pregador examinar atitudes suas como marido que porventura tenham contribuído para a decisão da esposa — o que não justifica o abandono sem causa bíblica. Se apesar de todos os esforços a esposa resolver ir em frente com sua decisão, não restará ao pregador senão consentir o divórcio. E, conforme já vimos, nesse caso ele está livre para se casar outra vez. Consequentemente, não precisará perder o ministério como pastor e pregador, muito embora sempre haverá uma sombra sobre esse episódio de sua vida, uma vez que, com algumas exceções, a separação não acontece por exclusiva culpa de um dos cônjuges. O pregador deve humilhar-se diante de Deus, confessar possíveis erros, como ausência, prioridades erradas, falta de atenção à esposa etc. Todos esses erros poderiam ter sido tratados e resolvidos antes de chegar ao ponto do divórcio.

Todas as situações mencionadas pressupõem que o pregador seja membro de uma denominação ou de uma igreja sob cuja autoridade ele está submetido e a quem deve prestar contas, como uma assembleia, um conselho, um presbitério. Pastores fundadores de igrejas independentes acabam sem ter a quem prestar contas. Em caso de divórcio, dificilmente o assunto será tratado da maneira bíblica correta, a menos que ele mesmo queira disciplinar-se — o que é bem improvável.

Por fim, preciso dizer que os erros e pecados cometidos nessa área não são o pecado sem perdão mencionado por Jesus (Mc 3.29) ou o pecado para morte mencionado por João (1Jo 5.16). Existe perdão, reconciliação e restauração, uma vez que haja arrependimento sincero, confissão e humildade diante de Deus e dos homens. Queira nosso Deus preservar os casamentos de seu povo e de seus líderes.

24

O pregador e a internet

Hoje, há muitos meios de pregar o evangelho que não apenas o púlpito de uma igreja. Refiro-me especialmente aos meios digitais, como *blogs*, canais de YouTube, redes sociais, rádio etc. A tecnologia abriu portas que tornam possível para o pregador alcançar pessoas em praticamente todas as partes do mundo, sem ter de sair de casa. Contudo, o uso dos meios digitais de comunicação traz consigo algumas questões que precisam ser entendidas e tratadas pelo pregador. É sobre isso que falaremos neste capítulo.

Tecnologia
Entendo que a tecnologia é uma bênção de Deus e que deve ser usada para sua glória. Mas ela tem um lado sombrio. É verdade que a tecnologia surgiu com a visão cristã de que o mundo foi criado por Deus, para sua glória. Com a predominância na cultura ocidental do racionalismo iluminista e outros fatores afins, a tecnologia corrompeu-se para uma visão mecanicista, segundo a qual o mundo é concebido não mais como criação de Deus, mas como um enorme mecanismo autônomo, que funciona por si mesmo e onde tudo pode ser ponderado e mensurado. A tecnologia hoje tem a ver, portanto, com o controle do mundo assim concebido. Dessa perspectiva, não há limites religiosos ou éticos para a busca de controle. A tecnologia se propõe trazer a prosperidade e o bem-estar do ser humano, garantindo seu futuro — mesmo ao alto custo da depredação da natureza e da própria humanidade. Com a ênfase no fator econômico, a tecnologia se tornou serva do mercado, que é utilitarista. As novas descobertas devem se transformar rapidamente em produtos a serem consumidos a preços aceitáveis de mercado. O alvo é maximizar os lucros.

Além disso, a tecnologia acabou se tornando uma religião para muitos. David Noble fala da tecnologia como uma religião, em que o homem-técnico se comporta como Deus, criando e resolvendo os problemas e assegurando o futuro.[1] Dessa perspectiva, a tecnologia é vista como a solução para todos os problemas e doenças do ser humano. Sua tendência é trazer a ideia de um Deus que intervém fora do círculo da realidade. Quem precisa dele, quando a tecnologia resolve nossos problemas e assegura nosso futuro? Em vez de entender que Deus e tecnologia não são mutuamente exclusivos, a tecnologia empurra Deus para fora da realidade.[2]

O pregador deve estar consciente de que esta geração tem crescido sob o domínio da tecnologia em todas as áreas da vida. O impacto dos efeitos da tecnologia como religião se percebe em todos os tipos de mídia, no estilo de vida, na cultura e na sociedade em geral. Essa visão de vida gera materialismo, egoísmo, desejo de controle e poder, falta de sensibilidade com as pessoas e a natureza. A tecnologia acaba servindo de referencial para a ética e os valores desta geração. Com a graça de Deus, entretanto, a tecnologia pode ser usada para o avanço de seu reino. Consciente dos perigos que estão associados com o uso da tecnologia, e entendendo com clareza seu efeito em nossa geração, o pregador pode fazer uso dos meios digitais disponíveis para pregar o evangelho.

Não há substitutos

As mídias sociais não podem ser um substituto para a pregação presencial nas igrejas e em outros locais. Por mais que os meios de comunicação digitais nos ofereçam facilidade, extensão e comodidade, não podem substituir cultos presenciais, onde temos comunhão real com pessoas de carne e osso, adoramos juntos, celebramos a Ceia do Senhor juntos e juntos ouvimos a Palavra de Deus. Um dos efeitos da pandemia desses últimos anos, com seus *lockdowns* e fechamento de locais de culto, foi o crescimento do número de pessoas que aprendeu a ver cultos pela internet, em sua casa, e

---

[1] D. F. Noble, *The Religion of Technology: The Divinity of Man and the Spirit of Invention* (Londres: Penguin Books, 1997).
[2] Sobre o tema de tecnologia e cristianismo, ver o excelente livro de Egbert Schuurman, *Religião e tecnologia* (São Paulo: Editora Universidade Mackenzie, 2006). Ver também meu livro *Cristianismo na universidade: A prática da integração da fé cristã à academia* (São Paulo: Vida Nova, 2019).

que acabou optando por ser um crente *on-line*. Em contrapartida, muitas pessoas que ficaram privadas do convívio com seus irmãos, receberam com muita alegria o retorno das atividades presenciais das igrejas. De fato, na minha experiência, algumas igrejas receberam muitos novos membros após o retorno dessas atividades, inclusive muitos que se converteram durante a pandemia assistindo a vídeos de pregação. Muitas delas, que vieram a conhecer a Cristo por meio de minhas pregações no YouTube, compartilharam comigo que mal podiam esperar para as atividades regulares da igreja voltarem, a fim de fazer a classe de novos membros e ser batizados! Ficou claro que, embora a transmissão de cultos durante a pandemia tenha desempenhado um papel importante para a salvação de muitos e para manter os crentes instruídos, confortados e animados diante das angústias trazidas, ela não substitui os cultos presenciais.

Não estou dizendo que as igrejas deveriam parar de transmitir seus cultos com o arrefecimento da pandemia e o retorno dos cultos presenciais. Existem pessoas que verdadeiramente não têm condições de ir a uma igreja para os cultos, pessoas com dificuldades de locomoção, idosas, doentes ou outros impedimentos justos. Há pessoas que moram em cidades onde não há uma igreja evangélica que pregue a Palavra de Deus com fidelidade. Nesses casos, a internet é realmente uma bênção. Conheço casos de igrejas que começaram em cidades assim, com um pequeno grupo assistindo às minhas pregações e de outros colegas pregadores expositivos.

O que estou dizendo é que, após o retorno dos cultos presenciais, os crentes que têm condições deveriam voltar a sua igreja, em vez de permanecer em casa e assistir aos cultos pela internet. O pregador que usa a internet para transmitir os cultos de sua igreja deveria ter cuidado para não encorajar os que optam por ficarem em casa, quando teriam condições de estar em comunhão na igreja. Deveria, na verdade, encorajá-los ao culto presencial, como está escrito: "E não deixemos de nos reunir, como fazem alguns, mas encorajemo-nos mutuamente, sobretudo agora que o dia está próximo" (Hb 10.25).

O comportamento nas redes sociais

As mídias sociais trazem vários desafios para aqueles pregadores que as utilizam. O desafio maior é manter algumas posturas. Em primeiro lugar, ter domínio próprio para não desperdiçar tempo demais com as mídias sociais. Infelizmente, existem pregadores que passam horas navegando pelo Facebook, Twitter, Instagram, YouTube, entre outras. Creio que alguns são viciados nisso e não conseguem passar algum tempo sem checar seus perfis, comentários etc. Embora todas as coisas sejam permitidas, nem todas são convenientes e úteis (1Co 10.23). O tempo é precioso, e o pregador precisa ser um bom mordomo do tempo que Deus lhe deu.

Em segundo lugar, ter uma mente pura, para não se deleitar com notícias, vídeos, postagens e fotos que promovam a impureza, nem compartilhá-los. Não falta material erótico e pornográfico nas redes sociais e nos grupos de WhatsApp. O pregador deve manter a mente pura e cultivar uma disposição mental e espiritual aprovada por Deus. A navegação na internet é perigosa e possui locais profundos, rochas submersas e armadilhas sutis. O índice de pessoas viciadas em pornografia é imenso. E isso afeta também as igrejas. Redes sociais, com imagens *softcore* de nudez, servem para abrir a porta para a pornografia *hardcore*, que é facilmente acessível na rede. Em 2021, um escândalo abalou as igrejas evangélicas dos Estados Unidos e Canadá. *Hackers* entraram na rede social Ashley Madison, que organiza encontros com prostitutas para pessoas casadas nos Estados Unidos, e postaram a lista de clientes na internet. Nela havia mais de trezentos pastores dos Estados Unidos e Canadá, das mais diferentes denominações. Isso acarretou uma série de demissões, deposições e exclusões. Um dos pastores, filho de um dos mais conhecidos pregadores de nossos dias, ao confessar seu pecado diante da igreja, antes de ser suspenso do pastorado, disse que entrou naquela página "por causa de uma curiosidade doentia" e "para inflamar a imaginação".[3] Sem dúvida, a internet é um terreno pantanoso, cheio de armadilhas e poços sem fundo para os pregadores incautos.

Em terceiro, possuir sensatez, para não dar crédito a tudo que lê e vê. Há muita desinformação e notícias falsas, chamadas de *fake news*, propositadamente plantadas nas redes de relacionamentos. *Fake news* não são exclusivas de uma única ideologia política. O pregador precisa cuidar para não compartilhar tudo que encontra na internet ou para não escrever

---

[3] Ver Timothy C. Morgan, "Ligonier Suspends R. C. Sproul Jr. over Ashley Madison Visit", *Christianity Today*, 31 de agosto de 2015, <https://www.christianitytoday.com/news/2015/august/ligonier-suspends-rc-sproul-jr-over-ashley-madison.html>. Acesso em 2 de março de 2023.

postagens baseadas em fontes obscuras. Sua credibilidade está em jogo. Um pregador que não pesquisa nem é cuidadoso com seu material na internet também será desleixado e superficial em suas pregações. As pessoas que o seguem acabam perdendo a confiança nele.

Em quarto, ter sobriedade, para não desnudar sua vida e de sua família em público, trazendo, via *on-line*, para dentro de sua casa e de sua intimidade pessoas que você não conhece. Conheço pregadores que agem com imprudência nas redes sociais ao falar de aspectos de sua vida e de sua família que jamais deveriam entrar no espaço cibernético, onde as informações acabam expostas ao mundo todo. Publicam fotos e informações sobre a esposa e os filhos, expondo-os a um público ávido por fofocas e maledicências, a *haters* e interessados na vida alheia. Não faltam *stalkers*, pessoas que ficam de tocaia à espreita dos insensatos que colocam tais informações na internet.

Em quinto, ter paciência para lidar com comentários, opiniões e críticas de pessoas mal-educadas, sem bom senso, conhecimento ou qualquer condição de manter um diálogo ou de participar de um debate de forma inteligente e cortês. Embora discorde da maneira debochada com que Umberto Eco se expressou a respeito disso, não posso discordar da verdade de suas palavras: "As redes sociais deram voz a uma legião de imbecis". Diariamente nas redes sociais recebo insultos, expressões de sarcasmo, confronto, zombaria, além de questionamentos da parte de pessoas que não conseguem sequer escrever corretamente. Confesso que, às vezes, tenho ficado bastante chateado, para não dizer irado, e pensado em desistir de escrever alguma coisa na internet. Talvez essa postagem consiga expressar melhor o que quero dizer. Eu a coloquei no Facebook após uma semana de abusos, desprezo, ironias, maledicências e assim por diante.

>
> Razões pelas quais estou quase desistindo das redes sociais:
> - Os hipócritas: "Reverendo, admiro muito o senhor, considero-o um dos grandes teólogos do Brasil, mas, sem querer contradizer o que o senhor disse, não será que...".
> - Os ignorantes querendo se passar por entendidos: "O nome verdadeiro de Jesus é YAUSHA de acordo com os manuscritos achados nas cavernas" (o nome de Jesus, que é Yeshua, nem aparece nos manuscritos do mar Morto...).

- Os que assassinam a língua portuguesa: "As peçoas deveriam estudar mas antes de vir aqui e dizê essas coizas errada. É todos mau caráte".
- Os que nem se preocupam em escrever meu nome direito: Algusto, Augusto, Augustos, Nicomedes, Licodemus, Nostradamus, Nicidemos, e por aí vai...
- Os aproveitadores que quase não tem seguidores e usam meu espaço para colocar um textão e se promover: "Concordo com o Reverendo, mas deixem-me complementar o que ele disse. Blá-blá-blá..."
- Os ativistas políticos: "Admiro muito seu ministério, reverendo, mas o senhor não se sente culpado por ter apoiado esse governo genocida?" (comentário numa postagem sobre arrependimento).
- Os que me odeiam de graça sem nunca ter lido ou escutado o que penso sobre calvinismo e dons espirituais: "Nicodemos é mais um falso profeta defendendo a seita calvinista e a heresia cessacionista".
- Os sem noção: "Meus pregadores preferidos: Edir Macedo e Augustus Nicodemus".

Sei que o pregador que entrar nas redes sociais para postar conteúdo cristão deve estar pronto para enfrentar todo tipo de oposição e deboche, especialmente se esse conteúdo é conservador. Mas confesso que, às vezes, não estou pronto. Resolvi desativar, por três dias, os comentários em meus perfis nas redes sociais para minhas postagens. Foram três dias de paz. Retornei mais descansado e querendo ver quanto tempo mais aguento até o próximo fechamento dos comentários. Recomendo aos meus colegas pregadores que façam esses tempos curtos de fechamento da área de comentários, para preservar por mais tempo a sanidade mental. Não há fim pacífico para brigas compradas com insensatos e contenciosos.

Os riscos da notoriedade

Alguns pregadores ganham notoriedade por sua presença na internet ou por publicar livros. Outros desenvolvem seu ministério de maneira mais discreta, sem que com isso sejam menos usados por Deus no avanço de seu reino. Como Paulo escreveu, os pregadores têm diferentes ministérios, e é Deus quem os torna mais amplos que outros.

Afinal, quem é Paulo? Quem é Apolo? Somos apenas servos de Deus por meio dos quais vocês vieram a crer. Cada um de nós fez o trabalho do qual o Senhor nos encarregou. Eu plantei e Apolo regou, mas quem fez crescer foi Deus. Não importa quem planta ou quem rega, mas sim Deus, que faz crescer.

1Coríntios 3.5-7

O que Deus espera dos pregadores não é sucesso midiático ou literário, mas fidelidade (1Co 4.2). Tanto faz o tamanho do ministério, ele sempre terá suas próprias tentações e desafios. Por enquanto, quero apenas tratar dos riscos e das tentações que pregadores mais populares enfrentam. Sei que já mencionei o assunto em capítulos anteriores, mas não custa reforçar ou ver de outros ângulos, considerando sua importância. Mencionarei apenas dois dos muitos riscos que o pregador enfrenta nessa situação.

Primeiro, o risco de minimizar a importância e a necessidade de que seus seguidores estejam engajados, presencialmente, em uma igreja local. Aqui me refiro mais precisamente ao que tem sido chamado de *youtubers* e *digital influencers*. Um *youtuber*, em nosso caso, é um pregador que desenvolve seu ministério basicamente através de vídeos postados na plataforma do YouTube. Não significa que ele não tenha um ministério em sua igreja local, mas geralmente, nesses casos, o seu ministério na internet é muito maior. Há *youtubers* com grande número de seguidores nas redes sociais, mas que pastoreiam igrejas relativamente pequenas. O risco está em esse pregador dedicar-se mais ao ministério digital que ao de sua igreja, incentivando, assim, as pessoas a acreditarem que podem continuar cristãs apenas consumindo o conteúdo que ele produz.

Não creio em igrejas virtuais. Igreja para mim tem lugar físico, gente que se conhece, se encontra e se abraça. Gente que compartilha pessoalmente sua vida, que toma a Ceia com seus irmãos. Pastores que criam "igrejas virtuais" estão fazendo um desserviço para o reino de Deus, a meu ver.[4] Creio que o pregador que é também *youtuber* pode evitar esse erro deixando sempre claro que seu alvo maior é que seus ouvintes estejam envolvidos com igrejas locais de suas cidades e que seu ministério no YouTube não substitui o ministério dos pastores locais. É uma ferramenta de apoio e ajuda às igrejas, e não um elemento concorrente delas.

---

[4] Os interessados em saber o que penso sobre os desigrejados, nome que se dá a pessoas que são crentes virtuais, podem procurar meu livro *O que estão fazendo com a igreja: Ascensão e queda do movimento evangélico brasileiro* (São Paulo: Mundo Cristão, 2013).

Segundo, o risco envolvido no desafio de usar corretamente as possibilidades de ganho financeiro trazidas pela notoriedade nas redes sociais. O pregador pode oferecer cursos pagos, anunciar seus livros para venda ou monetizar seus canais.[5] Quanto aos cursos, por causa dos custos de produção e do envolvimento de outras pessoas, como um *expert* em produção de vídeos na internet, alguns pregadores oferecem cursos com inscrições pagas. Entendo perfeitamente. Eu mesmo tenho oferecido vários cursos pagos de teologia e interpretação da Bíblia na internet. Não teria condições de fazê-los sem os recursos advindos das inscrições. Muitos criticam o pregador acusando-o de mercadejar o evangelho, quando deveria oferecer os cursos a todos gratuitamente. Talvez, se os cursos fossem gratuitos, eles mesmos nunca se inscreveriam.

Não há mercenarismo algum. Não estamos vendendo o evangelho. Há centenas de vídeos meus na internet com séries de mensagens e palestras, além de *podcasts* e entrevistas que podem ser vistos gratuitamente. Ninguém tem de pagar ingresso para participar dos cultos da minha igreja. Um curso é diferente, como já mencionamos anteriormente. Contudo, o pregador precisa ter cuidado ao usar as redes sociais como fonte de renda, para não deixar que isso se torne seu principal propósito em oferecer cursos, livros e monetizar seus canais. Se ele cair nessa armadilha, em breve estará em uma campanha exagerada de divulgação de seus produtos, deixando a importância do conteúdo em segundo plano.

Lidar com as críticas

Os pregadores que têm alguma presença na internet e redes sociais receberão todo tipo de críticas, especialmente aqueles cuja visibilidade é maior e que alcançam milhares de pessoas. Em si, as críticas são positivas para o pregador, independentemente de como nos chegam. É verdade que elas doem e que é muito difícil vencer a frustração e reagir com humildade. Recebi o seguinte de um pregador amigo meu:

---

[5] Esse neologismo significa que o dono de um canal com muitos seguidores e uma certa quantidade de horas de vídeos postados pode solicitar do YouTube uma compensação financeira. Em troca, anúncios aparecerão durante a exibição dos vídeos.

George Whitefield recebeu uma carta de alguém que o criticava por diversos erros em seu ministério. Ele respondeu o seguinte: "Agradeço-lhe de coração sua carta. Quanto às coisas que o senhor e outros inimigos meus estão dizendo contra mim, o que sei a meu próprio respeito é muito pior. Com amor em Cristo, George Whitefield".

Não tenho as fontes dessa resposta de Whitefield, mas combina bem com o que conhecemos dele. Quem dera pudéssemos ser assim tão humildes diante dos críticos! Não me considero bom nessa área. Confesso que sempre tem sido difícil receber críticas, ainda que feitas de maneira respeitosa e visando meu bem. Só posso agradecer ao Senhor que, ao final, depois de uma luta com meu orgulho, minha tendência tem sido de ouvir e me humilhar diante dele.

O pregador pode selecionar as críticas de acordo com algumas categorias e dar-lhes uma resposta ou não. Essa, por vezes, é uma decisão difícil, como já descobrira o Sábio ao proferir estes ditos aparentemente incompatíveis: "Não responda aos argumentos insensatos do tolo, para que não se torne tolo como ele. Responda aos argumentos insensatos do tolo, para que ele não se considere sábio" (Pv 26.4-5).

O sentido aparentemente incoerente dos dois provérbios, colocados lado a lado de propósito, está relacionado com a maneira de responder ao tolo. Se respondermos como um tolo, nos igualaremos a ele. Porém, se respondermos sabiamente, ele poderá perceber que não é tão sábio como pensava. Portanto, é preciso que o pregador tenha sabedoria ao responder às críticas que merecem resposta. Sim, pois existem diversos tipos de críticas.

Primeiro, as que merecem uma reflexão. Muita gente que segue pregadores conhecidos deseja genuinamente o bem deles, ora por eles e, quando percebe que algo precisa ser repensado, não hesita em dizer, com respeito e caridade. Como, por exemplo, o sogro de Moisés, que o criticou por assumir para si todas as questões do povo de Israel, quando poderia distribuir o fardo entre homens sábios. Moisés aceitou a palavra de seu sogro e organizou líderes capazes sobre o povo, diminuindo assim sua carga de trabalho (Êx 18.13-27). Embora as redes sociais abriguem pessoas maldosas, amantes de contendas, inimigas do evangelho, pequenas e que procuram apenas ganhar a atenção entrando em uma briga com pessoas públicas, elas também abrigam pessoas sinceras, amantes da verdade e que querem ajudar os homens de Deus.

Recentemente alguém tirou do fundo do baú uma fala minha de uma sessão de perguntas e respostas. Referia-se a uma palestra feita em um evento vários anos atrás, em que alguém me perguntara sobre a diferença entre pentecostais, batistas e presbiterianos. Uma das diferenças, disse eu naquela ocasião, era a forma de governo eclesiástico. Enquanto nas denominações tradicionais o governo das igrejas é feito geralmente por um conselho e uma assembleia, nas igrejas pentecostais o pastor lidera praticamente sozinho e não tem de responder a quase ninguém. Alguém editou um trecho dessa resposta minha e postou no Facebook, e os comentários começaram a chegar aos montes, a maior parte de pentecostais revoltados, dizendo que eu estava equivocado e que deveria estudar mais sobre o pentecostalismo. Muitas das críticas eram simplesmente insultos. Mas havia algumas ponderadas, educadas, que me levaram a refletir e repensar o que eu tinha dito naquela sessão de perguntas e respostas anos passados. Assim, após meditar no assunto e me inteirar mais de perto, postei uma retratação, pedindo desculpas aos irmãos pentecostais por ter dito uma inverdade. Muito embora existam pastores que são mais déspotas e autoritários — algo que pode acontecer em toda denominação —, os pastores pentecostais geralmente têm de prestar contas do que fazem e pregam.

Segundo, as que merecem ser apenas ignoradas. Insultos, ironias, zombarias, xingamento... já recebi muitas críticas assim. Às vezes, entro no perfil das pessoas que o fazem e constato que existe um padrão. São perfis de pessoas que estão há pouco tempo nas redes sociais, têm pouquíssimos seguidores ou quase nenhum, postam apenas fotos e compartilham frases, notícias e material de outras pessoas. Muitos não têm foto no perfil, apenas um desenho ou nada. Dependendo da questão que provocou a crítica insultuosa, fico pensando se esses perfis não são falsos. Muita gente se passa por evangélico para introduzir perguntas irônicas ou comentários agressivos. Na maioria dos casos, simplesmente ignoro críticas dessa natureza, quando não as apago do meu perfil. O silêncio pode ser por vezes a melhor resposta, como o Senhor Jesus mostrou diante de Pilatos e líderes judeus (Mt 26.60-63).

Terceiro, algumas merecem uma resposta mais elaborada. Certa vez alguém me criticou dizendo: "Queria ver Nicodemos subir a favela para pregar lá", insinuando com isso que eu era um teólogo de gabinete e que passei toda a minha vida entre livros, estudando e preocupado com graus acadêmicos, e que não tinha nenhuma experiência ou interesse em missões, evangelismo e plantação de igrejas. Como não era a primeira vez que alguém me criticava dessa forma nas redes sociais, resolvi elaborar uma resposta que servisse não somente para aquela pessoa, mas também para outras que viessem a fazer a mesma crítica. Publiquei no Facebook um texto com o título: "Queria ver o Nicodemus evangelizando numa favela", em que fiz um breve resumo das minhas atividades como evangelista, desde a minha conversão até o dia de hoje. Creio que foi bem didático. Pelo menos, tem se passado muito tempo sem que alguém tenha repetido essa crítica.

Quarto, algumas são tão somente um pretexto para começar uma discussão. Recebo muitas "perguntas" desse tipo, de pessoas que aparentemente desejam apenas começar uma discussão no meu perfil. Se eu responder, a pessoa virá com uma contrapergunta. É como pegar uma onça pelo rabo. Não há um fim para esse tipo de discussão nas redes sociais. Não posso dizer que todos os críticos são pessoas recalcadas e invejosas, mas que há esse tipo de crítico, isso há. Portanto, diante da malícia e má intenção de alguns críticos, deixo sem resposta as perguntas capciosas e de bolso. Aqui valem os conselhos do Sábio: "Começar uma briga é como abrir a comporta de uma represa; portanto, pare antes que irrompa a discussão" (Pv 17.14). "Como as brasas acendem o carvão e o fogo acende a lenha, assim o briguento provoca conflitos" (Pv 26.21).

Quinto, algumas se configuram apenas como ataques doutrinários e teológicos feitos nos comentários das postagens do pregador. Pessoas postam críticas e ataques às doutrinas que, sabem, fazem parte das crenças do pregador. Pessoalmente, recebo constantemente comentários desse tipo sobre a doutrina da predestinação, do livre-arbítrio, do batismo de crianças, dos dons espirituais etc. Alguns deles são virulentos, como "o calvinismo é coisa do diabo". Ou ainda, mais recentemente, um comentário que dizia que sou um falso profeta por pregar o cessacionismo (sem que o autor explicasse o que cessacionismo, nessa frase, queria dizer).

Já aprendi que não vale a pena responder a esse tipo de comentário. Uma resposta minha gera outro questionamento do interlocutor, que exige resposta ou silêncio. Raramente isso termina bem. Contudo, para ser justo, confesso que tenho encontrado pessoas que fazem certas perguntas com sinceridade, desejosas das respostas. O problema é que não conseguimos "ouvir" o tom em que a pergunta foi feita, e ficamos sem saber se se trata de um questionamento sincero ou provocativo. Em alguns casos, quando pensei tratar-se de uma pergunta genuína, dei uma resposta e a pessoa agradeceu. É muito difícil conhecer a intenção de quem comenta em nossas postagens. Daí a necessidade de muita sabedoria e prudência da parte do pregador para decidir se responderá ou não.

Fazer críticas

Vejamos agora o caso contrário, quando o preletor, uma pessoa fiel aos princípios do evangelho e com boa presença nas redes sociais, se depara com erros teológicos e mesmo heresias no perfil, *site* ou canal de alguém. O grande desafio é como ele pode tentar combater e corrigir esses erros sem se tornar uma pessoa ácida, julgadora e santarrona. Um pregador muito requisitado ou que se torna referência em seu meio corre o risco de acabar nutrindo um sentimento de superioridade moral e espiritual, o que pode levá-lo a se tornar um crítico mordaz. Eis alguns pensamentos sobre o assunto.

Primeiro, o pregador deveria se lembrar de que, em caso de erro doutrinário ou heresias, existem presbitérios, concílios, conselhos e diretorias de igrejas e denominações a que a pessoa que cometeu o erro está conectada. Entretanto, antes de recorrer a uma denúncia a qualquer um desses órgãos, o pregador deve tentar, naturalmente, uma abordagem pessoal, a fim de levar aquela pessoa a perceber seu erro (Mt 18.15-20).[6] Infelizmente, muitos pastores usam as redes sociais e grupos de WhatsApp como se fossem concílios que julgam, condenam e execram o faltoso, sem ao menos lhe dar uma oportunidade de defesa. O "cancelamento" de pessoas na internet já faz parte das redes sociais e de sua operação. O pregador que teme a Deus jamais deveria proceder dessa forma.

Segundo, o pregador deve se lembrar do que o Sábio disse a respeito do uso das palavras: "A resposta gentil desvia o furor, mas a palavra ríspida desperta a ira" (Pv 15.1). Também da admoestação do apóstolo Paulo a Timóteo quanto à repreensão de pessoas desviadas da verdade: "O servo do Senhor não deve viver brigando, mas ser amável com todos, apto a ensinar e paciente. Instrua com mansidão aqueles que se opõem,

---

[6] Para minha posição sobre disciplina de faltosos, ver *Mantendo a igreja pura: Para conservar uma importante característica da igreja verdadeira*, 2ª ed. (São Paulo: Cultura Cristã, 2020).

na esperança de que Deus os leve ao arrependimento e, assim, conheçam a verdade" (2Tm 2.24-25).

Muitas vezes as pessoas não recebem bem a correção do pregador porque ele escreve de maneira rude e ríspida, com arrogância e superioridade, provocando uma reação semelhante da pessoa que ele pretende corrigir. Depois disso, fica praticamente impossível alcançar o coração da pessoa, conforme o Sábio disse: "É mais difícil reconquistar um amigo ofendido que uma cidade fortificada; as discussões separam amigos como um portão trancado" (Pv 18.19). Já percebi que, se somos educados, mansos e humildes ao corrigir alguém nas redes sociais, essa pessoa costuma agradecer em vez de reagir com raiva.

Terceiro, o pregador deve evitar se tornar um caçador cibernético de heresias. Se por algum motivo ele se deparar com erros — o que é muito comum nas redes sociais —, depois de considerar cuidadosamente se vale a pena entrar nessa briga o pregador pode postar algo sobre o assunto, visando o estabelecimento da verdade, em oração. Com o advento das redes sociais, a internet tornou-se uma multiplicadora de "apologistas virtuais", com multidões de pessoas criticando tudo o que passa pela frente. Isso fez surgir legiões de cristãos raivosos, iracundos, acusadores e que parecem se preocupar mais em criticar "quem está errado" que em fazer o que é certo ou pregar Cristo. Infelizmente esse tipo de atitude tem produzido mais incêndios que luz. Se o pregador fará críticas a alguém, deve fazê-lo demonstrando o fruto do Espírito, evitando ser raivoso, bruto e deselegante.

Uma coisa que aprendi nas lides pastorais é que, quando uma pessoa é corrigida em público por outra, como, por exemplo, no Facebook e, portanto, exposta em seu próprio perfil, sua tendência é defender-se e endurecer o coração. Se a correção ou sugestão fosse feita em particular, as chances de aquela pessoa aceitar bem a crítica e mudar seu pensamento ou atitude seriam bem maiores. Nossa natureza carnal não costuma receber bem esse tipo de coisa.

Lutero, imprensa e redes sociais

Já se disse que, se Gutemberg não tivesse inventado a imprensa na década de 1430, a Reforma protestante de 1517 nunca teria acontecido. De fato, um dos fatores cruciais para que as ideias de Lutero ganhassem toda a Europa foram suas publicações. Sem a imprensa, suas 95 teses teriam permanecido pregadas nas portas de Wittenberg. Também já se disse que o advento das redes sociais está para uma nova Reforma hoje como a imprensa esteve para a Reforma protestante do século 16. Milhares de pessoas em todo o mundo, que jamais teriam acesso ao pensamento dos reformadores, hoje seguem *podcasts*, assistem a pregações, leem *blogs* e compartilham material publicado em canais digitais de pregadores reformados de todos os países. Alguns, com certa cautela, é verdade, falam de um crescimento espantoso do interesse pelas grandes doutrinas da graça em várias partes do mundo, e identificam, entre outras causas, o uso da mídia como ministério por esses pregadores.

Resta que nós, pregadores, sejamos sábios no uso dessa ferramenta poderosa que nosso Deus colocou nas mãos de sua igreja nestes tempos difíceis.

25

O pregador e a velhice

Não poderia terminar o livro sem abordar este assunto. Afinal, estou perto dos 70 e se aproxima aquela idade da qual o salmista disse que, depois dela, tudo é "canseira e enfado" (Sl 90.10, NAA). Mas enquanto não estou cansado nem enfadado, vou escrevendo...

Idoso, mas feliz

Creio que todos concordam que a velhice é um dos períodos mais difíceis da vida. Além de maior vulnerabilidade a doenças e maior dependência de outras pessoas, muitos idosos sofrem com a solidão e com o senso de inutilidade. Não são poucos os velhos abandonados em asilos pelos próprios filhos. Hoje existe uma conscientização social maior quanto aos que alcançaram a terceira idade. Existem programas e projetos de atividades envolvendo idosos cujo objetivo é ajudá-los a vencer a solidão e a ociosidade. Mas, por melhor que sejam, nem sempre conseguem trazer alguma felicidade a quem já viveu muito. Pregadores não são exceção.

A Bíblia nos traz vários exemplos de pessoas que chegaram a uma idade avançada e morreram felizes e realizadas. Um deles é o patriarca Abraão. Lemos no livro de Gênesis que Abraão "morreu em ditosa velhice, avançado em anos" (Gn 25.8, NAA). Uma velhice "ditosa" quer dizer uma velhice feliz, satisfeita, venturosa, afortunada. Quando lemos o que a Bíblia diz sobre a vida de Abraão, fica fácil descobrir o segredo de sua felicidade. Há pelo menos três coisas que contribuíram para ela.

Primeira, Abraão foi um homem de fé toda sua vida. Desde o dia em que Deus o chamou para sair de sua terra para peregrinar em uma terra distante, Abraão aprendeu a confiar em Deus e a depender de suas promessas. Não é à toa que Abraão ficou conhecido como pai da fé e "amigo de Deus" (Tg 2.23; Hb 11.8-19). Quando uma pessoa aprende cedo na vida a confiar em Deus e a depender dele, terá melhores condições de enfrentar as incertezas e os sofrimentos da velhice, como Abraão. Pregadores são homens de fé, mas isso não quer dizer que aprenderam a confiar em Deus para quando ficarem velhos. Muitos sofrem de ansiedade pensando no futuro, quando não terão mais condições de trabalhar e ganhar seu sustento. Grande parte dos pastores não têm plano de saúde ou aposentadoria. Portanto, além de começar a se preparar para a velhice com as medidas que forem possíveis,[1] o pregador deve aprender a confiar no Senhor, para que tenha uma velhice venturosa, conforme a bendita promessa: "Tu me guias com teu conselho e me conduzes a um destino glorioso" (Sl 73.24).

Segunda, Abraão foi um homem obediente a Deus toda sua vida. Fé e obediência andam juntas. Abraão cria em Deus e, portanto, obedeceu-lhe. A maior demonstração disso foi sua disposição em sacrificar o próprio filho, Isaque, por determinação de Deus (Gn 22.1-14). Se aprendermos desde cedo na vida a obedecer a Deus incondicionalmente, quando atingirmos a velhice teremos tranquilidade por saber que Deus, a quem procuramos servir durante nossa vida, jamais nos desamparará. Além de uma vida de fé, o pregador precisa ter, desde o início de seu ministério, uma vida de obediência a Deus, servindo de coração e com fidelidade, cuidando da família e do rebanho que Deus lhe confiou. Assim, ao envelhecer, poderá, como Paulo, dizer: "Lutei o bom combate, terminei a corrida e permaneci fiel. Agora o prêmio me espera, a coroa de justiça que o Senhor, o justo Juiz, me dará no dia de sua volta" (2Tm 4.7-8).

Terceira, Abraão andou com Deus toda sua vida. Através dos anos, ele desenvolveu um relacionamento pessoal e significativo com Deus. Deus era parte de sua vida. Diariamente, Abraão orava, falava com Deus, procurava ouvir e entender sua vontade, e segui-la. Abraão compartilhava continuamente com Deus alegrias e dificuldades. Basta ler a história de sua vida para constatar a veracidade disso. Não pensemos que Abraão foi um privilegiado que todo dia tinha uma visão de Deus, com quem falava diretamente. As visões que Abraão teve foram poucas e muito espaçadas entre si, às vezes por anos a fio. Abraão aprendeu a andar com Deus pela fé. Quando ficou velho, já havia andado o suficiente com Deus para saber

---

[1] Algumas denominações, como a Igreja Presbiteriana do Brasil, têm convênio com as operadoras de saúde para pastores e dependentes.

que o Senhor estava ali, ao seu lado. Que conforto extraordinário nos momentos de solidão, especialmente para o pregador idoso!

Um dia todos nós, pregadores ou não, seremos velhos. Passaremos pelo mesmo vale de lágrimas que muitos passam neste momento. Quem confiou em Deus e andou com ele durante sua vida poderá ter uma ditosa velhice, frutífera e cheia de sentido. Comecemos hoje!

Conselho aos jovens

Muitos estudiosos acreditam que Salomão escreveu o livro de Eclesiastes quando já estava idoso, depois de haver se arrependido de seus pecados de idolatria e retornado ao Senhor. Não temos prova escritural disso, mas não é impossível, a julgar pelo conteúdo da parte final do livro. Lembremos que Salomão se apresenta no primeiro versículo do livro como o "Pregador" (NAA) ou o "Mestre" (NVT), tradução do hebraico *Qohelet*. Terminando sua obra, o Pregador dá um conselho especificamente para os jovens: "Não se esqueça de seu Criador nos dias de sua juventude. Honre-o enquanto você é jovem, antes que venham os tempos difíceis e cheguem os anos em que você dirá: 'Não tenho mais prazer em viver'" (Ec 12.1).

O Pregador fala por experiência. Ele havia desperdiçado muitos anos de sua vida correndo atrás de coisas que não lhe preenchiam a alma, não lhe saciavam a sede de saber e não traziam glória a Deus. Durante sua mocidade, ele havia procurado experimentar de tudo, em busca de sabedoria (Ec 1.12-13). Agora, já velho, tendo caído em graves pecados ao casar-se com mulheres estrangeiras e adorado os deuses delas (1Rs 11.4), ele prega aos jovens para que não caiam nos erros em que ele caiu. Em suma, sua pregação era esta: que os jovens não se esquecessem de Deus e que o honrassem antes que a velhice chegasse e todas essas coisas se tornassem mais difíceis (Ec 12.2-7).

O pregador que chegou à velhice ainda fiel ao Senhor, mesmo tendo passado por momentos difíceis e tenebrosos em sua longa jornada, tem muita coisa a ensinar à nova geração. Jovens pastores deveriam buscar o conselho de pastores idosos. Há coisas que não se aprendem nos livros de teologia e nos comentários, mas no livro da vida, da experiência e da vivência. Coisas que aprendemos apenas com a idade. A lição mais importante que *Qohelet* aprendeu durante sua vida foi honrar a Deus e sempre se lembrar dele em seus caminhos. Ele sofreu bastante para aprender isso.

E é essa lição que ele considera a mais importante da vida. É ela que ele ensina aos jovens aqui, em Eclesiastes 12. Os jovens deveriam aprender a honrar a Deus antes que ficassem velhos.

Sei que a velhice não significa necessariamente sabedoria e que nem todo pregador que envelheceu se tornou automaticamente um poço de sabedoria e de conhecimento sobre Deus e as coisas dele. Na verdade, aparentemente muitos pregadores idosos não cresceram do ponto vista espiritual e no conhecimento de Deus, e dizem tolices e agem de modo a envergonhar o evangelho. Notemos que o Sábio faz essa cuidadosa distinção: "Os cabelos brancos são coroa de glória, para quem andou nos caminhos da justiça" (Pv 16.31).

Contudo, há muitos pregadores idosos que aprenderam que o temor do Senhor é o princípio da sabedoria e que podem servir ainda por muito tempo como mentores, conselheiros e referência para pregadores jovens. Ao longo da vida, aprendi muito com pastores e irmãos mais idosos que Deus colocou em meu caminho. Lembro-me de dona Maria, uma senhora muito idosa, pobre, quase cega, que morava sozinha em uma casinha de taipa, ao lado da pequena igreja onde comecei meu ministério, em 1977. Eu costumava parar na casa dela para um café coado que ela fazia quando eu terminava a evangelização porta a porta ali no bairro. Crente havia muitos anos, dona Maria me deu excelentes conselhos sobre como encarar as dificuldades da vida, a falta de recursos e mesmo a falta de alimentos, remédios e outras carências de quem vive na pobreza. Sempre alegre, contente, ela foi um bálsamo para minhas inquietações e angústias quanto ao futuro. Aprendi com ela a confiar em Deus em meio às necessidades, uma lição que se mostraria muito necessária nos anos futuros.

Notemos que foi necessário ao Pregador reconhecer que seu tempo havia passado e que uma nova geração estava chegando. Ele não se apegou a seu papel de Pregador, mas humildemente cedeu espaço aos que vinham. Não somos eternos. Servimos a Deus em nossa geração. Outros já fizeram isso antes de nós, e outros o farão depois de nós. É preciso que o pregador saiba quando chegou a hora de parar e dar lugar aos que Deus levantou para o substituir. Ao dizer em sua pregação que os jovens deveriam se lembrar de Deus e honrá-lo "antes que venham os tempos difíceis", o pregador estava admitindo que esses tempos já haviam chegado para ele. Esse reconhecimento abre portas para a nova geração e traz descanso a nossa alma cansada da luta.

Súplicas de um ancião

Não sabemos quem escreveu o salmo 71, mas, dada a semelhança da linguagem com os salmos comprovadamente de Davi, alguns estudiosos defendem que esse é também de sua autoria. O fato é que não temos certeza. O que sabemos é que seu autor era um pregador — talvez um levita, um sacerdote, um sábio de Israel ou mesmo um rei, e que já era velho quando o compôs. Desde a infância ele amava o Senhor e agora, depois de velho, suplica sua ajuda. Algumas passagens do salmo sugerem isso:

> Só tu, Senhor, és minha esperança;
> confio em ti, Senhor, desde a infância.
> Sim, de ti dependo desde meu nascimento;
> cuidas de mim desde o ventre de minha mãe. [...]
> Não me rejeites agora, em minha velhice;
> não me abandones quando me faltam as forças. [...]
> Ó Deus, desde a infância me tens ensinado,
> e até hoje anuncio tuas maravilhas.
> Não me abandones, ó Deus,
> agora que estou velho, de cabelos brancos.
> Deixe-me proclamar tua força a esta nova geração,
> teu poder a todos que vierem depois de mim.
>
> Salmos 71.5-6,9,17-18

O salmista, quando jovem, era um pregador. Ele proclamava as glórias de Deus, provavelmente no templo ou em outros lugares. Mas, agora, ele é um ancião. Seus cabelos estão brancos. Nesse salmo ele clama a Deus que não o abandone. Ele sente a escassez de forças para dar continuidade a seu ministério. O que ele pede a Deus é que o capacite, mesmo velho, a seguir anunciando as maravilhas de Deus à nova geração de israelitas. O maior receio desse velho pregador era que as forças se esvaíssem e já não pudesse pregar.

Acredito que esse é o receio de todo verdadeiro pregador. Não estou aqui criticando os pregadores que, mesmo tendo vigor suficiente para ir adiante, ao atingir a idade legal, se aposentam e cessam definitivamente de pregar. Preencherão os anos restantes de vida lendo, passeando, assistindo a séries, brincando com os netinhos e indo a uma igreja para cultuar, aos domingos. Eles têm todo o direito de fazê-lo, sem culpa ou demérito. Uma amiga nossa, filha de pastor, nos disse que seu pai havia se aposentado fazia uns poucos anos e que estava amando a vida de aposentado. Passava o dia lendo e bebendo uísque (era um pastor luterano) e se sentia ótimo. Eu, sinceramente, não consigo me ver assim daqui a uns anos. Eu queria morrer como o dr. Russell Shedd, homem de Deus, pioneiro da pregação expositiva no Brasil, que ainda pregava quando morreu, aos 87 anos. Meu sogro, rev. Francisco Leonardo, está com 94 anos de idade enquanto escrevo este livro, e ainda prega com alguma frequência. Minha oração é como a do ancião do salmo 71, que Deus não me desampare nem me abandone, quando a velhice estiver chegando, o vigor diminuindo e o cansaço procurando dominar.

A dura realidade, em contrapartida, é que embora muitos pregadores idosos desejassem continuar pregando, a saúde não lhes permite. Sentem-se fracos, cansados. A mente e a memória não são mais as mesmas, e ficar em pé durante trinta minutos é quase impossível. Nessa condição, podem se sentir desamparados por Deus, esquecidos do Senhor após tantos anos de serviço fiel à causa dele. É muito difícil para o pregador, depois de décadas de pregação, pastoreio, serviço, aconselhamento como líder espiritual de uma comunidade, ou como pregador itinerante, resignar-se ao fato de que não consegue mais pregar e que terá de aprender a ficar sentado no banco da igreja, em vez de estar em pé no púlpito. A amargura e o ressentimento, tanto com Deus quanto com as igrejas, que não mais o convidam para pregar, podem se instalar. Creio que isso talvez seja especialmente mais intenso para os pregadores que costumavam ser convidados para pregar em igrejas e participar de congressos.

Penso em vários pregadores bem conhecidos, quando eu era jovem, que, idosos, desapareceram de cena. Nunca mais ouvi falar deles. O nome deles não mais aparece nas redes sociais como preletores de eventos ou pregadores de ocasiões especiais em igrejas. Alguns já podem ter morrido, e eu nem soube. Fico pensando como enfrentam seus últimos dias e como eu, um dia, terei de fazer o mesmo. Acredito que os últimos dias podem se tornar os mais difíceis da vida do pregador. Sobre isso, cito aqui as palavras do dr. Shedd, já sentindo que seu momento se aproximava, proferidas por ocasião de uma visita de membros da Igreja Batista de Atibaia: "Meus irmãos e amigos, realmente não sei o que dizer sobre sofrimento, por causa do fato que nunca sofri quase nada, até esses últimos três, quatro meses. Realmente, é uma experiência muito boa, porque a gente sente se desmamando do mundo e pronto para subir".[2]

Que, ao chegar a nossa hora, Deus nos conceda essa mesma atitude do dr. Shedd. Não se percebe nele amargura ou ressentimento com Deus nem com os homens, mas uma aceitação humilde do sofrimento e uma santa resignação à chegada de seu momento final. O pregador idoso precisa estar preparado para esse momento, para honrar a Deus até o fim, para que glorifique a Deus até com sua morte. Jesus profetizou a Pedro sobre "com que tipo de morte ele iria glorificar a Deus" (Jo 21.19). Até chegar nossa hora, continuaremos a clamar, como o pregador ancião do salmo 71: "Senhor, não me abandones, agora que estou velho e de cabelos brancos".

Paulo, o velho

Quando preso em Roma pela primeira vez, Paulo escreveu uma carta a seu amigo Filemom a respeito de Onésimo, o escravo que havia fugido da casa de Filemom e que Paulo havia levado a Cristo enquanto estava na prisão. Paulo estava enviando o escravo fugitivo de volta, agora como um irmão em Cristo, e escreve a Filemom pedindo-lhe que o recebesse nessa condição. O que destaco aqui é a apresentação que Paulo faz de si: "Paulo, o velho" (Fm 1.9, NAA).[3] O apóstolo tinha plena consciência de estar chegando ao final do ciclo normal de vida. Não sabemos ao certo qual era sua idade a essa altura. Quando ele apoiou o apedrejamento de Estêvão, que deve ter acontecido cerca de trinta anos antes, ele ainda era jovem (At 7.58), o que nos permite supor que Paulo tinha cerca de 60 anos quando escreveu a Filemom. Temos de admitir que para os parâmetros modernos 60 anos ainda não é bem velhice. Mas, depois de tantos anos de serviço, apedrejamentos, aprisionamentos, chicoteamentos, privações, como fome e sede, não é de admirar que o apóstolo se sentisse velho nessa idade.[4] O que me

---

[2] Ver Tiago Chagas, "Pastor Russel Shedd morre aos 87 anos em São Paulo", *Gospel Mais*, 26 de novembro de 2016, <https://noticias.gospelmais.com.br/pastor-russell-shedd-morre-87-anos-86991.html>. Acesso em 2 de março de 2023.

[3] Outras traduções, como a NVI e NVT, traduziram como "Eu, Paulo, já velho…".

[4] Embora com divergências, fontes extrabíblicas daquela época dizem que na faixa dos 49 aos 56 anos de idade uma pessoa já era considerada velha. De maneira geral, Paulo não estaria muito fora do costume de sua época ao se chamar de "velho" tendo em torno de 60 anos.

chama atenção é que Paulo estava velho, sabia disso e aceitava o fato. Ele não pintou cabelos, não fez plástica, não usou peruca nem lançou mão de outros truques usados por homens que querem esconder a idade. Na verdade, ele usou como argumento o fato de ser velho: "Escute, Filemom, eu já sou velho, sou mais velho que você, portanto, ouça o que eu digo e faça o que peço em favor de Onésimo".

Vários sinais fizeram cair a ficha de que eu estava ficando velho. Dez anos atrás, eu estava fazendo compras em um supermercado e, na hora de pagar, a mocinha do caixa perguntou se eu não queria levar uns brinquedinhos que estavam em promoção para meus netinhos. Eu nem tinha netos! A princípio pensei que ela poderia estar brincando, mas seu semblante sério me convenceu do contrário. Foi um choque de realidade. Mais recentemente, alguns "webcrentes" começaram a me chamar carinhosamente de Tio Nico, no Twitter. Quando alguns (uns poucos, felizmente) passaram a me chamar de Vovô Nico, percebi que era só ladeira abaixo dali em diante! Além disso, questões de saúde, falta de energia para trabalhar os três expedientes de um dia, como costumava fazer, sem contar o espelho em meu banheiro, foram me conscientizando inexoravelmente de que a velhice havia chegado para ficar. Até hoje, contudo, tenho alguma dificuldade em me ver como uma pessoa idosa, embora adore o estacionamento privilegiado e passar à frente nas filas. Acho que minha cabeça ainda é de jovem, especialmente quando me lembro de que aos 60 anos ainda dirigia minha motocicleta como quando tinha 25 anos!

Sou grato a Deus pela velhice, especialmente porque estou envelhecendo ao lado da minha querida Minka. É maravilhoso envelhecer juntos, rir juntos das marcas da velhice que aparecem um no outro. Penso que o pregador não deveria temer a chegada desse momento nem tentar fugir dele. Em vez disso, deveria ver que a idade empresta um peso adicional de autoridade e experiência ao pregador, pelas quais ele deveria ser grato ao Senhor. A conscientização de que a morte se aproxima e que estaremos com o Senhor que nos comissionou como pregadores não deveria ser algo assustador, mas que nos cativa e prepara para esse grande encontro.

Frutificar na velhice

O autor do salmo 92 destina a parte final do texto para falar das bênçãos concedidas aos que temem ao Senhor, em contraste com o castigo reservado aos ímpios. Com uma metáfora extraída da agricultura, ele compara os justos a árvores frutíferas plantadas por Deus, e encerra dizendo que darão frutos mesmo na velhice:

> Os justos, porém, florescerão como palmeiras
> e crescerão como os cedros do Líbano.
> Pois estão plantados na casa do Senhor;
> florescerão nos pátios de nosso Deus.
> Mesmo na velhice produzirão frutos;
> continuarão verdejantes e cheios de vida.
> Salmos 92.12-14

O ponto da comparação aqui é que os justos, plantados e enraizados em Deus, continuarão a produzir frutos pela velhice afora. Nunca lhes faltará a graça e o poder espiritual necessários para darem frutos espirituais em sua velhice. Os últimos dias de um crente podem ser os seus melhores, e suas últimas obras, as melhores obras. Quando fui pregar o evangelho no interior de Pernambuco, ainda um jovem recém-convertido, ganhei do meu pastor um livro com os primeiros sermões de Charles Spurgeon, pregados quando ele tinha pouco mais de 19 anos, na New Park Street Chapel, em Londres. Os sermões do jovem pregador eram extraordinariamente bíblicos, claros e práticos. Foi lendo um deles, intitulado "Eleição", que entendi a doutrina da predestinação o suficiente para aceitá-la. Anos depois, tive acesso aos sermões do Spurgeon mais maduro, pregados então na Catedral Metropolitana, em Londres, igreja que ele pastoreou por 38 anos. A mesma "pegada" dos sermões da mocidade estava lá, mas nesse momento temperada com sabedoria e experiência que somente os anos poderiam ter produzido. Como está escrito: "ninguém que bebe o vinho velho escolhe beber o vinho novo, pois diz: 'O vinho velho é melhor'" (Lc 5.39).

Pregadores que estudaram e produziram muito material, quando envelhecerem e já não tiverem a mesma disposição mental para pesquisas e estudos, terão um vasto repertório de onde extrair sermões, palestras e postagens. Enquanto a memória os ajudar, terão um vastíssimo cabedal de experiências e conhecimento teológico e prático. Seus sermões serão suavizados com o tempero do amor, da paciência e da perseverança, desenvolvidos ao longo de tantos anos de pastoreio e pregação, para não falar na criação dos próprios filhos.

Aqui a conhecida história de Calebe me vem à mente. Antes da conquista da terra prometida, Moisés comprometera-se a recompensar Calebe — por sua fidelidade no episódio dos doze espias — com uma propriedade, um monte. Na época, Calebe tinha 45 anos. Muito tempo depois, quando finalmente os israelitas se tornaram o poder dominante em Canaã, Calebe veio a Josué para reivindicar a promessa de Moisés: "Hoje estou com 85 anos. Continuo forte como no dia em que Moisés me enviou, e ainda posso viajar e lutar tão bem quanto naquela época. Portanto, dê-me a região montanhosa que o SENHOR me prometeu" (Js 14.10-12).

Calebe devia ser um homem extraordinariamente vigoroso, mas sabia que já estava velho. Ainda assim, não estava pronto para se aposentar. Havia um monte a ser conquistado, e ele estava pronto para a luta. A determinação de Calebe é um estímulo para todos nós, pregadores que já entramos na assim chamada terceira idade.

Pregadores idosos podem encontrar ânimo trazendo à mente a mencionada promessa de Deus de que eles darão frutos na velhice, cujos desafios consistem em enfrentar e vencer a sensação de inutilidade. Creio que sempre haverá alguma coisa que o pregador idoso possa fazer. Ele sempre poderá orar ao Senhor, a quem serviu durante tantos anos, pedindo uma porta de oportunidade para servir enquanto ainda lhe resta alguma força. Sei de pregadores idosos que escrevem cartas de conforto a pessoas doentes e a missionários no campo. Outros têm um ministério diário de pequenas devocionais nas redes sociais.

Não quero menosprezar aqueles pregadores idosos que chegaram à velhice atormentados por doenças que limitaram severamente sua capacidade de atuar no reino como pregador e pastor. Muitos vivem essa situação, que eu lamento. Talvez essa mesma situação me aguarde no futuro. Confio que o Senhor haverá de me dar graça para suportar as últimas provações desta vida, assim como tem dado graça a esses queridos colegas que vivem essa situação.

Os perigos da velhice

Como em todas as etapas da vida, a velhice traz consigo alguns perigos. Da mesma forma que Paulo disse ao jovem Timóteo: "Fuja de tudo que estimule as paixões da juventude" (2Tm 2.22), ele também poderia dizer, se Timóteo fosse um pregador idoso: "Fuja de tudo que estimule as paixões da velhice". Paulo queria alertar Timóteo para o fato de que a mocidade traz seus próprios desafios, aos quais ele deveria estar atento para saber reconhecê-los e vencê-los. Creio que o mesmo se aplica à velhice. O pregador precisa estar atento aos perigos inerentes à idade avançada.

Temos alguns casos de homens de Deus que se deixaram vencer pelo pecado ao envelhecer. Um dos mais conhecidos é o do rei Salomão, o *Qohelet* de Eclesiastes. Já idoso, após um reinado marcado pela paz e prosperidade dadas por Deus, Salomão se corrompeu. Ele havia se casado com muitas mulheres de povos pagãos, contrariando as leis do Senhor, e "elas o induziram a adorar outros deuses em vez de ser inteiramente fiel ao SENHOR, seu Deus, como seu pai, Davi, tinha sido". Quando ficou velho, portanto, perdeu a fibra moral e se deixou levar pelos desejos delas, construindo "lugares de culto para que suas esposas estrangeiras queimassem incenso e oferecessem sacrifícios aos deuses delas" (1Rs 11.1-8).

Outro caso conhecido é o do sacerdote Eli: "Eli já estava muito idoso, mas sabia o que seus filhos faziam ao povo de Israel, e que eles seduziam as moças que serviam junto à entrada da tenda do encontro" (1Sm 2.22). Com isso, o Senhor disse a Samuel: "Cumprirei do começo ao fim todas as ameaças que fiz contra Eli e sua família. Eu o adverti de que castigaria sua família para sempre, pois seus filhos blasfemaram contra Deus, e ele não os repreendeu por seus pecados" (1Sm 3.11-14).

Essas passagens contam como dois homens de Deus relaxaram seus padrões morais ao ficarem velhos permitindo que o pecado se configurasse diante deles sem que nada fizessem para impedi-lo. Salomão sabia que suas mulheres cultuavam outros deuses. Depois de anos de tolerância e já com a idade avançada, acabou cedendo aos pedidos delas promovendo a idolatria em Judá. O sacerdote Eli sabia que seus filhos profanavam as ofertas e seduziam as moças no próprio tabernáculo do Senhor, e limitou-se a ralhar com eles, sem tomar medidas severas para tirá-los do sacerdócio.

Todos os pregadores estão sujeitos a essa tentação da idade, a de negligenciar situações de pecado, de tratá-lo de maneira mais branda, de pender mais para o lado da leniência que da justiça e da verdade, de fechar os olhos para erros cometidos diante dele. Por um lado, é até compreensível pois, quando envelhecemos, normalmente preferimos uma vida mais tranquila, sem confusões, atritos e polêmicas, que traz consigo a tentação de não criticar o erro, não denunciar o pecado nem alertar para as consequências de más escolhas. E, assim, pregadores idosos que antes denunciariam o pecado com zelo e fogo ardente se calam, se omitem, fingindo não ver a fim de preservar a paz de espírito. Nem todos querem partir para uma briga aos 85 anos de idade, como Calebe. Entretanto, se o pregador for de fato temente a Deus e amar de coração a verdade, não obterá paz nenhuma se for tolerante com o pecado. O apóstolo João já era idoso quando se dispôs a confrontar o autoritário Diótrefes em sua própria igreja (3Jo 1.9-10).

Confesso que percebo em mim, à medida que os anos passam, uma tendência de ser mais caridoso e misericordioso com pessoas que caem em pecado. Talvez porque meus muitos anos de vida me mostraram claramente quão pecador sou, o que me leva a ter compaixão de outros pecadores. Além disso, aprendi com os anos que, apesar de o pecado ter se infiltrado de forma profunda e perversa na natureza humana, não erradicou dela a imagem de Deus, ainda que essa imagem permaneça manchada e distorcida. Pessoas ainda são capazes de tomar atitudes certas pela graça ministrada pelo Espírito de Deus. Criar quatro filhos me ajudou a ser paciente com as pessoas, a perceber que às vezes elas cometem erros sem ter plena consciência disso, que às vezes basta uma correção amorosa para trazer arrependimento e mudança na vida dos sinceros.

Ainda guardo os sermões que preguei quando era jovem. Boa parte deles era sobre o pecado, a lei de Deus, a condenação e o inferno. Hoje, continuo pregando sobre esses mesmos temas, mas, ao contrário de então, me vejo falando mais sobre a misericórdia de Deus, seu perdão e seu amor leal. Meu pai costumava dizer que até os 40 anos todo homem é um incendiário, e que após os 40 todo homem é bombeiro. Pode não ser verdade para todos, mas creio que se aplica à maioria de nós.

O desafio está em o pregador não permitir que esse abrandamento, que vem naturalmente com a idade, o torne indulgente com o pecado, como Salomão e Eli. Acredito que para evitar o embotamento da consciência com relação ao erro o pregador idoso deve perseverar diariamente nos meios de graça, em especial na leitura e meditação das Escrituras, e em muita oração para não perder o gume afiado da exposição bíblica. Isso o lembrará de que deve pregar todo o conselho de Deus, o que inclui denunciar o pecado e avisar de suas consequências.

A expectativa da morte

Quando eu era jovem não pensava muito na morte. Parecia algo distante, e que eu viveria para sempre. Mas os anos foram me trazendo gradativamente a consciência de que, mais cedo ou mais tarde, meus dias neste mundo chegarão ao fim. Hoje, a morte é algo muito mais real para mim do que na época em que eu pilotava minha moto em alta velocidade nas rodovias de São Paulo. A consciência de que a morte se aproxima a cada dia, e que ela está hoje mais próxima do que ontem, nos leva naturalmente a pensar em uma série de coisas que antes não ocupavam nosso pensamento. Como será que vou morrer? Será que vou morrer doente e sofrendo? Será que vou ter condições de pagar pelos remédios e médicos quando ficar velho e doente? Será que vou morrer antes da minha esposa? O que será da minha esposa e de meus filhos depois que eu morrer?

Essas questões são reais e produzem dor. Muitos pregadores não têm casa própria, dependem apenas do que recebem de sua igreja, não têm aposentadoria privada nem outra segurança financeira para a esposa, caso morram antes dela. Infelizmente, muitas igrejas não cuidam de seus pastores como deviam. Viúvas de pastores por vezes ficam totalmente desprovidas de sustento e ajuda depois da morte do marido, que nunca teve condições de deixar para ela alguma fonte de renda. Diante disso, a tendência natural dos que envelhecem é se prepararem para o momento iminente da morte. Foi o que Isaque, o patriarca, planejou quando ficou idoso:

> Certo dia, quando Isaque era velho e estava ficando cego, chamou Esaú, seu filho mais velho: "Meu filho!".
>
> Esaú respondeu: "Aqui estou!".
>
> Isaque disse: "Estou velho e não sei quando vou morrer. Pegue suas armas, o arco e as flechas, e vá ao campo caçar um animal para mim. Depois, prepare meu prato favorito e traga-o aqui para eu comer. Então pronunciarei a bênção que pertence a você, meu filho mais velho, antes de eu morrer".
>
> Gênesis 27.1-4

Não devemos pensar que Isaque estava sendo frívolo ao mencionar ao filho, como seu último pedido, que lhe preparasse um prato de comida. Aquela refeição introduziria a bênção da aliança, que ele pretendia passar para o filho mais velho, Esaú. Ele estava tomando as providências necessárias para garantir a continuidade do povo da aliança, a descendência escolhida de Deus. O que quero destacar aqui é o teor da fala de Isaque: "Estou velho e não sei quando vou morrer". Em outras palavras: "Cheguei ao ponto em que, daqui para a frente, posso morrer de velhice a qualquer momento. Vou deixar tudo pronto para quando isso acontecer". A estimativa do patriarca estava errada, ele ainda viveria muitos anos depois disso. Mas o princípio estava correto.

A expectativa da morte pode se tornar uma das maiores angústias do pregador idoso. Não me refiro a medo da morte — acredito que os pregadores realmente crentes estão prontos a enfrentar o momento final. Refiro-me às questões já mencionadas, relacionadas com o que vem depois para os que ficam.

Permitam-me alguns conselhos. Primeiro, Deus já demonstrou sua fidelidade ao longo dos anos e não será agora, no momento em que mais carecemos dele, que ele abandonará seu servo fiel e sua família. Contar as muitas bênçãos recebidas nos ajuda a descansar em Deus quanto ao futuro.

Segundo, Deus haverá de cuidar da nossa família depois de partirmos. Às vezes, a ausência do principal provedor desperta nos dependentes a busca por meios alternativos de sobrevivência. Filhos que viviam na dependência do pai terão de arrumar emprego, estudar para entrar no mercado de trabalho, ajudar em casa e assim por diante. O pregador deve descansar que o Senhor cuidará de seus entes queridos depois de sua partida deste mundo.

Terceiro, se ainda somos jovens e temos condição, investir na casa própria, em um complemento de aposentadoria ou em um seguro de vida seria a coisa certa a fazer, para não deixarmos a viúva desamparada. Pregadores jovens estão tão ocupados com o ministério pastoral que não pensam no futuro, quando ficarem velhos e sem poder trabalhar.

Quarto, e mais importante, precisamos aprender a deixar o futuro nas mãos do nosso Deus. Ele sempre cuidou de nós. Não nos desamparará quando ficarmos velhos. Assim diz o Senhor: "Até a velhice de vocês eu serei o mesmo e ainda quando tiverem cabelos brancos eu os carregarei. Eu os fiz e eu os levarei; eu os carregarei e os salvarei" (Is 46.4).

Esse é o nosso Deus. Ele cuidará de nós.

Conclusão

Quero terminar este livro reforçando a importância de o pregador terminar bem sua carreira de arauto das boas-novas e de proclamador da Palavra de Deus. Infelizmente há um bom número de pregadores que não terminam bem sua carreira. Alguns abraçam doutrinas estranhas no final da vida, como o conhecido estudioso neotestamentário William Barclay, já mencionado, que na velhice apostatou da fé e negou tudo que havia ensinado durante anos. Outros caem moralmente, trazendo escândalos, mesmo depois de velhos. Outros abandonam o ministério após anos de serviço.

É muito importante que os pregadores terminem bem sua carreira, a fim de validar seu ministério, suas pregações, seus escritos e suas postagens nas redes sociais, além de servir de exemplo para as próximas gerações e se tornar um grande encorajamento para pastores desanimados e tentados a desistir. Comentando em 2Timóteo, a última carta de Paulo, o estudioso alemão Johann Albrecht Bengel disse: "É o fim que coroa a obra". Concordo plenamente com ele. Aprendamos com o apóstolo Paulo como terminar bem:

> Quanto a mim, minha vida já foi derramada como oferta para Deus. O tempo de minha morte se aproxima. Lutei o bom combate, terminei a corrida e permaneci fiel. Agora o prêmio me espera, a coroa de justiça que o Senhor, o justo Juiz, me dará no dia de sua volta. E o prêmio não será só para mim, mas para todos que, com grande expectativa, aguardam a sua vinda.
>
> 2Timóteo 4.6-8

A segunda carta a Timóteo é a última escrita por Paulo. Acusado pelos judeus, ele estava preso em Roma aguardando julgamento de

Nero. Estava sozinho. Já era velho. Sabia que o fim estava próximo. Seu objetivo com essa carta era fortalecer seu filho Timóteo na fé. Paulo ainda esperava uma visita dele na prisão. Contudo, ela talvez não ocorresse, quer pela morte de Paulo, quer pela impossibilidade de Timóteo vir até ele em Roma. Paulo, então, adianta o que queria dizer-lhe: que continuasse firme em seu ministério, que não deixasse os sofrimentos de Paulo abalá-lo, que enfrentasse os falsos mestres espalhados pelas igrejas, que pregasse a Palavra em tempo e fora de tempo, que fizesse a obra de um evangelista, que cumprisse cabalmente seu ministério como pastor em Éfeso (2Tm 4.1-5).

Quanto a ele, Paulo, seu tempo havia terminado (2Tm 4.6-8). Em sua avaliação, ele estava terminando bem. Vejamos os motivos que o levaram a ter essa consciência.

Primeiro, sua vida foi como uma oferta de "libação" (2Tm 4.6, NAA). Libações eram bebidas derramadas como oferta durante o sacrifício de animais, no templo. Paulo via sua vida como algo que fora derramado como oferta para Deus. Sua morte seria a última gota da libação a que se resumira todo seu ministério. Sua morte por Cristo selaria o sacrifício que fora seu ministério. Em breve, ele seria sentenciado à morte pelo imperador e decapitado na via Ápia. Ele via o sentenciamento como uma partida deste mundo para o outro, o mundo eterno, depois de ter sido derramado como bebida sacrificial diante do altar do Cordeiro de Deus.

Segundo, ele se manteve fiel ao Senhor durante todo o seu ministério (2Tm 4.7). O foco de Paulo nunca foi o sucesso, mas a manutenção de sua fidelidade até o fim. Ele usa três metáforas para expressar sua visão final do que fora seu ministério.

1. Como um *combate* que ele havia terminado. A palavra "combate" (*agón*) é extraída do vocabulário dos jogos olímpicos e ístmicos. É dela que vem nossa palavra para "agonia", indicativa de esforço intenso. Paulo se refere às lutas em prol do evangelho que ele enfrentou em seu ministério, lutas para plantar igrejas em todo o Império Romano, lutas para mantê-las firmes em meio às perseguições, e lutas para manter a pureza do evangelho contra falsos mestres, como os judaizantes, os gnósticos, os místicos e os libertinos. Portanto, fora um "bom" combate em contraste com brigas, polêmicas e contendas de outros líderes, e em contraste com os mercenários que buscavam lucros com o evangelho. Paulo havia

CONCLUSÃO

combatido duramente durante todo o seu ministério, e agora sua luta havia finalmente chegado ao fim, e ele fora vitorioso.

2. Como uma *corrida* que ele havia completado. A corrida, uma modalidade que também fazia parte dos jogos, desafiava o corredor a completar o percurso marcado de dificuldades. Paulo se sentia como o corredor que venceu as dificuldades e chegou ao final. Quantas dificuldades ele enfrentou! Perseguições dos judeus, traição de cooperadores, fome, sede, nudez, prisões, calúnias, escárnios, acusações. Apesar de tudo, ele terminava seu ministério firme, confiante no Senhor, tendo perseverado até o fim.

3. Como um *guarda* que cumpriu sua missão. Paulo havia recebido o evangelho da parte do Senhor, para guardá-lo, protegê-lo dos falsos mestres, mantê-lo puro e divulgá-lo. E foi o que fez toda sua vida, sem desanimar e sem se corromper, apesar do legalismo dos falsos mestres na Galácia, do gnosticismo, misticismo e ascetismo heréticos de Colossos, do gnosticismo em Éfeso e da incredulidade na ressurreição de alguns em Corinto. Agora, ele estava passando esse encargo a Timóteo.

Essa era a avaliação de Paulo de seu próprio ministério ao chegar ao final dele. Paulo havia terminado bem. Dificilmente poderíamos discordar dessa avaliação.

Para que o pregador termine bem como Paulo ele deve começar agora, enquanto é jovem. Essas declarações de Paulo refletem uma vida inteira de dedicação. Não se trata de algo realizado apenas na velhice. Jovens pregadores deveriam colocar isso como meta de sua vida. Não somente ter uma igreja, vê-la crescer em número e qualidade, pregar ao maior número possível de pessoas, mas terminar o pastorado como servos de Deus, com honra e dignidade. É dessa maneira, mais que outras, que ele honrará o nome do Senhor Jesus, que o chamou para ser pregador.

Que todos os pregadores do evangelho possam passar por esse mesmo teste ao chegar ao final de sua carreira. Que eles possam olhar no rosto de sua congregação, fazer as mesmas perguntas e ouvir a mesma resposta. Essa é a razão pela qual este livro foi escrito, para nos auxiliar a nós, pregadores ou não, a nos preparar para o dia da prestação de contas diante do Senhor.

Maranata!

Sobre o autor

Augustus Nicodemus Lopes é pastor da Igreja Presbiteriana do Brasil (IPB), escritor e professor. É bacharel em Teologia pelo Seminário Presbiteriano do Norte, em Recife, mestre em Novo Testamento pela Universidade Cristã de Potchefstroom, na África do Sul, e doutor em Hermenêutica e Estudos Bíblicos pelo Seminário Teológico de Westminster, nos Estados Unidos, onde também obteve o pós-doutorado em Novo Testamento, com estudos adicionais na Universidade Reformada de Kampen, na Holanda. Atualmente, serve como pastor auxiliar na Primeira Igreja Presbiteriana do Recife. Casado com Minka Schalkwijk, é pai de Hendrika, Samuel, David e Anna.

Obras do mesmo autor:
- O que estão fazendo com a igreja
- O ateísmo cristão e outras ameaças à igreja
- Polêmicas na igreja
- Cristianismo descomplicado
- Cristianismo simplificado
- Cristianismo facilitado
- Cristianismo bem explicado
- O que a Bíblia fala sobre dinheiro
- O que a Bíblia fala sobre oração